Bibliotheek Geuzenveld
Albardakade 3
1067 DD Amsterdam
Tel.: 020 - 613.08.04

AFGESCHREVEN

Het andere eiland

Bibliotheek Geuzenveld
Albardakade 3
1067 DD Amsterdam
Tel.: 020 - 613.08.04

Pedro Zarraluki

Het andere eiland

Vertaald door Harriët Peteri

2006
uitgeverij Signature / Utrecht

Wilt u op de hoogte worden gehouden van de literaire romans en thrillers van uitgeverij Signature? Meldt u zich dan aan voor de literaire nieuwsbrief bij uitgeverij Signature via de website, www.signa.nl.

© 2005 Pedro Zarraluki
Oorspronkelijke titel: Un encargo difícil
© 2006 Uitgeverij Signature, Utrecht
© Nederlandse vertaling: Harriët Peteri
Alle rechten voorbehouden.

Omslagontwerp: Wil Immink
Omslagfoto: Getty Images, Rosanne Olson
Typografie: Pre Press B.V., Zeist
Druk- en bindwerk: Koninklijke Wöhrmann, Zutphen

ISBN 90 5672 197 6
NUR 302

Benito Buroy Frere zat al een halfuur in de wachtkamer. Hij had zijn hoed op de stoel naast zich gelegd en voelde zo nu en dan even aan de binnenkant, in de hoop dat het zweet was opgedroogd. Hij had er een hekel aan de nog natte hoed weer op te zetten. In dat halfuur had Benito Buroy alles gedaan wat je op die plek kon doen. Hij had de krant ingekeken, hij had een gesprek proberen aan te knopen met de agent achter de balie, maar die nam niet eens de moeite te reageren en keek hem wantrouwend aan als hij naar zijn echtgenote vroeg of over welk onderwerp dan ook begon, en hij had als een gepensioneerde die alle tijd heeft de vrouw geobserveerd die onder het neuriën van een liedje van Angelillo de vloer aan het vegen was.

Op dat moment was de vrouw klaar met het vertrek, maar de oude tegels zaten zo los dat er stof en zelfs sigarettenpeuken in de voegen waren gaan zitten. Waarschijnlijk gewend aan dit ongebruikelijke fenomeen haalde ze haar schouders op en vertrok met een voldane, diepe zucht. Benito Buroy vroeg zich af waar het stof zou blijven dat telkens wanneer er geveegd werd door die vloer werd opgenomen.

Hij zat hierover na te denken toen de deur van het kantoor openging en de onaangename tronie van de commissaris om de hoek keek. Het was een grimmige man, en zo klein dat het gênant was om naar hem te blijven kijken. Hij richtte zich tot de medemens met een vijandigheid die eigen is aan incomplete persoonlijkheden, hoewel hij over het algemeen heel tevreden was over zichzelf, en dan vooral over zijn gevoel voor humor.

"En denk erom dat je goed nieuws brengt", zei hij bij wijze van begroeting. "In Burgos hebben ze communistische flikkers nodig als hoeren voor de gevangenen."

De man achter de balie barstte plichtmatig in lachen uit.

Benito Buroy stond op. En nadat hij zijn hoed had gepakt en instinctief had vastgesteld dat hij nog steeds nat van het zweet was, zei hij: "Met alle respect, het heugt me niet dat ik het heb laten afweten."

"Kom verder, maar haal het niet in je hoofd me te verneuken."

De commissaris nam plaats achter het bureau zonder zijn gast een zitplaats aan te bieden. Benito Buroy bleef staan, met zijn hoed in zijn hand. Het raam vormde de omlijsting voor een meeuw die met gespreide vleugels trillend van inspanning in de lucht bleef hangen.

"Het is voor mekaar", zei Benito Buroy.

"Je verwacht toch niet dat ik je op je woord geloof. Geef me bewijzen."

Buroy haalde een envelop uit de binnenzak van zijn jas en legde die op het bureau. De commissaris maakte hem quasi-ongeïnteresseerd open. Er zat een lange getypte brief in. Met zijn voorhoofd in zijn hand begon hij hem te lezen.

"Dat is het rapport van de commandant van Cabrera", zei Benito Buroy. "Hij heeft alle formaliteiten afgehandeld en hem op het kerkhof van het eiland begraven … Ik neem aan dat u geen kopie naar het Duitse consulaat zult sturen."

De politieman schudde zonder enthousiasme nee, alsof die hele kwestie hem al te veel tijd had gekost.

"Geef me het pistool."

Benito Buroy haalde het wapen, gewikkeld in een zakdoek, tevoorschijn. Hij vouwde de zakdoek voorzichtig open, pakte het ding bij de loop en overhandigde het aan de politieman. De commissaris haalde het magazijn eruit.

"Er ontbreken twee kogels", zei hij. "Vroeger had je aan één genoeg."

"Mijn pols trilt. Ik geloof dat ik maar eens moet overwegen ermee te stoppen."

"Je stopt er pas mee als ik het zeg. Donder nu maar op. Ga naar je bar terug. En denk erom dat als je me op straat tegenkomt, je me niet mag groeten. Ik ga niet om met viespeuken."

Toen hij buiten kwam, was Benito Buroy blij dat het leven eindelijk weer zijn gewone loop zou nemen. Hij stond stil op het trottoir en liet de warmte van de zon even zijn gezicht strelen. Met gesloten ogen en zijn handen in zijn zakken maakte hij van het moment gebruik om zich af te vragen wat hij nu zou gaan doen. Na enig aarzelen besloot hij naar de markt te gaan. Hij zou stokvis kopen als de rantsoenering het toeliet, en die zou hij dan bereiden met gefruite ui en tomaat. Na alles wat er de afgelopen weken gebeurd was, wist hij niet zeker of Otto Burmann nog wel voor hem wilde koken.

Met een glimlach kwam hij weer in beweging. De gedachte aan die arme, ongelukkige Otto had hem weer zijn kwalijke bezoekjes samen met Erica aan het toilet van de bar in herinnering gebracht, als iets van heel lang geleden. Het was een bijzonder weinig romantische herinnering, maar Benito Buroy vond zichzelf niet iemand van wie je iets beters kon verwachten … In zijn hoofd fluisterde een stem: "Laat je gaan, wacht niet tot morgen want dan zou het te laat kunnen zijn." Waar had hij dat eerder gehoord? Die zin beviel hem, die paste hem als een pak dat te duur voor hem was.

Het was tegen lunchtijd toen hij met twee stukken stokvis gewikkeld in krantenpapier bij de bar aankwam.

Drie weken geleden had hij dat krot verlaten om de opdracht van de commissaris te vervullen, drie weken die zo lang leken dat hij het gevoel had dat hij een ander mens was geworden. Toch was daar alles nog hetzelfde en ook hijzelf nam zijn gewone houding weer aan, alsof wat er in Benito Buroy veranderd was van een andere dimensie was en niets te maken had met zijn dagelijks leven in Palma de Mallorca. Als hij een ander mens was geworden zou hij naar zichzelf moeten zoeken als naar een vreemde, in andere steden en andere omstandigheden. Maar zelfs daarvoor was het te laat.

Hij legde het pak op de bar en bleef om zich heen staan kijken. De laatste resten van de vernielingen die de politie had aangericht waren inmiddels opgeruimd. Otto Burmann probeerde de kapotte poot te repareren van een tafel die hij ondersteboven op de bar had gelegd. Erica stond met een gebloemde doek om haar hoofd op een trap de achterwand te witten.

"Daar ben je alweer", zei Otto toen hij hem zag, met hetzelfde sombere gezicht als waarmee hij hem zou hebben verteld dat er iets ergs was gebeurd.

Benito Buroy keek hem ongeduldig aan.

"Geef me een biertje. Daar op Cabrera heb je dat niet. Dat heb ik geweldig gemist."

Otto Burmann deed het koelvak open, maar bleef even met het flesje in zijn hand staan.

"Mij zul je niet missen, nee, natuurlijk niet. Het enige wat jij belangrijk vindt is lichamelijk genot … Ik zou weleens willen weten wat je op dat eiland hebt uitgespookt. Maar ik weet zeker dat het niet veel goeds zal zijn. Ik durf te wedden dat die politieman heel blij met je is. Jullie zijn allemaal barbaren hier in dit land."

"Nee, niet dat weer, verdomme. Maak die fles open, ik heb dorst."

De Duitser hield een glas onder de kraan om het stof eraf te spoelen. Toen zette hij het nat op de bar. Op dat moment gleed er even iets wat leek op een blik van verstandhouding over zijn gezicht.

"Erica drinkt al twee weken niet meer", zei hij met plotseling vrolijke, ietwat gemaakte stem. "Moet je haar zien. Haar kont lijkt al niet meer op een arena."

De vrouw had zich omgedraaid en lachte naar Buroy. Hij zag dat haar gezicht niet langer pafferig was, zoals een aantal dagen geleden. Zelfs het web van adertjes op haar wangen was verdwenen.

"Je ziet er goed uit", zei hij. "Heel anders."

En zonder er echt bij na te denken, met de snelheid waarmee we gedachten die we al heel lang hebben er soms uitflappen, oude gedachten die als openbaringen naar buiten komen, voegde hij eraan toe: "Wil je met me trouwen? Dan zal Otto onze getuige zijn en de bruiloft betalen."

Er volgde een gegrom van de Duitser als inleiding op een van hun ruzies, maar het was Erica die antwoord gaf, terwijl ze met de kwast over de muur bleef strijken.

"Je moet me niet belachelijk maken. Ik ben nu heel kwetsbaar. Ik weet niet eens of ik wel geschikt ben om een normaal iemand te worden, al heb ik allerlei plannen. Toen ik jong was heb ik in Engeland heel mooie kleren genaaid."

Buroy had dat aanzoek niet gedaan om de draak met Erica te steken, maar het was beter als ze het zo opvatte, dacht hij. Als Erica niet weer in haar oude gewoonten verviel, zou hij nog kans genoeg krijgen om erop terug te komen, en vroeg of laat zou ze zwichten. Alle vrouwen zochten uiteindelijk het gezelschap van iemand, bijna altijd het gezelschap van zomaar iemand en zonder er goed over na te denken, als iemand die voor de regen schuilt. Wat dat betreft maakte Benito Buroy zich weinig illusies. Zijn huwelijk, als het ervan zou komen, zou een beetje droevig en weemoedig zijn, met 's avonds thuis naar de radio luisteren.

"Best", zei hij berustend. Hij had zijn biertje al op. "Maar kom mee naar de wc. Ik heb drie weken als een monnik geleefd."

"Dat had je gedroomd. Dat doe ik nu niet meer op de plee maar in bed, als een dame. Misschien straks, als ik klaar ben met witten."

Dat was meer dan Otto Burmann kon verdragen.

"Misschien ga jij straks naar huis, vuile slet! En jij, klootzak, had gezegd dat je voor me zou koken! Ik ben het zo zat door iedereen te worden uitgebuit! Ik ben het zat! Idioten! Jullie zijn een stelletje idioten …!"

Benito Buroy draaide de Duitser de rug toe en leunde met zijn ellebogen op de bar. Hij opende zijn hand en merkte dat zijn vingers trilden. Dat had hij altijd als hij de dood in de ogen had gezien: dan trilden zijn handen nog een week lang, soms langer.

Hij haalde diep adem en liet de lucht langzaam tussen zijn lippen door ontsnappen. Leunend op de bar, luisterend naar het achtergrondgeluid van de onuitputtelijke scheldwoorden van Otto Burmann, sloot hij zijn ogen en dacht aan de vredige middagen in de verlammende eenzaamheid van Cabrera, aan de lange avonden waarop hij op de galerij van de militaire commandopost sigaren had zitten roken die naar schroot smaakten, en hij dacht aan de dag waarop Lluent de grootste tonijn had gevangen die hij ooit in zijn leven gezien had, en aan die andere dag, waarop Camila een legervrachtwagen in een kermisattractie had veranderd, en aan de lange uren waarin de schaduw van de vijgenboom hem bescherming had geboden terwijl hij het moment afwachtte om Markus Vogel te doden. Zonder zich tot enig heimwee te laten verleiden bedacht hij dat alles eindelijk voorbij was, onherroepelijk, en dat zijn leven weer als vanouds zou zijn, het leven dat hij gewend was te leven.

Hij deed zijn ogen weer open met het gevoel roestige sloten te forceren. Erica stond boven op de trap te neuriën. Ze was nu een fatsoenlijke vrouw en dus een kwetsbare vrouw. Benito Buroy keek naar zijn trillende handen en balde ze tot vuisten om het trillen tegen te gaan. Laat je gaan, zei hij bij zichzelf, wacht niet langer … zorg dat je overleeft.

Camila had een hekel aan de overdreven waardigheid waarmee haar moeder het ongeluk tegemoet trad. Hoe lastiger ze het haar maakten, des te fierder, des te sterker en hooghartiger ze zich gedroeg. Ze hief gewoon haar kin en keek dan neer op degenen die haar klein probeerden te krijgen. Het was een vreemde manier om zich in haar eigen ogen belangrijk te kunnen voelen, of in de ogen van een paar mensen die haar ongetwijfeld zouden hebben bijgestaan maar die ver weg of al dood waren. Er was niets over van de wereld waarin ze hadden geleefd, niets of niemand. Camila vond dat haar moeder leek op van die standbeelden op pleinen, die triomfantelijk en stram overeind blijven staan terwijl de vogels op hun hoofd poepen.

Ze zou zelf graag zijn gaan huilen, maar ze voelde zich zo aangeslagen dat het toch niet zou helpen. Zittend op de achtersteven van de boot, in elkaar gedoken om zich tegen het spetteren van de golven te beschermen, zag ze hoe de zee door de motor werd doorkliefd en zich naarmate ze verder voeren weer sloot, zonder pijn en zonder bloed. Het eiland Mallorca, vanwaar ze een halfuur eerder waren uitgevaren, was veranderd in een mistige lijn aan de horizon. Op dat moment voeren ze tussen akelige rotspunten door die uit het water staken als dreigingen uit de duisternis. Voor hen lag Cabrera, verloren in het niets, belachelijk klein en onvruchtbaar. De ruïnes van een kasteel verhieven zich boven de havenmonding.

De boot stond vol kisten. Hij was zo zwaarbeladen dat hij zich moeizaam een weg door het water ploegde, alsof hij door een onzichtbare kracht naar beneden werd getrokken. De motor vormde pruttelend belletjes op het wateroppervlak, met een geluid dat net zo klonk als wat Camila maakte als ze van haar moeder moest gorgelen tegen de keelpijn. Het water was zo blauw dat je er haast niet naar durfde te kijken, maar als het over het dek sloeg veranderde het in een doorzichtig laagje. Ze leken te blijven drijven dankzij onoplettendheid van het lot.

Een klein mannetje met een onaangenaam uiterlijk stond naast de lading. Met zijn ene hand hield hij de touwen vast waarmee deze bijeen was gebonden, en in zijn andere hand had hij een sigaar die hij met moeite naar zijn lippen bracht. Tegenover hem zat Camila's moeder op een paar blikken. Ze hief gedecideerd haar kin en leek nergens last van te hebben, hoewel ze kletsnat was.

"Mevrouw Forteza ..." begon de man.

"Ik heet Leonor Dot, ik heb altijd mijn meisjesnaam gebruikt", viel ze hem in de rede. "Bovendien hebben jullie mijn man zes maanden geleden gefusilleerd en ben ik nu weduwe."

"Mevrouw de weduwe van Forteza", ging de ander met enige spot verder, "ik kan u verzekeren dat Cabrera geen ideale plek voor u is, en al helemaal niet voor een jong meisje als uw dochter. De autoriteiten zijn vastbesloten u op dat eiland vast te houden zolang dat nodig is. Als u die documenten tekent, zou u overal in Spanje een nieuw leven kunnen beginnen. U zou zelfs uw paspoort terugkrijgen, als u dat zou willen. U bent een sterke vrouw, dat hebt u al laten zien, maar ik denk dat u toch nog eens goed over uw beslissing moet nadenken."

"Doe niet zo idioot. Ik heb al in geen tijden een beslissing genomen. Dat staan jullie niet toe."

"Behalve het leger zijn er op deze eilandjes slechts een handjevol dronken vissers en ratten, duizenden ratten. Die eten alles op, die rotbeesten ... Doe wat u wilt. Maar mocht u van idee veranderen, zeg het dan tegen de commandant. Dan zal hij zich met mij in verbinding stellen."

Leonor Dot gaf geen antwoord. Ze liet haar blik afdwalen naar de kust. De baai waarin de haven lag werd omringd door kale bergen. Aan de rechterkant stond een vuurtoren, waar een in de rotsen uitgehouwen trap naartoe liep. Aan de linkerkant verhief zich de ruïne van het kasteel. Toen ze de baai binnenvoeren, sloegen de golven niet langer tegen de romp. In het midden, aan het begin van een dal vol olijfbomen dat het binnenland in liep, lagen de stoffige barakken van het militaire complex. Maar daar voer de boot niet heen. Hij draaide naar het stuk kust achter het kasteel, waar een paar oude huizen met afgebladderde kalk rond de haven op instorten leken te staan. De haven bestond uit een stenen kade die begon bij een vlak terrein met een eeuwenoude vijgenboom. Aan de ene kant, voor het enige huis dat bewoond leek, stonden een paar tafels onder een pergola. In het aarzelende maar zorgvuldige schrift van ongeletterde mensen had iemand op de deurpost het woord KANTINE geschreven.

Op de kade stond een officier, vergezeld door twee soldaten, te wachten. Ook stond er een vent met piekerig, sluik haar, in een overhemd dat tot zijn navel openstond en vol trots een dichte bos borsthaar ventileerde. De officier ging in de houding staan zodra de man die op de boot had gezeten voet aan wal zette.

"Kapitein Constantino Martínez, commandant van deze post! Geen bijzonderheden, meneer! Tot uw orders, meneer!"

"U hoeft zich bij mij niet te melden, hoor", antwoordde de man die net aan wal was gestapt. "Ik ben van de politie."

De officier liet zijn hand zakken en de soldaten, die achter hem ook in de houding waren gaan staan, zetten hun geweren op de grond. Een van hen nam zijn pet af en begon zijn hoofd te krabben.

"Wie heeft gezegd dat u kon rusten? Wie dan?" schreeuwde de militair. "Geef acht, verdomme!"

"Luister, kapitein", ging de politieman verder, "dit is de weduwe van Ricardo Forteza, en dit is haar dochter Camila. Ze zullen tot nader order op Cabrera blijven. U bent er verantwoordelijk voor dat ze hier niet vandaan gaan."

"Maakt u zich geen zorgen, meneer. Ik heb al instructies ontvangen. In deze haven komen alleen vissers, allemaal bekend en betrouwbaar, en het wekelijkse bevoorradingsschip. Niemand komt het eiland op of af zonder dat ik het weet."

Leonor Dot had de kartonnen koffer met al haar bezittingen op de grond gezet.

"Waar gaan we wonen?" vroeg ze aan de militair.

"Daar gaat Paco over, mevrouw. Ik zal u even aan Paco voorstellen. Dat is die man."

Alsof hij haar de weg wees, stak hij een priemende vinger uit naar de man met de harige borstkas. De man begon breed te glimlachen, waarbij hij een stel door cariës verwoeste tanden ontblootte.

"Ja, ik ben Paco. Ik zal u naar uw huis brengen. Het heet het huis van Xuxa. Xuxa is voor de oorlog gestorven, maar hier noemt iedereen het huis nog naar haar."

"Dank u. We zouden graag zo snel mogelijk alleen gelaten worden", verklaarde Leonor Dot, terwijl ze haar dochter bij de arm greep en haar koffer oppakte.

De weinige huizen van het dorp stonden op een kluitje rond het plein en langs een stuk weg dat tussen de schaarse begroeiing op de berg omhoogliep. Sommige hadden geen dak meer en in geen enkel huis was een levend wezen te bekennen. De man liep in stevig tempo omhoog naar het laatste huis en bleef bij de deur op hen staan wachten.

"U zult hem vanbinnen moeten vergrendelen", zei hij terwijl hij de deur opendeed. "Het slot is in goede staat, maar ik kon de sleutel niet vinden. God mag weten wat Xuxa ermee gedaan heeft."

Het was een heel eenvoudig huis met één kamer. Het was gebouwd op een steil stuk van de helling. Aan de kant die uitkeek over de baai stond nog het vervallen geraamte van een veranda, en aan een van de zijkanten lag een stukje grond dat bedekt was met brandnetels en omgeven werd door een lage muur.

"Dat is de moestuin", verduidelijkte de man. "Het huis staat al jaren leeg, maar het lekt niet. De soldaten hebben een tafel en een paar bedden gebracht. Mijn vrouw, die een wat moeilijk karakter heeft, heeft alleen geweigerd de boel op orde te brengen. Ze zegt dat u hier toch niets beters te doen hebt … Afijn, het ga u goed."

De man liep over de weg terug naar de haven. Camila kwam de veranda weer op en liet haar moeder een vinger zien die zwart was van het roet.

"Hoe moet ik dat eraf krijgen? De keuken is heel smerig."

Leonor Dot ging het huis binnen. Diepbedroefd keek ze naar de muren vol vochtplekken, de tafel geflankeerd door twee rieten stoelen, de twee gammele bedden achter in de kamer. Dat was alles. Er waren nergens kasten of planken. Naast het houtfornuis was nog een betegeld werkblad. En op het werkblad lag legerbeddengoed en er stonden een pan en twee tinnen borden.

Leonor Dot liep naar een raam. Ze worstelde er net zo lang mee totdat de lijst week met het geluid van knappend droog hout en de ramen openzwaaiden, waarbij ze een weemoedig geknars lieten horen. Vandaar was de hele baai te zien. Op dat moment voer er een kleine zeilboot de haven binnen. Leonor Dot leunde met haar ene hand op de vensterbank, bracht haar andere hand naar haar ogen en barstte in huilen uit. Ze huilde zo hard dat haar schouders schokten.

Achter haar trok Camila een geërgerd gezicht en liet zich in een stoel vallen.

"Het lijkt wel alsof je al je energie voor anderen bewaart en alleen mij lastigvalt met je buien", zei ze zachtjes, op bittere toon.

De zee is als de ziel. Hij is diep, je weet dat hij diep is maar niet echt hoe diep, omdat ook hij ondoordringbaar is. En net als de ziel zit hij vol met een beetje rare, enge monsters. Lluent heeft me verteld dat er in dit water roggen en haaien zitten die groter zijn dan zijn vissersboot, maar ik weet zeker dat hij overdrijft. Al zie ik soms wel bij het zwemmen schaduwen onder me door glijden. Dan schrik ik me dood en begin heel hard te zingen en met mijn voeten te bewegen totdat de schaduwen verdwijnen, zich oplossen in de diepte als de weerspiegeling van de wolken. Want op de bodem van de oceaan kun je heel makkelijk van de ene plek naar de andere gaan, er zijn daar geen grenzen en geen zwaartekracht. Vissen zijn de vogels van het water.

Mijn moeder zegt dat Lluent te veel drinkt. Ze zegt dat het

merkwaardig is dat hij vaak amper op zijn benen kan blijven staan en toch nooit overboord is gevallen. Maar ik weet dat dit niet zal gebeuren. Lluent zal nooit uit de boot vallen, omdat hij groot ontzag heeft voor de diepte. Op een ochtend kwam ik hem tegen toen hij op de kade zat te ontbijten en toen heeft hij me dingen laten zien door het glas van zijn wijnfles. De hele wereld was groen en had bedrieglijke afmetingen, zoals wanneer je duikt. "Een mens is net als een fles", zei hij. "Als je door hem heen kijkt, zie je alles vervormd." Het kan zijn dat Lluent, die altijd maar naar de golven zit te turen op zoek naar scholen vis, altijd alles zo ziet en dat hij daarom als hij de kroeg uitkomt zo verdwaasd loopt te wankelen. Misschien vaart hij al te lang met zijn boot over het zeeoppervlak. Maar misschien is het eigenlijk ook wel waar dat hij te veel drinkt.

Van mijn moeder mag ik niet mee als hij uit vissen gaat, maar hij neemt ons samen vaak mee op korte tochtjes langs de kust. Zodra we een eindje de haven uit zijn begint mijn moeder altijd te huilen, niet omdat ze bang is, maar omdat ze dan moet denken aan de boottochtjes die ze met mijn vader maakte. Lluent kan hem natuurlijk niet vervangen, hem niet en iemand anders ook niet. Hij zou zichzelf amper kunnen vervangen, want ik geloof niet dat hij beseft hoe raar anderen hem vinden. Als hij ziet dat mijn moeder huilt, springen de tranen hem in de ogen en begint hij stilletjes, spelend met zijn vishaken, te snotteren. Ik huil niet, al zou ik het wel willen, want ze lijken allebei heel gelukkig als mijn moeder na een tijdje zegt "Nou, zo is het wel genoeg, Lluent, we zijn een stelletje dwazen", en dan vegen ze hun neuzen af, de visser met zijn mouw, mijn moeder met een zakdoekje dat ze uit de halsopening van haar bloes haalt. Ik huil niet, omdat ik het niet kan. Ik kijk alleen maar naar de zee, die overdag doorzichtig is als het glas van de fles, zodat je de vissen en de algen op de bodem kunt zien. Maar het is niet altijd zo. Halverwege de middag wordt het water onrustig en troebel, moe van alles wat het verbergt, en dan sluit het zich op in zichzelf. En 's nachts is de zee helemaal zwart en lijkt het alsof alles daarin ook zwart en een beetje gevaarlijk is, net als de ziel.

Het ergste geheim van de zee zijn de kwallen, die amper

bestaan en je bedreigen zonder dat je ze ziet, zonder dat je weet of ze in de buurt zijn. Ze doen me denken aan de angstige gedachten die je soms zomaar bespringen, of aan de droeve buien waardoor je longen onverwachts volstromen en je stikt van verdriet, of op de slechte ideeën die door je hoofd malen en die maken dat je je heel klein voelt omdat je, net als bij vlinders, het niet kunt laten ze achterna te zitten.

Ik geloof dat kwallen niet zouden moeten bestaan, en Lluent denkt er hetzelfde over. Maar omdat hij gek is pakt hij ze als hij ze vanuit zijn boot ziet met zijn handen en gooit ze op de rotsen, waar ze veranderen in kladders gelatine. Dan veegt hij zijn handen aan zijn broek af en spuugt in het water, om te proberen de zee met zijn speeksel schoon te maken.

Toen Otto Burmann die man in de deuropening zag staan, kwam hij achter de tapkast vandaan en liep hinkend naar de achterkant van de bar. Na een blik op de halfduistere, vettige keuken te hebben geworpen, stopte hij voor de wc-deur waartegen iemand aan de andere kant aanhoudend ritmisch tikte. Even bleef hij naar de ronde knop kijken. Een van de schroeven waarmee het ding was vastgezet was los komen te zitten en danste op het gerammel van de deur. Zonder nog langer te wachten greep Otto Burmann de deurknop, draaide hem om en trok eraan. Toen keek hij naar de grote vrouwenbillen, naakt en blozend, die voor zijn ogen met korte tussenpauzes heftig op en neer bewogen. Vervolgens sloeg hij zijn blik op naar de man die, zittend op de toiletpot, zijn vingers weg liet zinken in de dichte bos haar die tussen zijn benen uitwaaierde.

"Das gibt's nicht!" riep Otto Burmann uit. "Erica heeft weer te veel gedronken … en jij moet naar de commissaris, want die zit in de bar op je te wachten. Hijs je broek op."

De man op de toiletpot maakte een vermoeid gebaar. Hij gaf een paar klopjes op de rug van de vrouw, die verdwaasd haar arm ophief en tegelijkertijd haar knieën op de grond zette. Ze leek niet in staat om zelfstandig overeind te komen.

"Dat doe je niet met een vrouw, Benito", zei de Duitser afkeurend. "Niet met haar en met geen enkele vrouw."

"Help eens even. Ik kan haar niet overeind krijgen."

Otto Burmann pakte haar onder haar oksels en zette haar op haar benen. Eenmaal buiten de wc streek hij haar rok glad, greep haar bij haar middel en keerde met haar naar de bar terug. Hij zette haar weinig zachtzinnig op een stoel aan een leeg tafeltje. De vrouw had een pafferig gezicht, wangen vol kleine adertjes en dikke lippen die zich krulden in een akelige grimas. Ze keek glazig om zich heen en leek een andere wereld dan de werkelijke te zien, of helemaal geen wereld. Ze probeerde tevergeefs op het gezicht van de Duitser te focussen en klakte woedend met haar tong.

"Ik heb genoeg van jou, Otto. Ik heb genoeg van jullie allemaal. Geef me een gin."

In de bar zaten maar vier mannen, die in een hoekje aan het kaarten waren. De politieman stond tegen de bar geleund. In gedachten verzonken en ogenschijnlijk onbewust van zijn omgeving, streek hij met zijn vingertop over de palm van zijn andere hand alsof hij de eeltplekken onderzocht. Otto Burmann was weer achter de tapkast gaan staan en sloeg vandaar Benito Buroy gade, die met zijn handen in zijn zakken de ruimte achter het café uitkwam. Hij had zijn gewone onbezorgde air weer terug, alleen zijn pupillen verrieden een ondefinieerbare angst. Om die verholen paniek in zijn ogen was de Duitser voor hem gevallen en het was ook de reden dat hij hem altijd alles vergaf.

"Dit wordt een makkie", zei de commissaris met vochtige, hese stem toen hij Buroy zag. "Na Frankrijk kan Groot-Brittannië nu elk moment vallen. Inmiddels zal Londen wel worden gebombardeerd."

Benito Buroy keek hem onverschillig aan. Achter in de bar probeerde Erica een sigaret aan te steken, maar die viel uit haar handen en rolde over de vloer. Onder het mompelen van onsamenhangende dingen steunde ze met één hand op de tafel en dook er vervolgens met haar hoofd onder alsof ze het in een bak water stopte. Aan de andere kant van de glazen deur regende het hard. Zo'n stortbui van eind augustus. De regenjas van de commissaris was doorweekt.

"Jij daar", zei hij tegen de Duitser, "geef ons twee bier."

Hij ging aan een tafeltje bij de ingang zitten en wees Benito Buroy op de stoel tegenover hem.

"De laatste keer hebt u me beloofd dat u me met rust zou laten", zei de ander zonder op het aanbod in te gaan.

"Ga zitten, verdomme. Ik laat me de wet niet voorschrijven door een perverse sadist. Als ik zeg dat je iets moet doen, dan doe je dat, punt uit. En anders ga je de gevangenis weer in."

Benito Buroy gehoorzaamde met tegenzin. De commissaris nam een grote slok bier. Toen bracht hij zijn handen naar zijn hoofd en wreef krachtig door zijn natte haar.

"We hebben een probleem met een Duitser. Niet kreupel zoals deze, die bij het horen van het eerste schot al op zijn gezonde been begon te springen, maar een Duitser met kloten, een rotzak. Hij beweert dat hij Markus Vogel heet, maar er zijn ook documenten gevonden waarin hij voorkomt als Paul Wahle of Ricardo González."

"Waarschuw de Gestapo. Die weten vast wel wat ze met hem aan moeten."

"Doe niet zo lullig, Benito!" zei de commissaris ongeduldig. "Jezus, wat ben jij een luldebehanger! Denk je dat ik naar jou toe zou komen als ik het op een andere manier kon oplossen? Denk je dat ik het leuk vind om in dit stinkende tyfushol te zitten?"

Benito Buroy wendde zijn blik af naar de regen die aan de andere kant van de deur naar beneden kwam zetten. De commissaris bracht hier heel wat avonden door. Hij dronk er zijn biertjes of zijn glaasjes wijn en sloot zich ook weleens met Erica op in de wc achter de bar. Misschien was Erica de enige in de stad die zich nooit anders had voorgedaan dan ze was.

"Maar goed", ging de politieman verder, "de kwestie is dat de Gestapo ons heeft gevraagd hem op te sporen. Ze willen dat hij naar Duitsland komt en ze vermoeden dat hij hier ergens verblijft. En dat klopt. We hebben hem op Cabrera geïnterneerd."

"Hoe lang zit hij daar al?"

"Ongeveer drie maanden."

"Dan zal hij inmiddels wel gek zijn geworden. Niemand houdt het op dat eilandje uit."

"Hij wel, dat kan ik je verzekeren. In theorie werkt hij voor de

Abwehr, de militaire inlichtingendienst, en is hij buiten het bereik van de Gestapo. Maar ze hebben hem een paar keer met een Amerikaanse van de OSS gezien die als een vis in het water is in Madrid. Ze waren samen in het Palace en bij stierengevechten. De Duitsers staan nu op ontploffen. Tot overmaat van ramp hebben we hun niet verteld dat die vent voor ons ook weleens een karweitje heeft opgeknapt. Die klootzak heeft ons allemaal bij de neus genomen en de hoge omes willen niet dat dit bekend wordt. Nu weet je wat er speelt."

Hij legde een in pakpapier gewikkeld voorwerp op tafel. Benito Buroy woog het pistool even.

"Ik zal verschillende keren moeten schieten om met al die verschillende personages af te rekenen", zei hij met gespeelde gelatenheid.

De commissaris barstte in lachen uit.

"Je bent een schurk!" riep hij. "Wat ben jij toch een schurk!" En toen, in de richting van de bar: "Jij daar, breng ons nog twee bier!"

En vervolgens richtte hij zich een beetje op om naar de vrouw te kunnen kijken die, na haar hoofd een paar maal tegen de onderkant van de tafel te hebben gestoten, had besloten daar onbeweeglijk, in een plotseling kleine wereld te blijven zitten: "Erica, jij grote sloerie! Ga je op de grond een sigaretje liggen roken?"

Leonor Dot zette een stoel op de veranda en bleef daar een hele tijd, met haar handen in haar schoot, naar het beperkte landschap van het eiland zitten staren. De herinneringen besprongen haar als het refrein van droevige liedjes, maar ze probeerde zich aan haar nieuwe situatie aan te passen. Zelfs in de ergste omstandigheden was haar dat altijd gelukt. Alle Spanjaarden, dacht Leonor Dot, degenen die elkaar na de oorlog weer tegen zouden komen in de onrustige hoeken van de ballingschap, de honderdduizenden gevangenen in afwachting van een onzeker en wreed pardon, zelfs de beschermelingen van het regime die, al was het maar om weer een gewoon leven te leiden, wat glans probeerden te geven aan het klatergoud van de ellende, kortom, alle overlevenden van de burgeroorlog zouden vroeg of laat weer hetzelfde doen: rustig ergens gaan zitten en de tijd voorbij laten gaan. Dat was wat zijzelf ook moest doen, de tijd voorbij laten gaan en genieten van de relatieve rust die Cabrera haar kon bieden. De wereld was weer een andere oorlog begonnen en hoe onherbergzaam het eilandje ook was, het leek een goede plek om haar dochter te beschermen en de komst van beter tijden af te wachten.

Camila, die achter haar zat, dacht dat haar moeder was ingedommeld. Dat was altijd nog beter dan haar te zien huilen en daarom besloot ze haar voorlopig niet te storen. Ze wreef haar vinger af aan het onkruid dat bij de voordeur woekerde en maakte de koffer open die Leonor op de grond had gezet. Er zat wat ondergoed in en een simpele toilettas, een jas van haarzelf die ze met afschuw bekeek omdat hij haar te klein was geworden, en vier boeken die gekaft waren met pagina's van de *Solidaridad Nacional*. Ze bladerde wat in de boeken en koos er ten slotte een uit, *Luces de bohemía* van Valle-Inclán, een exemplaar waarin haar vader de zinnen had onderstreept die hij mooi vond. Ze ging op een van de bedden liggen en las de onderstreepte zinnen zonder er veel van te begrijpen, totdat ze in slaap viel. Toen ze wakker werd, met de woorden die ze net gelezen had nog op haar lippen, ging de zon juist onder en zat haar moeder nog steeds in dezelfde houding. De stilte was zo diep dat ze er hartkloppingen van kreeg en een vaag gevoel van angst, zo'n onbestemde angst die sterk lijkt op neerslachtigheid. Camila besloot dat gevoel te bestrijden op de beste manier die ze kende, die ze ook gebruikte wanneer ze als kind in het grote appartement in Barcelona, in de Ensanche, alleen werd gelaten en verborgen in het duister aarzelende gedaanten meende te bespeuren: het hele huis doorsnuffelen om alle hoeken en gaten de baas te worden. Niet dat er in dit huis veel te onderzoeken viel, maar liggend op de vloer vond ze onder de betegelde plank algauw een lijstje met een foto van een blozend uitziende vrouw. Ze droeg een hoofddoek die onder haar kin was vastgeknoopt, en verder had ze een grote wrat op haar wang en de felle, uitdagende blik van iemand die absoluut niet in foto's gelooft.

Naast de veranda zag Camila een roestig voorwerp tussen de planten liggen. Het was een sikkel die er onheilspellend uitzag. En even later vond ze in een hoek van wat de moestuin was geweest een ronde constructie die een put leek. Ze boog zich er voorzichtig overheen, want de stenen zaten los, en liet er een steentje in vallen. Meteen daarop hoorde ze glashelder het geluid van het steentje dat het wateroppervlak raakte. En net toen ze zich van de put wilde verwijderen, zag ze een hagedis een opening in het metselwerk inschieten. Ze pakte een stok om het diertje te dwingen eruit te komen. Maar toen ze het in de opening stak, liet de steen waarachter de hagedis zich verscholen had los en viel tussen Camila's voeten op de grond. Ze bukte zich behoedzaam om in het gat te kijken. Daar zat de hagedis, doodstil en uiterst waakzaam, naast een blikken trommel die glansde in het duister. Het meisje joeg met de stok de onbedoelde cerberus weg en trok de trommel uit het gat. Op het deksel was een olifant geschilderd, die door het oerwoud liep met een Indiër met een tulband schrijlings op zijn nek. Met bonzend hart maakte Camila het deksel open en zag een paar oude bankbiljetten, een brede ring waarin een aquamarijn was gevat en een grote verroeste sleutel. Camila had alleen maar oog voor de sleutel. Ze rende ermee naar de veranda en kon zich niet langer beheersen.

"Mammie! Xuxa verborg haar geheimen in de put! Ik heb de sleutel van het huis gevonden!"

Haar moeder morde een beetje, maar was ten slotte bereid hem te proberen. Het slot week bij de eerste poging, hoewel het knarsend weerstand bood.

"Het moet gesmeerd worden", zei Leonor Dot.

En met weer iets van haar oude zelfverzekerdheid voegde ze eraan toe: "Soms geeft het leven je onverwachts cadeautjes. Nu kunnen we een deur op slot doen die niemand zou willen openmaken."

Ze legde een arm om de schouder van haar dochter en samen gingen ze weer naar de veranda. Boven de baai versmolt de zon met de laaghangende wolken in de vredige gloed van de schemering. De meeuwen, oranje van kleur in dat licht, zweefden met elastische spieren over het kalme water. Als hun leven anders was gelopen, dacht Leonor Dot, zou dit een goede plek zijn geweest om zich samen met Ricardo terug te trekken. Ze sloeg haar armen om Camila heen en drukte haar tegen zich aan. Ze vond ook dat haar dochter groot begon te worden. Haar hoofd reikte al tot aan haar kin en daardoor kon ze haar haar ruiken als ze haar omhelsde. Ruiken aan het haar van de mensen van wie ze hield gaf Leonor Dot een merkwaardig gevoel van geluk.

Toen Camila zag dat haar moeder eindelijk weer wat tot leven kwam, vergat ze de blikken trommel en de andere schatten die erin zaten. Ze sloeg haar armen om haar moeders middel en hief haar blik naar haar op.

"Mammie, we hebben sinds het ontbijt niets meer gegeten. Ik heb honger. Jij niet?"

Door de woorden van haar dochter voelde Leonor Dot de praktische energie van het moederschap weer in zich opkomen. Ze keek nogmaals vol ongenoegen naar alles om haar heen en ging toen aan de slag. Het eerste wat ze deed, nog voordat ze iets ging zoeken om hun magen mee te vullen, was daar een beetje orde scheppen. Samen maakten ze de bedden op met het leger-beddengoed. Vervolgens probeerden ze de enige lichtschakelaar, die alleen een schommelend peertje bediende dat aan een snoer midden in de kamer hing. Vergeefs zochten ze naar een wc die er niet was en kozen een afgelegen plekje van het terrein, waar ze om de beurt plasten terwijl de een over de privacy van de ander waakte, al kon daar zo te zien niemand inbreuk op maken. En na hun gezichten onder een miezerig waterstraaltje aan de gootsteen te hebben gewassen, sloten ze deur vanbuiten af en liepen naar de kantine.

Aan een van de tafeltjes onder de pergola zat de man te dommelen die hen naar hun huis had gebracht. Toen hij hen voorbij zag komen mompelde hij iets en probeerde overeind te komen, maar daar zag hij met een dodelijk vermoeid gezicht weer van af. Ze gingen de kantine binnen, maar hoewel de vloer bezaaid lag met peuken was er niemand. Eén hele wand werd in beslag genomen door een stenen bar. In de hoek ertegenover vormde een grote schoorsteen de omlijsting voor een portret van Francisco Franco, te midden van roetkleurige resten van gedoofde vuren. Ter versiering was op de muren een rand van Spaanse vlaggetjes geschilderd.

Een dikke vrouw, in een groezelig schort waaraan ze haar handen afdroogde, kwam door een deur tevoorschijn.

"Mooi op tijd!" riep ze uit toen ze hen zag. "Wat denkt u wel, dat u kunt komen als het u uitkomt?"

"We wisten niet ..." begon Leonor Dot.

"Dan weten jullie het nu! Jullie hebben me met het middageten laten zitten, dus nu eten jullie dat maar als avondmaal en morgen zien we wel weer! Voor dat loon en met dat rotrantsoentje moeten jullie niet veel verwachten. Vooruit, ga ergens zitten!"

Moeder en dochter kozen een tafel bij het raam. De ruit was echter zo vuil dat ze amper naar buiten konden kijken. De vijgenboom op het plein, omringd door de toenemende duisternis van de schemering en vervormd door de vette aanslag op het glas, leek wel een weelderige onderwaterplant. Ineengedoken op haar stoel liet Camila een zenuwachtig lachje horen en keek haar moeder angstig aan. Ze voelde zich heel klein en wist niet waar ze haar handen moest laten. Leonor Dot voelde zich zichtbaar niet op haar gemak en veegde met een energiek gebaar de resten van een gebruikte lunch – een hele hoop broodkruimels en de graten van een sardien – van tafel. Toen ze zag dat de andere vrouw een servieskast opende en er borden en bestek uit haalde, stond ze weer op.

"Laat me u helpen", waagde ze te zeggen.

"Dat hoeft niet", antwoordde de kantinehoudster geërgerd. "En u moet ook niets van mij verwachten. Het is hier ieder voor zich, we hebben het allemaal al moeilijk genoeg."

Leonor Dot hief haar kin, maar ze hield zich in en ging zwijgend zitten. En op dat moment deed Camila, die ineens zag hoe beangstigend lelijk en akelig alles kon zijn en zich plotseling kleiner en meer vernederd voelde dan ooit, wat ze het meest verachtte: ze begon te huilen en dat deed ze als een kind, zonder haar handen voor haar gezicht te slaan.

"Lieve hemel", riep de vrouw plotseling uit het veld geslagen.

En vervolgens richtte ze zich tot Leonor en zei: "Hoe kunt u uw dochter dit aandoen?"

Voordat de ander iets terug had kunnen zeggen, verdween ze door de keukendeur. Even later kwam ze terug met een dampende pan in de ene hand en een opscheplepel in de andere.

"Pap", kondigde ze aan. "Het is niet erg gezond, maar het vult wel. Dat is het enige wat er is. En om te drinken, water. Het kleine beetje wijn dat we krijgen, reserveert mijn man voor zichzelf. Hij zit daarbuiten, zo zat als een aap."

Het viel Leonor Dot op dat de vrouw voor het eerst op nietvijandige toon tegen hen had gesproken. Toen ze de keuken uitkwam had ze hen met haar blik gezocht, maar met een vaag gevoel van onbehagen had ze hem meteen weer afgewend. Toen ze de pan op tafel had gezet, bekeek ze het meisje echter toch aandachtig. Inmiddels weer gekalmeerd hield Camila haar handpalmen tussen haar dijen en drukte haar kin op haar borstbeen. De vrouw stak haar hand heel voorzichtig naar haar uit, om haar niet aan het schrikken te maken, en aaide over haar hoofd. Camila trok haar nek in toen ze de druk van de hand voelde.

"Hoe heet je?" vroeg ze, waarbij ze probeerde haar donderende stem wat vriendelijker te laten klinken. "Ik heet Felisa García García. Maar mijn ouders waren geen broer en zus, hoor, er zijn gewoon een heleboel García's. Wij zullen het vast goed met elkaar kunnen vinden, meisje."

"Hoezo ga je naar Cabrera?" vroeg Otto Burmann geërgerd. "Wanneer vertrek je … en voor hoelang?"

Benito Buroy was op een stoel gaan zitten en speelde met het pistool. Het was een weinig glimmende, maar goed gesmeerde Astra. Alle kogels zaten in het magazijn. Benito had ze er uitgehaald om ze te tellen. Ze waren er alle zes, geen enkele in de kruitkamer. De twee mannen bevonden zich in hun flat, boven de bar. Ze hadden de zaak net gesloten en de regen kwam nog steeds met bakken uit de hemel. Erica hadden ze slapend aan het tafeltje achtergelaten waar ze na het drinken van nog een paar glazen gin buiten westen was geraakt.

"Wanneer vertrek je?" hield Otto Burmann aan, terwijl hij de ijskast woedend opentrok en er zes eieren gewikkeld in krantenpapier uithaalde. Hij kwakte ze zo hard op het aanrechtblad dat er een paar braken.

"*Mein Gott!* Kijk nou wat je me aandoet …"

Benito Buroy schudde zijn hoofd met een mengeling van berusting en ongeduld.

"Ik weet niet hoe lang ik daar blijf", zei hij, "maar de boot vertrekt overmorgen. Die gaat iedere woensdag."

Zijn verontwaardiging inhoudend om niet nog meer schade aan te richten, had de Duitser het krantenpapier voorzichtig opengevouwen. Hij redde de nog hele eieren en spoelde ze af onder de kraan.

"Ik weet niet wat voor verkeerde dingen jij in de oorlog allemaal hebt gedaan, Benito, ik weet het niet en ik wil het ook niet weten, maar die politieman doet met je wat hij wil. Jij deugt niet, Benito, jij deugt gewoon niet. Eerlijk gezegd weet ik niet waarom ik je in mijn huis laat wonen."

Ineens draaide hij zich om naar een raampje dat uitkeek op een smalle lichtkoker.

"En wat sta je nou te kijken, mispunt! … Ze staat daar altijd stiekem achter de vitrage, dat wijf."

"Dat is je eigen schuld, je geeft er alle aanleiding toe. Bovendien weet ik niet wat je me nu kwalijk neemt. Als jij geen polio had gehad, zou jij nu ook rondrennen met een geweer. Met een beetje geluk zou je nu in Parijs zitten, in Café de Flore, met een leuke Française."

"Donder op met je Française! Het enige wat ik wil is alleen zijn. Sodemieter op en laat me met rust!"

Benito Buroy stopte de kogels weer terug in het magazijn. Er viel er een op de vloer.

"Ik heb schijt aan jou, Otto. Soms ben je onuitstaanbaar. Ik heb geen honger meer. Ik ga naar bed."

"O ja?" stoof de ander op. "Nou, ik ga op pad en kom vannacht niet meer terug!"

Hij smeet de pan die hij net uit een kast gepakt had op het aanrechtblad, liep het huis uit en sloeg de deur keihard achter zich dicht. Benito Buroy pakte de kogel van de vloer op, stopte hem weer in het magazijn en liep met het pistool nog in zijn hand naar de deur. Met een cynische glimlach trok hij hem open. Daar, op de overloop, zat Otto Burmann met zijn armen om zijn knieën geslagen. Hij leek een beetje te zijn gekalmeerd.

"Je maakt me bang", zei de Duitser. "Je ziet er zo angstaanjagend uit met dat enge wapen."

In dit soort gevallen schaamde Benito Buroy zich voor zichzelf.

"Doe niet zo lullig, Otto, Kom weer binnen."

De agenten die hem moesten bewaken bekeken hem met respect. Hij was zo lang dat hij zich moest bukken om door de deur te kunnen, en hij had een lange, witte baard waardoor hij iets weg had van een profeet. Sommige bewakers zeiden dat als hij geen spion was geweest, hij zo gecontracteerd had kunnen worden om Jezus Christus te spelen in een film van Benito Perojo, met Julio Peña als apostel en Imperio Argentina als Maria Magdalena. Behalve dat hij lang en mager was had hij ook een heel doordringende blik, alsof je hem had teleurgesteld in iets bijzonder belangrijks en hij je dat weliswaar vergaf maar wel wilde laten zien dat hij het had opgemerkt. Dat zeiden sommige bewakers onder het kaarten. Andere vonden dan dat hij eerder op Raspoetin leek, dat hij de blik van een gek had en dat hij dat ongetwijfeld ook was, want alleen gekken zijn in staat dwars door je heen te kijken.

Hij zat al een week opgesloten in de kelders van het politiebureau aan de Puerta del Sol. De commandanten hadden gezegd dat er niet met hem gesold mocht worden, dat ze hem goed moesten behandelen en op orders van hogerhand moesten wachten. En daar hielden ze zich nu aan. Soms mocht hij meedoen met kaarten en ze rolden ook weleens een sigaret voor hem, ondanks het gerucht dat de tabak gerantsoeneerd zou worden. Totdat er op een ochtend een kleine, dikke kolonel verscheen, die bij iedere stap op zijn tenen ging staan om wat aan krijgshaftigheid en lengte te winnen. Het was een heel naar mannetje. Hij verzocht de bewakers hem naar de cel van de vreemdeling te brengen en stuurde hen toen weg met een energiek handgebaar, als van iemand die hinderlijke vliegen verjaagt. Hij wilde alleen zijn met die man.

De vreemdeling zat op zijn bed en stond niet op toen hij hem zag binnenkomen. Hij speelde met een knoop die van zijn overhemd af was en bedacht dat hij pech had: de ergste militairen zijn de militairen die het uiterlijk van een bakker of een kruidenier hebben en die ook echt bakker of kruidenier zouden zijn geweest als de oorlog er niet tussen was gekomen. Aan dat soort militairen had je een zware kluif. Hij hulde zich in stilzwijgen en knipperde zelfs niet met zijn ogen toen de kolonel om een stoel schreeuwde. Een van de bewakers kwam er haastig één brengen. De militair zette de stoel midden in de kamer, nam plaats en kruiste zijn armen over zijn vooruitstekende buik. Met een opgetrokken wenkbrauw bekeek hij de vreemdeling aandachtig.

"Ik zit met u in mijn maag", zei hij. "U moet weten dat Spanje sinds een paar dagen zijn neutrale status heeft verruild en zich achter de As heeft geschaard. Terwijl jullie troepen Parijs binnentrokken, hebben wij de stad Tanger bezet zonder enige weerstand te ontmoeten. De Britten staan nu meer alleen dan ooit, maar dat is niet dankzij uw hulp. Al uw informatie over hen is onjuist gebleken. Ik vraag me af voor wie u werkt."

De vreemdeling slaakte een lange zucht. Toen antwoordde hij in perfect Spaans: "Kolonel, mijn daden zijn er altijd op gericht geweest de eeuwige glorie van het Reich te verdedigen. U moet niet vergeten dat jullie degenen zijn die op onorthodoxe wijze contact met mij hebben opgenomen. Ik heb u slechts alle informatie gegeven die ik over de bewegingen van de Royal Navy had. Mijn informanten zijn betrouwbaar maar niet onfeilbaar. Ook heb ik u laten weten dat Duitsland er groot belang bij heeft u te helpen om de rots weer in handen te krijgen en de vijand in de Straat van Gibraltar onschadelijk te maken. Daarmee geloof ik dat ik mijn nek voldoende heb uitgestoken en mijn bijdrage heb geleverd. Als uw regering geen Duitse troepen op Spaans grondgebied wil en ook niet in oorlog wil komen, moet ze niet proberen daar een slaatje uit te slaan, en al helemaal niet over de ruggen van degenen die in feite haar bondgenoten zijn."

De militair begon ongemakkelijk in zijn stoel te draaien. Hij keek de vreemdeling wantrouwend aan, alsof er een granaat voor hem lag die op de grond was gevallen zonder te exploderen.

"We hebben uw ambassade geraadpleegd", deelde hij mee. "Daar kennen ze geen Paul Wahle en ook geen Markus Vogel. U hebt me valse namen opgegeven. En natuurlijk heet u geen Ricardo González en behoort u niet tot de Garde van Franco, zoals in uw papieren staat. Het lijkt alsof u alleen voor mij bestaat, wat mij in een netelige situatie brengt. Maar als je er goed over nadenkt, is die van u nog veel neteliger."

"Doe niet zo onnozel, kolonel. U kunt zich wel voorstellen dat ik niet onder mijn ambassade ressorteer en dat ik meer papieren heb dan u sterren op uw epauletten. U zou er goed aan doen u af te vragen waar en dankzij welke invloeden ik die heb verkregen … Laten we de dingen duidelijk stellen. U zit tegenover een Duitse agent met wie u op onrechtmatige wijze hebt onderhandeld. U kunt me niet vasthouden en daar hebt u ook geen belang bij. Laat me verdwijnen en dan wachten we tot de situatie bekoeld is."

De militair stond op en liep naar het enige raam in het vertrek. Ze bevonden zich in een kelder. Door de tralies waren de voeten van de mensen op straat te zien.

"Ik kom in de verleiding te doen wat u zegt", zei hij na een paar seconden nadenken.

Maar op sluwe toon voegde hij eraan toe: "Toch heeft de Gestapo grote belangstelling voor u getoond en ons gewaarschuwd dat we moeten oppassen. Er zijn in Duitsland ook verraders. Het heeft ons bijvoorbeeld drie jaar oorlog gekost om met onze binnenlandse vijand af te rekenen."

Hij draaide zich om naar de vreemdeling en keek hem onverschillig maar vastberaden aan. Nog voordat hij iets gezegd had, begreep de gevangene dat deze ontmoeting niet goed voor hem zou aflopen.

"Goed, ik zal doen wat u zegt", zei de militair tot besluit. "Ik zal u laten verdwijnen, maar op een plek waar u niemand kwaad kunt doen en waar u ook niet aan mijn toezicht kunt ontsnappen. We zullen zien wat voor verrassingen de tijd ons zal brengen."

"U kunt me niet vasthouden, kolonel! Ik ben Duits staatsburger!" Markus Vogel was met een rood aangelopen gezicht opgestaan, maar zijn lengte scheen geen indruk op de militair te maken. Deze liet zijn koele, misnoegde blik op de vreemdeling rusten alsof hij een ballon zag opstijgen. "U zult een zeer ernstig incident veroorzaken. U zet uw carrière op het spel!"

De militair liep naar de deur.

"Denkt u dat echt?" vroeg hij, terwijl hij zich met zijn hand al op de deurkruk nog even omdraaide. "Ik heb wel een heleboel sterren maar weinig medailles. Wij van de geheime dienst werken ver van het slagveld, daardoor blijven wij onopgemerkt. Je zou ons kunnen vergelijken met de pancreas van de staat, nietwaar? Maar dat hoef ik u niet uit te leggen, dat weet u beter dan ik! Goede reis … Houdt u overigens van de zee?"

En zonder een antwoord af te wachten verliet hij het vertrek.

Andrés gaat soms mee naar mijn geheime plek. Hij is de enige die hem kent, maar ik hoef niet bang te zijn dat hij zijn mond voorbijpraat want Andrés kan niet praten en bovendien zouden de anderen niet eens naar hem luisteren. Hij loopt knikkend met zijn hoofd achter me aan, want hij is een beetje gek en zegt de hele tijd ja, zelfs als hij denkt dat hij alleen is, misschien om niemand boos te maken. Andrés is het voortdurend eens met een wereld die hij niet begrijpt. En hij zweet ook heel erg. Dat vind ik een beetje vies. Zelfs als hij slaapt lijkt het alsof hij zijn handen net uit een emmer met koud water heeft gehaald, en aan zijn neus hangt altijd een druppel die elk moment op zijn buik kan vallen. Alles kost hem geweldig veel moeite en daardoor loopt hij steeds op zijn laatste benen, als een hardloper die na iedere wedstrijd weer aan een volgende moet beginnen. Maar toch laat hij me nooit iets dragen. Hij sjouwt met de picknickmand en als het heel steil wordt gaat hij knikkend met zijn hoofd voor me lopen, springt op een rots, zet de mand op de grond en steekt me een zweterige hand toe, die heel eng is om vast te pakken. In zijn enthousiasme om me te helpen draaft hij soms ijverig helemaal tot boven aan de helling om me van daaraf te helpen, alsof ik kan vliegen en hij er alleen voor wil zorgen dat ik een zachte landing maak. Als ik dan eindelijk bij hem ben, geef ik hem een beetje griezelend een hand en kijk naar de donkerblauwe zee en naar de horizon om ons heen, en naar de wolken die nooit hetzelfde zijn.

"Oei!" roept Andrés.

Dan blijf ik hem aankijken omdat het lijkt alsof hij iets gaat zeggen, maar hij heeft nooit iets te zeggen. Alleen voor de lol probeer ik weleens een paar woorden uit hem te krijgen:

"Moet je zien wat mooi, Andrés. Mooi, hè?"

En dan knikt hij met zijn hoofd, om zich heen spiedend naar dat mooie waarvan ik niet gezegd heb wat het is en dat hij zonder mijn hulp nooit zal kunnen vinden.

Mijn geheime plek is een strandje waar je kunt komen via een pad dat naar beneden loopt onder twee zavelbomen door die samen een tunnel vormen. Op het kleine stukje zand pas ik alleen, en het water is er zo helder dat het lijkt alsof het er niet is. Als je erin gaat, heb je het gevoel dat er een fris windje langs je voeten strijkt en dan langs je lichaam omhoog kruipt totdat het je helemaal te pakken heeft. Ik zwem een eindje en laat me dan drijven. Starend naar de wolken strek ik mijn benen en spreid mijn armen, terwijl ik bedenk dat ik me nu op dezelfde horizon bevind als die ik van bovenaan de helling overal om me heen zag, en ik weet dat ik drijf op een planeet die door het heelal draait, en ik zie dat Andrés me stiekem vanuit de zavelbomen begluurt. Want Andrés gaat nooit met me zwemmen. Hij gaat alleen maar met me mee en begluurt me, en als ik naar hem wuif schiet hij weg met een enorm bewegen en kraken van takken.

"Waar ga je heen in een jasje en met een hoed?" riep de commissaris. "Dat is voor fatsoenlijke mensen."

Benito Buroy bleef met een bedremmeld gezicht op de kade staan. Hij zette het leren koffertje met wat schone kleren en het pistool op de grond en streek met zijn hand over de revers van zijn colbertje.

"Ik heb geen kleren", zei hij. "Alles wat ik aan heb is van Otto."

Naast hen waren een paar soldaten bijna klaar met het laden van de boot die hen naar Cabrera moest brengen. Een politieman hielp hen daarbij. De schipper van het vaartuig begon de lading met een lang stuk touw vast te maken.

"Heeft die invalide nicht dan geen oude kleren?" brulde de commissaris.

"Zijn vader is rijk", antwoordde Benito Buroy. "Dat weet u wel, commissaris. Die heeft een farmaceutisch bedrijf in München. Iedere maand stuurt hij hem grote dozen, die Otto niet eens openmaakt. Maar hier is gebrek aan al die dingen. Ik verdeel ze onder de buren en houd er een paar zelf."

De commissaris spreidde zijn armen, terwijl hij zijn ogen ten hemel sloeg.

"Waarom zijn we een oorlog begonnen, Heer? Opdat de anarchisten zich als heren kleden en liefdadigheid in de buurt bedrijven?"

Toen richtte hij zich tot de agent die aan het helpen was in de boot.

"Jij daar, ga iets halen voor deze sukkel. Een winterjas, of iets waardoor men zal denken dat hij het slecht heeft. En neem ook de gammelste koffer mee die je kunt vinden."

In afwachting daarvan gingen ze naar een kroeg aan de haven. Er was geen wolk aan de lucht. De meeuwen vlogen krijsend boven de boten die aan de kade lagen en lieten zich geraakt door onzichtbare pijlen op de zee vallen om dan weer op te vliegen, waarbij ze amper met hun vleugels bewogen. Een vrachtschip liet zijn sirene klinken. Uit de schoorsteen kwam een dikke zwarte rookwolk.

De commissaris leek in een goede bui. Met de hitte van die ochtend had hij ongetwijfeld meer zin in een uitstapje naar Cabrera dan in een dag zwetend achter zijn bureau doorbrengen. Hij duwde de deur van de kroeg met de punt van zijn schoen open en liet Benito Buroy hem vasthouden terwijl hij zelf naar binnen ging.

Het was een kroegje voor vissers. Op dat moment was het er leeg, want ze waren allemaal de zee op en zouden pas later die ochtend terugkomen. Achter de bar stond een man slaperig naar de radio te luisteren.

"Goedemorgen, Manolillo", begroette de agent hem. "Zet dat ding uit, man! Zie je niet dat er klanten zijn?"

De kroegbaas schakelde het toestel snel uit. Alsof hij plotseling een flink karwei had opgekregen, begon hij ijverig met een doek het marmeren blad schoon te maken.

"Weet je dat in Madrid *Margarita Gautier* in première is gegaan?" ging de commissaris verder. "Met de grote Greta Garbo! Wat een glimlach heeft dat wijf! Zo dubbelzinnig! En weet je hoe de censoren wilden dat de film in Spanje zou heten? … *Margarita Gutiérrez*! Nogal wiedes! Dat heeft een van hen me zelf verteld, want die komt hier vandaan. Een enorme hoerenloper, een goede vriend van me. Het zijn mannen met kloten, die censoren. Ik weet niet waarom ze in hemelsnaam hun zin niet hebben gekregen … Vooruit, twee glazen wijn!"

En terwijl hij zachtjes met zijn handpalm op de bar tikte, voegde hij eraan toe:

"Snel een beetje! We hebben niet eeuwig de tijd!"

Benito Buroy was achter de commissaris blijven staan, die zich nu naar hem omdraaide. Ondanks het feit dat de ander geen aanstalten had gemaakt, gaf hij met de joviale gebaren van kroegmaten onder elkaar duidelijk aan wie er de leiding had.

"Geen sprake van! Vandaag betaal ik … Maar voortaan wil ik wel die dozen op mijn kantoor."

"Welke dozen?" vroeg Buroy.

"Welke denk je? Je lijkt verdomme wel achterlijk! Die van die nicht waar je mee samenwoont. Díe dozen … die wil ik op mijn kantoor. Anders sluit ik die kroeg van jullie en stop ik jullie in de bajes vanwege aanstootgevend gedrag in het openbaar. Dat lijkt me klare taal. Wat jij?"

"Inderdaad", antwoordde de kroegbaas. "Maar u weet dat u hier niet mag betalen, voor geen goud. En meneer naast u mag ook op rekening van het huis."

"Wat bedoel je? … Het is toch godgeklaagd, meneer de ober! Als hij zonder mij was gekomen had hij moeten betalen, hè? En met mij erbij hoeft hij dat niet te doen, waar of niet? … Dan ben ik dus degene die hem vrijhoudt, en je houdt je bek of ik sluit ook hier de tent!"

De kroegbaas, die niet erg snugger was, begon naar adem te happen en wist niet hoe hij zich uit deze situatie moest redden. Gelukkig deed op dat moment de agent die door de commissaris was weggestuurd de deur open en stak zijn onderdanige hoofd om de hoek. Bij binnenkomst verontschuldigde hij zich dat hij het feestje verstoorde. Hij had een krakkemikkige koffer bemachtigd en een zwarte, lakense jas die op de ellebogen totaal versleten was. Daarmee leek het uiterlijk van Benito Buroy naar de zin van de commissaris.

Even later voeren ze op de volgepakte boot in de richting van Cabrera. De schipper stond in de kajuit achter het roer. De agent die de commissaris vergezelde had zich bescheiden op de achtersteven geïnstalleerd, waar hij de tijd verdreef met het ronddraaien van zijn pet. Zijn chef had een sigaar opgestoken en genoot van het briesje. Tegenover hem gezeten observeerde Benito Buroy hem zwijgend, terwijl hij eraan dacht dat hij op Cabrera iemand zou moeten vermoorden. Het was niet de eerste keer dat hij dat ging doen en het zou zeker ook niet de laatste keer zijn, maar hij vond het geen prettig idee. De oorlog was per slot van rekening nu al meer dan een jaar voorbij. Benito Buroy, die al sinds het ineenstorten van het front bij de Ebro gevangene was van de nationale militie, had een paar maanden in de gevangenis van Burgos gezeten. Hij was vrijgelaten op voorwaarde dat hij de namen die hij zich herinnerde zou verklikken en bereid zou zijn een paar klussen op te knappen zoals die hem op het eilandje wachtte, steeds in opdracht van dezelfde commissaris, die in die tijd naar de provincie Barcelona was overgeplaatst. Het voorstel dat hij hem had gedaan was duidelijk: of hij liquideerde wat mensen die al meer dood dan levend waren, of hij zou zelf voor een vuurpeloton moeten worden gezet. En Benito Buroy ging akkoord. Het kostte hem in feite ook geen enkele moeite door te gaan met mensen neerschieten. Hij was daar inmiddels aan gewend geraakt en wist dat hij niets anders deed dan het land zuiveren van figuren die toch niet te redden waren, gespuis dat zat opgesloten op zolders of in holen die verborgen werden door kasten zonder achterkant. Na drie jaar oorlog waren een heleboel mensen dusdanig vergiftigd dat ze niet meer in staat zouden zijn een ordelijk, normaal leven te leiden. Wat moest er met hen gebeuren? Om die jaren van strijd te boven te komen was het onvermijdelijk deze mensen te liquideren. Een onaangenaam maar noodzakelijk karwei, dat zeiden de mannen die hem onder het bevel van de commissaris hadden geplaatst … Maanden later, toen hij naar Mallorca werd overgeplaatst, had de commissaris hem met zich meegenomen naar het eiland. Daar had hij Benito Buroy betrekkelijk met rust gelaten, zodat deze was gaan denken dat hij zijn deel van de overeenkomst vervuld had. Maar die ochtend, zittend op de boot die hem naar Cabrera bracht, begreep Buroy dat de door de oorlog veroorzaakte haat niet weggenomen kon worden, omdat degenen die een einde wilden maken aan de dreiging ervan juist door haat overeind werden gehouden, en dat het hele land, een land gebaseerd op haat, terugkeerde naar het dagelijks leven ten koste van mensen zoals hij die zich verplicht zagen te blijven boeten voor hun fouten om het document te behouden waaruit bleek dat ze hun zuivering hadden doorstaan.

Die ochtend vroeg Benito Buroy zich, voor het eerst sinds hij een schaamteloze moordenaar was geworden, af wat zijn slachtoffer zou hebben gedaan. Markus Vogel kon een verklikker zijn, of een moordenaar, of een afvallige, zoals zovelen. Maar ook al was die man ongetwijfeld ergens schuldig aan, toch raakte hij geïrriteerd. Met een oorlog net achter de rug en een andere nog gaande was iedereen schuldig aan van alles en nog wat. Waarom lieten ze de mensen niet naar huis gaan om hun geweten te likken en te denken, ook al was dat maar helemaal de vraag, dat ze een nieuw leven konden beginnen, zonder verleden en zonder herinneringen? Waarom hielden ze de haat zo levend, terwijl ze de oorlog hadden gewonnen en er van hun vijanden niet meer over was dan lijken en vluchtelingen? Waarom vonden ze het nodig hen te blijven achtervolgen?

Ondertussen zat de commissaris, ongetwijfeld in beslag genomen door heel andere gedachten, voldaan naar Benito Buroy te kijken. Hij wees naar hem met zijn sigaar, klaar om hem de les te lezen.

"Je ziet er nu echt armoedig uit, met die haveloze jas en die koffer van een ouderwetse clown. Iedereen zou denken dat je net uit de gevangenis komt, zo zonder die fatterige kleren die je vanochtend aanhad. God allemachtig! Hoe kon je dat nou doen? Op Cabrera zul je doorgaan voor een rooie die in handen is van de autoriteiten ... Rustig maar, de militairen zijn op de hoogte en zullen zich niet met je bemoeien. Maar voor alle anderen ben je een doorgedraaide rooie die die klote-Duitser om zeep helpt. Heb je dat goed begrepen?"

Benito Buroy knikte.

"Ik weet zeker dat het je niet veel moeite zal kosten", zei de commissaris tot besluit. "Uiteindelijk hoef je alleen maar jezelf te zijn."

Daarmee was voor hem de zaak afgedaan, en hij begon met zijn pinknagel in zijn oor te wroeten. De overtocht begon hem te vervelen. Bovendien was zijn sigaar uitgegaan. Hij gooide hem in het water, en vloekend op het geschommel van de boot stond hij op en ging naar de kajuit om met de schipper te praten. Toen kwam de agent, die tot dan toe zwijgend op de achtersteven had gezeten, naar Benito Buroy toe, legde een hand op zijn schouder en zei zachtjes: "Wees alstublieft een beetje voorzichtig met de spullen die hij u heeft gegeven. Ze zijn van mijn familie."

Toen er op de deur werd gebonsd lag Camila nog in bed en was Leonor Dot, die heel vroeg wakker was geworden, in de moestuin brandnetels aan het verwijderen. Bij het horen van het lawaai liep ze naar de zijkant van het huis en trof daar Felisa García aan, die daar bozig stond te mopperen. Naast haar stond een jongen die geestelijk niet normaal leek en een teil en een kartonnen doos droeg. De vrouw zette haar handen in haar zij toen ze Leonor Dot zag. Bij het zien van de sikkel die deze in haar hand had trok ze een wenkbrauw op.

"Zou je de deur voor me open willen doen?" zei ze. "Hoe heb je hem op slot weten te krijgen?"

Leonor Dot begroette haar met een glimlach en liep om het huis heen om via de veranda naar binnen te gaan. Binnen was het donker want ze had de avond tevoren hun dekens, die door de hitte overbodig waren, voor de ramen gehangen. In haar slaap gestoord door de geluiden opende Camila een plakkerig oog, kreunde even en trok toen het laken over haar hoofd. Nadat haar moeder het slot had opengemaakt, stapte Felisa García, haar mouwen opstropend en hijgend van zogenaamde uitputting, naar binnen.

"Denk maar niet dat ik dit iedere dag ga doen!" riep ze met haar barse stem.

Toen zag ze de vorm van Camila's lichaam in een van de bedden en probeerde haar toon te matigen: "Het meisje slaapt nog? Op haar leeftijd zijn het net katten, lenig en lui als de ziekte. Laat haar maar slapen. Je bent maar één keer jong. Ondertussen gaan wij de boel hier schoonmaken."

"Felisa", begon Leonor Dot, "je hebt geen idee hoe dankbaar ik je ben…"

"Hou op! Maak me niet verlegen, want dan ga ik naar huis!"

De jongen had de spullen op de grond gezet en keek verrukt naar de cocon waarin Camila was veranderd. Maar de vrouw gaf hem een tikje op zijn schouder.

"Andrés, ga eens kijken of je de pergola kunt repareren! Deze dames zullen wel wat schaduw kunnen gebruiken."

Toen de jongen naar buiten was gegaan, begon Felisa García de teil in de gootsteen te vullen met water. Leonor Dot stroopte eveneens haar mouwen op en bukte zich om de kartonnen doos open te maken. Er zaten poetsdoeken, dweilen en een paar flessen waarschijnlijk met schoonmaakazijn en bleekwater in. Ze had nooit kunnen denken dat iets zo gewoons haar een kostbaar bezit zou lijken.

"Dat is mijn jongste", zei de kantinehoudster met haar kin naar de veranda wijzend. "Ik heb hem zo ter wereld gebracht, niks aan te doen. Maar het is een goede jongen. De andere, de oudste, is de oorlog ingegaan. Hij heeft zijn benen voor het vaderland gegeven. Nu is hij oorlogsinvalide en verkoopt loten in Madrid. Ik probeer hem over te halen weer terug te komen, maar hij zegt dat hij hier met zijn rolstoel nergens heen zou kunnen, dat het heel lastig zou zijn. Onzin! zeg ik dan … want het leven is overal lastig! Vind je niet?"

Opgaand in haar eigen leed had Leonor Dot altijd gedacht dat de oorlog alleen maar de ondergang betekende voor degenen die hem hadden verloren. Maar die ochtend, samen met die vrouw die de dingen niet aankon als ze er niet op foeterde, die voldoende reden had om altijd boos te zijn en haar toch verwende met een schoonmaak waardoor zij, Leonor Dot, weer wat waardigheid kreeg, omdat de boel toch een beetje aan kant moet zijn en omdat er een meisje in het bed lag te slapen en omdat iedereen, wie dan ook, het recht heeft op de schaduw van een pergola, die ochtend bedacht Leonor Dot dat het ergste van oorlogen is dat ze voor het gros der mensen op een goede dag zijn afgelopen en dat er dan niets veranderd is behalve de verwoestingen die ze hebben aangericht.

"Blijf daar niet zo wezenloos staan", ging Felisa verder, "want we zullen dit smerige hol eens even blinkend schoonmaken. Als jij nou de vloeren doet, want jij bent nog jong, dan zal ik het fornuis schoonmaken en de ramen lappen. Ik zal straks thuis eens kijken of ik wat stof kan vinden om gordijnen van te maken."

Toen Camila later, na zich nog duizend keer te hebben omgedraaid, rechtop in haar bed ging zitten en met frisse, wijdopen ogen om zich heen keek, was het weliswaar nog hetzelfde huis maar zag het er heel anders uit.

"Het ruikt hier naar ontsmettingsmiddel", zei ze. "Net als in het ziekenhuis waar mama heeft gelegen."

Felisa García keek even naar de andere vrouw, maar Leonor Dot was op haar knieën de hoeken onder de betegelde plank aan het dweilen.

"Kom je bed uit, kleine meid!" richtte de kantinehoudster zich tot Camila, terwijl ze dreigend met een vuile doek zwaaide. "Je moeder en ik zijn bijna klaar en het is tijd om te gaan ontbijten!"

Het meisje sprong uit bed en trok dezelfde jurk aan als de dag daarvoor. Ze keek naar Felisa García, die op dat moment een raamkozijn sopte en mompelde dat ze schoon genoeg had van die juffertjes uit de stad, en ze dacht dat alles plotseling veranderd was, net als wanneer je uit een nachtmerrie ontwaakt. De wereld was maar af en toe lelijk, daarna ging de zon weer schijnen, en die vrouw deed het tegenovergestelde van wat ze zei, en de schoonmaakgeur was zo sterk dat ze er een beetje misselijk van werd.

"Felisa!" riep Camila vrijmoedig, omdat ze voelde dat ze dat doen kon. "Ik heb een heleboel dingen gevonden!"

Ze maakte de koffer open die de vrouwen op de tafel hadden gezet en haalde er de foto van de blozende dame uit. Felisa García barstte in een droog gelach uit, pakte de lijst en haalde de stoffige doek over het glas, waardoor het nog viezer werd.

"Dat is Xuxa … God, wat haatte ik haar, dat mens …"

"En ik heb ook deze trommel gevonden. Mooi, hè? En er zit geld in …"

"Die komen nog uit de tijd van Alfons XIII", zei Leonor Dot, terwijl ze bij hen kwam staan. "Waar heb je die vandaan? Waarom heb je me dat niet verteld?"

"Ze was zo gierig dat de bankbiljetten in haar handen verjaarden", kwam de kantinehoudster tussendoor.

Terwijl ze in de blikken trommel bleef grabbelen, antwoordde Camila haar moeder: "Ik heb het je wel verteld. Ik heb je verteld dat Xuxa haar geheimen in de put verstopte. De sleutel van het huis zat hier ook in. En dit ook. Hij is zo groot dat hij alleen om mijn grote teen past."

De ogen van Felisa García schoten vuur.

"Heremetijd! Ach hemel, daar heb je de ring! Laat eens zien. Lieve genade! Die heks heeft al haar geld daarin gestopt, en dat was behoorlijk wat. Nou en of! En eten ho maar, terwijl ze wel iedere middag voor de deur van haar huis zat om iedereen die langskwam die steen te laten zien. Ze wilde dat we haar met die ring zouden begraven, maar ze vertelde niet waar ze hem verstopt had. We hebben ons gek gezocht! Overal, echt overal! Om hem te verkopen natuurlijk, want hij is een fortuin waard …"

Er viel een ongemakkelijke stilte.

"Houd jij hem maar, Felisa", stelde Leonor Dot voor. "We zullen het aan niemand vertellen."

"Ik? Terwijl de kleine meid hem gevonden heeft!"

In tegenspraak met haar woorden stopte ze de ring met de vlugheid van een goochelaar in haar bh.

"We zullen het zo doen", ging ze verder, "volgende week zal ik naar mijn zuster op Mallorca gaan. Die kan me helpen iemand te zoeken die hem wil kopen. Haar man heeft goede contacten, hij doet iets bij de douane. Bij hen thuis staan altijd flessen whisky en vermout. Afijn, daarna zal ik naar de winkels gaan en spullen voor ons kopen ... voor jullie maar ook voor mezelf."

"Pannen!" riep Leonor Dot, die zich niet langer kon beheersen. "En een tafelkleed! En een schaar! ... En zaadjes voor de moestuin!"

"Maak maar een lijstje ... Wees niet bang, mijn zus kan lezen. En nu gaan we wat eten, want dat hebben we wel verdiend. Waar is Andrés gebleven? Wedden dat hij in slaap is gevallen, dat rotjoch!"

Op de ergste momenten dacht hij dat hij de controle over zijn hersens zou verliezen, maar het waren voorbijgaande inzinkingen die hij een halt toeriep door zijn geheugen te trainen. Zodra een lichte duizeling hem deed vermoeden dat hij de controle over zichzelf begon te verliezen, knielde hij neer, boog als een moslim voorover en probeerde uit alle macht zich een gesprek te herinneren dat hij jaren geleden met zijn broer had gevoerd, of zich de meubels voor de geest te halen in het huis van een podoloog waar hij maar één keer geweest was, toen hij mank liep vanwege een ingegroeide nagel, of zich één van de boeken te herinneren die hij las onder de treurwilg op het landgoed van zijn ouders in Beieren. Naarmate hij verder doordrong in de oneindige hoeken van zijn geheugen kwam het gevoel weer terug dat hij zichzelf was, geknield als een moslim op de eenzaamste plek ter wereld. Dan kwam hij overeind en stond oog in oog met de zee, die zo gigantisch en angstaanjagend was, behalve dan voor degenen die er afwezig naar staren. Want door er op die manier naar te kijken zag hij slechts de oneindige afstand van een ondoordringbare mantel, of een hemel die zo wijds was dat zijn hart zich verloor in een verblindend labyrint, of een wind die nergens vandaan kwam en hem met de sensuele aantrekkingskracht van de waanzin streelde. En dan, als hij het verlangen om op te gaan in die plek zonder grenzen eenmaal overwonnen had, bedacht hij dat je piepjong of stokoud moest zijn om in de zee rust te vinden. Hij kon die slechts vinden in herinneringen die hem ontschoten. Herinneringen zoals die aan een vrachtwagen met de laadbak vol met in beddengoed gewikkelde schilderijen van Otto Dix, Albert Birkle of Ludwig Meidner, die door de nacht reed met een vrijbrief van de minister van Propaganda en Informatie en waarvan de chauffeur met zijn blozende wangen was geboren in Berchtesgaden en alleen maar over koeien praatte. Of de herinnering aan Lidia dronken in bed in het Palace Hotel, een gebroken champagneglas op het nachtkastje en een eeuwige glimlach rond haar lippen. Of die aan dat grote huis in Santander met lege kamers waar een meisje, nadat ze hem een hele tijd geobserveerd had om zijn bedoelingen in te schatten, naar het raam was gelopen en tegen de Spaanse politiemannen had geroepen dat ze konden gaan, dat ze alleen was. Na bijna honderd dagen op het eiland miste hij niet het gezelschap van mensen maar hun stemmen.

Bij gebrek aan iets anders schreef hij in het zand op het strand stukken tekst of gedichten die hij in de ledigheid van verloren uren weer in zijn herinnering opriep, een aforisme van Lichtenberg of losse versregels van Hölderlin of Rilke. *Denn das Schöne ist nichts als des Schrecklichen Anfang ...* Met een dikke stok groefde hij de letters in het zand, diep en zo groot dat hij voor elke letter een klein wandelingetje moest maken. Daarna klom hij naar de ingang van zijn grot en las telkens weer hardop, soms schreeuwend, de vluchtige pagina die de golven 's nachts weer blanco zouden achterlaten ... want het mooie is niets anders dan het begin van het verschrikkelijke.

Aan het begin van zijn verblijf had hij lange wandelingen over het eiland gemaakt, maar na iets meer dan een maand kende hij al elk hoekje. Later had hij een afgelegen grot gevonden en zich daarin geïnstalleerd. Langzaam maar zeker was hij door een onoverwinnelijke apathie bevangen. Hij sliep veel. Soms ging hij in de schaduw van een zavelboom liggen en lag daar de hele dag te dommelen. Of hij ging baden in zee, deels uit hygiënische overwegingen maar vooral om zijn lichaam soepel te houden. Of hij viste met lijnen die Lluent hem had gegeven. Hij liet ze vastgemaakt aan een rotspunt in zee drijven en ving grote vissen die voor het merendeel de vislijnen opnieuw voedden of bedorven in het water terugkeerden. Hij leerde urenlang naar de planten te kijken, te observeren hoe ze door de wind werden gewiegd of door insecten werden bezocht, met de belangstelling waarmee hij een paar rare buren zou hebben kunnen bespieden. Hij leerde ook het vallen van de avond – vanaf het moment dat de eerste roze penseelstreken zich in de wolken aftekenden totdat de maan en de sterren zich volledig meester hadden gemaakt van de duisternis – te aanschouwen zonder te beseffen dat de tijd verstreek en zonder ook maar één gedachte te hebben.

Hij haalde zijn water uit een smerige bron in de buurt van zijn grot. Het was vervuild en in het begin ging hij ervan braken en kreeg hij diarree, maar hij was eraan gewend geraakt. Voor elk ding moest hij naar het dorp. Dat deed hij zo min mogelijk, maar omdat hij rookte was dat het enige waarvoor hij wel hulp moest inroepen. Dus haalde hij zo nu en dan de kleren tevoorschijn waarmee hij op het eiland was aangekomen en die hij voor dit soort gelegenheden in zijn grot bewaarde, waste zich goed, kamde zijn haar voor een klein spiegeltje en nam de weg naar het dorp alsof hij terugkwam van een aangename wandeling door de natuur. In de kantine zuchtte Felisa García van opluchting als ze hem zo elegant en zo weinig aangetast door de eenzaamheid zag binnenkomen. Ze vroeg zich af hoe die man daar moederziel alleen tussen de rotsen kon overleven en ze was met recht bang dat hij op een goede dag niet meer terug zou keren en aan de oever van de zee zou wegrotten zonder dat iemand hem ooit zou vinden. Maar deze weinig spraakzame man kwam uiteindelijk altijd weer terug. Dan groette hij Felisa heel beleefd en ging zitten in de schaduw van de pergola, waar hij wachtte totdat ze hem, foeterend dat hij zo koppig was, een bord groente en een stuk taai vlees kwam brengen, en een glas wijn dat ze haar echtgenoot had ontfutseld. Het was altijd hetzelfde ritueel. Hij at alles op, maar zonder dat hij dat nu erg gretig deed, en zodra hij klaar was vroeg hij met de schichtigheid van iemand die weet dat hij iets verwerpelijks doet, of Felisa García misschien wat tabak voor hem had. Dan begon ze opnieuw op hem te foeteren terwijl ze hem een paar pakjes Ideales of extra fijne shag gaf, gewikkeld in krantenpapier om te voorkomen dat iemand het zag. Hij bedankte haar met een lichte buiging waarin Felisa García alle verheven trots van een arm man zag en trok zich weer terug in de eenzaamheid van zijn hol.

Toen de man op een ochtend de kantine binnenkwam, zag hij aan de tafel bij het raam een vrouw in gezelschap van een jong meisje zitten. Paco speelde domino aan de bar met Lluent, die die dag niet was uitgevaren omdat de zee te woelig was. Andrés volgde het spel vol enthousiasme en belangstelling, maar zonder er iets van te begrijpen. Toen Felisa García, die op dat moment de keuken uit kwam, zag hoe slecht hij eruitzag begon ze op hem te knorren en greep hem bij de arm om hem mee te slepen naar de plek waar de onbekende vrouw met het meisje zat.

"Hier hebben we die verdomde kluizenaar!" riep ze luid en voor een scherp waarnemer goedgemutst.

Ze liet de man stilstaan voor de tafel en wees naar de twee vrouwen alsof ze hen ergens van ging beschuldigen.

"Ik wil dat u kennismaakt met Leonor Dot en haar dochter Camila. Ze zijn pas net op het eiland, maar ze zijn heel anders dan u. Zij gaan niet door de bergen dwalen tot ze er kierewiet van worden. Ze hebben het onkruid uit de moestuin bij hun huis verwijderd en gaan er groenten kweken."

Leonor Dot ging staan. De man pakte haar hand vast, bracht die naar zijn lippen en gaf er een kus op die de huid niet raakte.

"Uw dienaar, mevrouw", zei hij. "Ik heet Markus Vogel."

Vervolgens keerde hij zich naar het meisje. Camila had zich niet bewogen. Een beetje houterig gaf hij haar een paar klopjes op haar hoofd. Toen aarzelde hij even, schraapte zijn keel en vertrok met een flauwe glimlach naar buiten om plaats te nemen onder de pergola.

"Ach Heer, wat zonde", fluisterde Felisa. "En dan moet je berusten in je lot, terwijl er zulke mannen door de bergen dwalen ... Maar dat zeg ik immers, het zijn de goede kerels die ervandoor gaan."

"U kunt terug naar Mallorca als u mijn opdracht hebt uitgevoerd", zei de commissaris nadat hij op de boot was gestapt.

En terwijl hij zijn ondergeschikte bij de schouder pakte om zijn evenwicht niet te verliezen, zei hij er met vals sarcasme achteraan: "In het nieuwe Spanje kan zelfs een rooie zich rehabiliteren als hij zich fatsoenlijk gedraagt."

De commissaris was een paar uur op Cabrera gebleven, lang genoeg om de weduwe van Ricardo Forteza een bezoek te brengen en een paar glazen wijn in de kantine te drinken. Maar zijn maag begon te knorren van de honger en hij wilde dat hij alweer terug was in Palma. Hij klopte op zijn zakken op zoek naar een sigaartje en keek ondertussen naar Benito Buroy alsof hij een chimpansee in zijn kooi observeerde. De motor draaide en de trossen waren losgegooid. Toen de schipper gas gaf, kwam de boot los van de kade. Bevrijd van zijn lading verwijderde hij zich snel door het kalme water van de baai op weg naar open zee.

Benito Buroy bleef roerloos staan, met een bevroren glimlach rond zijn lippen en het akelige gevoel dat hij er als een idioot bij stond. Naast hem krabde Paco zachtjes aan zijn dij en zwaaide de kapitein van het regiment met geheven arm de boot uit. Ze bleven daar staan totdat de boot achter de rots van het kasteel verdwenen was. Toen pas richtte de militair zich tot de baas van de kantine, die stond te geeuwen.

"Er zal onderdak voor deze man moeten worden gezocht", zei hij, "en dat is bepaald niet simpel. De huizen verkeren in slechte staat. Of u geeft hem een hoekje in uw huis, of ik zal een kamer in de militaire commandopost moeten inrichten."

"Wat u wilt", antwoordde de ander, "maar als u hem in mijn huis wilt stoppen, dan moet u dat met Felisa regelen."

De militair kon een plotselinge schrikreactie niet onderdrukken.

"Dat lijkt me niet nodig … dat lijkt me niet nodig. Ik heb ruimte genoeg."

De militaire commandopost, een massief oud gebouw van twee verdiepingen met over de hele breedte een galerij die uitkeek over de haven, stond naast de kantine en pal achter de vijgenboom. Daar, ver van de paviljoenen waar de soldaten sliepen, woonde en werkte kapitein Constantino Martínez. Op de bovenverdieping had hij een kamer voor zichzelf in gebruik genomen en op de benedenverdieping, aan een kant van de deur, had hij een kantoor ingericht. Er stond zo weinig in dat het geheel iets provisorisch had, alsof het nog niet klaar was. De rest van de vertrekken stond leeg en de deuren waren vergrendeld.

De beide mannen begonnen nu naar dat gebouw te lopen. Met haar rug en handpalmen tegen de stam van de vijg stond een meisje de nieuwkomer aandachtig op te nemen. Benito Buroy keek haar in het voorbijgaan even aan. Ze had groene ogen die haar blik de diepte gaven van doorzichtige materialen, en zulk zwart haar dat het in het zonlicht een paarse gloed had. Hoewel ze haar lippen op elkaar geklemd hield en de punten van haar voeten naar elkaar toe stonden, had haar houding op een subtiele manier iets zelfbewusts. Dat kwam misschien ook door haar te hard gegroeide botten, wat een zweem van volwassenheid verried. Buroy bedacht dat voor meisjes het vrouwworden begon bij hun schouders.

Voordat ze bij het gebouw waren, nam Paco met een handgebaar afscheid en liep in de richting van de kantine. Een soldaat, die op de enige stoel in de hal zat, ging met tegenzin staan toen hij de twee mannen zag binnenkomen.

"Geen bijzonderheden, kapitein", zei hij, terwijl hij een boer onderdrukte.

Zijn superieur bekeek hem met afkeer maar maakte geen opmerking. Hij ging samen met Benito Buroy zijn kantoor binnen en deed de deur achter zich dicht. Uit de enige archiefkast die er stond pakte hij een fles en twee glazen en zette die op de tafel. Toen hij ging zitten liet zijn stoel een dreigend gekraak horen, maar dat bracht de militair absoluut niet van de wijs. Hij wees Benito Buroy twee stoelen met hoge ruggen, ongetwijfeld gered uit de eetkamer van een verlaten huis, die tegenover de tafel stonden.

"Laat me u een glas sherry aanbieden", zei hij.

Benito Buroy zette zijn koffertje op de grond en trok zijn jas uit. Met zijn blik op de kapitein gericht, zonder te weten wat hij moest zeggen, ging hij zitten. Hij voelde zich verlegen. De commissaris had hem niet verteld hoe hij zich tegen de hoogste autoriteit van het eiland diende te gedragen. Hij had hem eigenlijk alleen maar die opdracht gegeven en hem daar zonder enige instructie neergepoot.

"Ik weet dat u niet bent wat u lijkt", zei de militair op vertrouwelijke maar ernstige toon, de twijfels van de ander wegnemend. "Meneer de commissaris heeft me geen bijzonderheden meegedeeld over uw opdracht op Cabrera, maar ik begrijp het. De oorlog is als stof. Hij dringt door tot op de meest afgelegen plekken. Vorige week, bijvoorbeeld, zagen we de periscoop van een onderzeeër twee mijl uit de haven. We maakten rechtsomkeert, stelden het opperbevel op de hoogte en dat was het dan. Mijn enige taak is ervoor te zorgen dat de Spaanse vlag op het kasteel blijft wapperen, en dat is niet niks. Ik weet heel goed dat als we uiteindelijk in conflict komen, de Engelsen onmiddellijk naar ons toe zullen komen. Dit roteiland is de achterdeur van de Balearen. Maar als dat gebeurt, zullen we het tot de laatste man verdedigen."

Hij leek zenuwachtig. Hij trommelde met zijn vingers op tafel en liet zijn stoel kraken doordat hij voortdurend heen en weer bewoog. Benito Buroy begon zich rustiger te voelen. Kapitein Constantino Martínez was bang voor iets wat daar ver vandaan gebeurde maar hem elk moment bereiken kon. Ook hij had nachtenlang ineengedoken in een loopgraaf gezeten, de ene sigaret na de andere rokend, zich bewust van het feit dat er vroeg of laat iets wat niet te stoppen was onverbiddelijk en bloedig zou oprukken.

Hij hield zijn glas wat hoger om zijn benen over elkaar te slaan.

"Ik wil u alleen maar zeggen", ging de kapitein verder, "dat ik me niet met uw doen en laten zal bemoeien en dat u als u hulp nodig hebt op mij kunt rekenen."

"Het is voldoende als u me in het openbaar als een vijand van het regime behandelt."

"Uiteraard. Dat is logisch … Wat dat betreft … Ik wilde u net zeggen dat ik van plan was u op de bovenverdieping onder te brengen, waar ik zelf zit, maar het lijkt me verstandiger u een kamer hierbeneden te geven. Dat zou ik namelijk in een dergelijk geval hebben gedaan."

Benito Buroy knikte. De militair dronk zijn glas leeg en stond op.

"De kamer is leeg, maar ik zal opdracht geven hem in te richten."

Hij hees zijn broekriem op en liep naar de deur.

"Nog één ding", zei hij voordat hij die opende. "Ik neem aan dat u niet twijfelt aan mijn loyaliteit … Ik werd in Badajoz door de oorlog verrast, maar ik heb me onmiddellijk onder het gezag gesteld van generaal Yagüe, die toen nog kolonel was. Later heb ik gevochten bij de inname van Madrid en daarvoor ben ik onderscheiden. Kijk maar, mijn rug zit vol schroot."

Hij deed zijn uniformjasje uit en trok zijn overhemd een beetje omhoog om zijn zij te laten zien. Zijn week uitziende huid was doorploegd met kleine littekens.

Hij had nooit een vrouw gehad, maar hij miste haar aanwezigheid ook niet. Jaren geleden was hij ergens aan de kust bij Alicante bij wat hoeren geweest, in een bordeel waar hij heel verlegen van werd omdat het er rook naar oosterse parfums en het helemaal bekleed was met borduursels en tierelantijnen. Uit die tijd, die hij maar matig had gevonden, had hij de conclusie getrokken dat vrouwen schitterende maar moeilijk te vatten wezens waren, dat ze om duistere redenen begonnen te lachen of boos werden of zich zenuwachtig gedroegen, alsof ze vol spanning zaten te wachten tot er iets heel belangrijks zou gebeuren. Misschien dat ze daarom alles om zich heen verfraaiden met kant en zich vol smeerden met allerlei crèmes, om gereed te zijn als het grote nieuws kwam. Maar Lluent, wiens grootste passie witbrood en sardien in blik was, wist niets van nieuws en werd alleen al panisch bij de gedachte het te ontvangen. Voor hem was nieuws een teken dat de dingen veranderden en dat er dus iemand gestorven was.

Dus liet hij de vrouwen lopen. Na verloop van jaren was hij, mede door de verwarrende, magische klank van het woord, uiteindelijk oprecht gaan geloven dat een bordeel een type boot was. Lluent had een goed gevoel voor waar hij zich bevond, maar een slecht geheugen voor waar hij in het verleden geweest was. Daarom was hij een goed zeeman, omdat hij zich uitstekend kon oriënteren en zich nooit bedrukt voelde door steeds dezelfde horizon. Hij had zijn hele leven op zee doorgebracht, voornamelijk op schepen die voor de kust visten. Hij was op Cabrera beland nadat hij had aangemonsterd op de schuit die altijd petroleum voor de vuurtoren kwam brengen. Maar het overhevelen van vaten was niets voor hem, al verdiende het een stuk meer dan hij gewend was. In de kantine op het eilandje had hij toen een kale, oude visser leren kennen, die altijd uit vissen ging met een hond die onder de vlooien zat. Hoewel het een robuuste vent was, kon je zien dat telkens wanneer hij uitademde het leven uit hem wegborrelde. Lluent bood aan om met hem samen te werken en uiteindelijk had de oude zeeman hem de boot nagelaten. In ruil daarvoor moest hij, als het moment daar was, ervoor zorgen dat de visser met zijn hoofd naar het oosten op het kerkhof begraven zou worden en, wat men er in het dorp ook van zou zeggen, in de hoek die het verst af lag van een grafsteen die om geheimzinnige redenen met een cirkel was gemarkeerd. Aldus geschiedde, en twee jaar later begroef Lluent de hond daar naast zijn echte baas. Als een schurftige farao kreeg het dier de scheppen aarde over zich heen, samen met het cohort vlooien dat geen afstand van dat dode paradijs kon of wilde doen.

Zo was Lluent de visser van Cabrera geworden. Er waren er nog meer, maar die overnachtten zelden op het eiland en betoonden hem allemaal respect, zo niet gehoorzaamheid. Hoewel Lluent nooit bezwaar maakte tegen hun komst en hen zelfs de nacht liet doorbrengen op de grond voor zijn haard, wisten ze dat je maar beter niet de confrontatie met hem kon aangaan. Het mes uit Albacete dat hij altijd aan zijn riem droeg, had een paar keer het warme bloed geproefd. Op grond van zijn eigen verdiensten was Lluent heer en meester van die baai die op stormachtige dagen zoveel levens had gered.

Een van de soldaten die zo nu en dan in de kantine kwamen vroeg hem eens hoe oud hij was. De visser sloeg zijn blik op om zichzelf even in de spiegel te bekijken die een gedeelte van de muur achter de bar besloeg. "Ik ben nog jong, maar ook weer niet heel jong", antwoordde hij met de grootst mogelijke nauwkeurigheid voor een man die nooit een kalender had gebruikt. Toen hij later met Paco domino zat te spelen, was hij er met zijn gedachten niet bij geweest en had nogmaals in die spiegel gekeken.

"Wat doe je in godsnaam?" had de ander gevraagd. "Terwijl je zo lelijk bent als de nacht! Wil je alsjeblieft wel opletten?"

"Ik heb net ontdekt dat ik niet jong meer ben", had Lluent met een zweem van weemoed geantwoord. "Mijn god, wat gaat de tijd toch snel."

In de roes van de wijn vond hij de zoete smaak van het genot. Als hij dronk vulde zijn hoofd zich met vredige wolken, en de wiegende beweging van zijn lichaam was volgzaam en reageerde naar willekeur. In de donkerste nachten, wanneer de wind ging liggen en de vijg zo roerloos stond dat je zou denken dat hij versteend was door een laatste zuchtje ijskoude wind, hoorde je hem melodieën neuriën waarop hij vrolijk naast de deur van zijn huis zat te deinen. Voor Lluent was er geen grotere rust dan dat. Als hij ergens last van had dan was het dat zware gevoel dat hem soms, meestal midden op zee, beving terwijl hij de tekenen van de hemel ontcijferde en het wateroppervlak las. Hij was niet bang voor stormen maar wel voor het beklemmende gevoel dat, als een inwendige overstroming die hem in de eenzaamheid van open zee overviel, vanuit zijn buik naar zijn keel trok en hem verstikte met de bijna vergeten geur van zware parfums. Dan bracht de wind hem het geluid van gelach dat er niet was en snakten zijn handpalmen naar zachtheid, zodat hij ze tegen elkaar moest wrijven om dat gevoel te verjagen. Op dat soort momenten klom hij op de zijkant van de boot en terwijl hij met een hand de mast vasthield, masturbeerde hij als een bezetene boven de golven om een diepgewortelde herinnering die hij als niet van hemzelf ervoer in het water te lozen. Daarna vloekte hij binnensmonds, stapte weer van de zijkant af, stopte zijn pijnlijke pik weer in zijn broek en ging door met zijn bezigheden, zichzelf vervloekend dat hij toch weer, als een dief van andermans genot, was vervallen tot de vuiligheid van herinneringen die niet van hem waren.

Gisteren zijn we Felisa gaan opwachten, die eindelijk uit Mallorca terugkwam. Toen we hand in hand de kade afliepen, zei mijn moeder dat ik maar niet moest vertellen dat Paco bijna de hele week dronken was geweest en dat zij gekookt had en de kantine op orde had gehouden. Ik had iedere dag de kapitein zijn middageten in zijn kantoor moeten brengen, en ook Andrés had ons geholpen en de vloer met zoveel kracht geveegd dat de peuken in het rond vlogen en als geschrokken meikevers tegen de muren en de glazen ketsten. Zelfs Lluent, die meestal met niemand praat, was achter de bar komen staan om de weinige soldaten die iets kwamen drinken te bedienen. Hij was ook degene die er op een ochtend genoeg van had Paco onder de pergola te zien zitten slapen en hem had opgetild en in bed had gelegd. De arme man kwijlde op de schouder van de visser en jammerde telkens weer "Het leven is rot, het leven is rot", al zei hij er niet bij waarom hij dat vond. Later verklapte Lluent dat hij de wijn voor hem verstopt had, hoewel ik eerder denk dat hij die zelf heeft meegenomen want ik zag hem met een grote rinkelende mand naar huis gaan. Mijn moeder was op het laatst wel een beetje moe, en gisteren, toen we hand in hand naar de haven liepen, zei ze dat er vrouwen zijn zoals Felisa die in hun eentje een wereld overeind houden en dat die daarom een opvliegend karakter en benen vol spataderen hebben.

Toen Felisa ons vanaf het schip dat de baai binnenvoer op de kade zag staan, begon ze met haar dikke arm te zwaaien en naar de dozen te wijzen. De boot was zoals gewoonlijk afgeladen met spullen voor de militairen, maar deze keer waren er ook dingen voor ons bij. Zodra de schipper had aangelegd, kon Felisa haar ongeduld niet langer bedwingen en strekte haar armen uit naar de twee soldaten die stonden te wachten om te helpen bij het lossen. Ondersteund door de beide mannen, die hun wangen opbliezen alsof ze een ijzeren balk optilden, stapte ze zo voldaan de kade op dat het leek alsof ze zou barsten van plezier.

"Jij en jij", zei ze tegen hen, terwijl ze met haar vinger in hun jasjes boorde. "Pak deze dozen, deze hier, en breng ze naar mijn huis."

En toen ze zag dat kapitein Constantino Martínez stomverbaasd naar haar stond te kijken, richtte ze zich tot hem.

"Constantino, ik leen deze twee jongemannen even van u. En niet klagen, want morgen zal ik paella voor u maken. Hoe lang is het geleden dat u paella hebt gegeten?"

Gevolgd door de geïmproviseerde dragers liepen we naar de kantine. Het zou helemaal volmaakt zijn geweest als de olifant van de blikken trommel die ik in de put had gevonden en waarin zoveel cadeautjes voor ons hadden gezeten, de stoet had besloten. Want er zat van alles bij: pannen, stukken geparfumeerde zeep, gordijnen van gebloemde cretonne, en zelfs een glazen kap voor ons kale peertje. Felisa zette de dingen op een tafel in de bar terwijl ze vertelde dat haar zwager uiteindelijk de ring had gekocht, en dat hij haar had voorgesteld aan een man die alles wat we maar konden bedenken, en dan nog meer, in een magazijn zo groot als een kathedraal had staan, een heel sympathieke man die haar als een koningin had behandeld, haar een soort roodfluwelen troon had aangeboden zodat zij vanaf daar naar hartelust kon bestellen, want de man was een heer en bovendien wilde hij een goede indruk op haar zwager maken, want dat was een grote vriend van hem en een hele piet, dat had de man gezegd, u moet trots zijn dat uw zuster deze boef aan de haak heeft geslagen, en haar zwager lachte welwillend en zei dat hij niet zulke rare dingen moest zeggen en mevrouw gewoon moest helpen, en Felisa wees iets aan en zei dit, en dat, en dat daar, en nu twee gordijnen voor een vriendin van me en een paar pannen voor mezelf, en een bediende kwam aangelopen met dozen en dozen vol gordijnen en keukengerei, en theepotten met afbeeldingen van Parijs en Londen, en vazen uit Murano, van die hele mooie met luchtbelletjes in het glas, en ten slotte, toen Felisa al betaald had en de man hen naar de haven bracht, had hij haar een knipoog gegeven en haar stiekem een parelketting in de hand gedrukt die zij, Felisa García García, niet durfde te dragen omdat ze zo dik was, en hij had gezegd dat het een genoegen voor hem was zaken te doen met een vrouw die zo'n fantastische smaak had.

Dit alles had Felisa in één adem verteld, met rood aangelopen gezicht maar voldaan, omdat ze wist dat er ergens een hoffelijke beschaafde man waardering had voor de fantastische wijze waarop zij een hele wereld op haar schouders torste. Beladen met spullen gingen mijn moeder en ik weg en begonnen aan de klim naar huis. Halverwege bleven we staan om uit te rusten. Toen keek mijn moeder moedeloos naar de doos aan haar voeten.

"Mijn god, van wie zou dit allemaal geweest zijn?" mompelde ze. "Wat is het leven toch rot."

Ik was een beetje verbaasd dat mijn moeder, midden in al dat geluk, hetzelfde zei als die arme Paco in zijn dronkenschap. Maar ik was er wel aan gewend dat de vrolijke of droevige buien van mijn moeder niet samenliepen met die van anderen, alsof haar gedachten altijd ergens anders waren dan waar wij ons bevonden. Bovendien was ik zo blij dat ik me door niets van de wijs liet brengen en daar had ik alle reden toe: tussen al die schatten, in een pakje met een grote roze strik eromheen, had Felisa ook een paar blocnotes en een heleboel kleurpotloden gestopt.

Mijn moeder houdt nu siësta. Sinds een paar dagen heeft ze de gewoonte om in de schaduw van de veranda te gaan liggen tot de zon wat lager staat. Als ze dan wakker wordt van een zuchtje wind dat langs haar lichaam strijkt, komt ze met een beetje troebele blik en een rustige glimlach rond haar lippen naar me toe, geeft me een kus op mijn haar waarbij ze er even aan blijft ruiken, en gaat in de moestuin aan de slag. Vandaag ben ik toen zij lag te slapen aan tafel gaan zitten en heb opgeschreven dat we gisteren Felisa zijn gaan afhalen die eindelijk met een heleboel cadeautjes uit Mallorca terugkwam, en dat er bij de dingen die ze had meegebracht ook alles zat om dit dagboek te kunnen beginnen. Ik heb de dikste blocnote uitgekozen. Ik wil alles opschrijven om het later als ik oud ben nog te weten, want ik wil niet zo worden als Lluent, die als je hem vraagt waar hij geboren is een verbaasd gezicht trekt en alle kanten op kijkt, alsof hij ergens ver weg iets zoekt wat in zijn hoofd zou moeten zitten.

Benito Buroy werd wakker met een leerlap in zijn mond. Zijn tong was zo verstijfd dat hij hem amper kon bewegen en zijn gehemelte was kurkdroog. Het duurde even voordat hij weer wist dat hij zich op Cabrera bevond en waarom hij daar was. Toen ging hij rechtop in zijn bed zitten en keek zorgelijk naar de halfduistere grote kamer, naar de luiken die warme lichtbundels doorlieten en naar de dichte deur waarachter de soldaat van de wacht zou zitten te dommelen. De vorige avond hadden ze hem een grote nog lege kist gebracht en een tafel waarop zijn gammele kartonnen koffer nu stond. Hij had niet de moeite genomen hem te openen.

Hoewel hij net wakker was, voelde hij zich nu al moe. In de burgeroorlog was Benito Buroy meer gesloopt door uitputting dan door het geweld van de wapenen. Hij had een dringende behoefte gevoeld niet langer ergens in te geloven en daar ook niet meer voor te strijden, een verlangen om naar het normale leven terug te keren dat wortel had geschoten in zijn ledematen en in zijn rug totdat hij er ziekelijk van was geworden. Helaas had hij er te lang over gedaan zich te distantiëren van ideeën die hij al niet eens meer had. Het gevolg daarvan was, afgezien van zijn verblijf in de gevangenis waaraan hij een permanente angst in zijn pupillen had overgehouden, het pistool dat samen met wat schone kleren in de koffer zat.

Uit zijn woning in Palma had hij alleen een overhemd en twee onderbroeken meegenomen, deels om Otto Burmann gerust te stellen die als een in de steek gelaten hond zat te kermen, maar ook omdat hij niet van plan was lang over de opdracht om die verdomde Duitser te doden te doen. Als hij er op die manier voor moest boeten om weer een tijd met rust gelaten te worden, zou hij het meteen doen en dan weer terugkeren naar zijn saaie leven in de bar. Als hij die opdrachten maar aanvaardde, zouden ze hem misschien ooit een paspoort geven. Dan zou hij zijn aandeel in de zaak verkopen en naar een plek ver weg gaan waar alles nog gedaan moest worden en hij niet niks kon doen.

De soldaat van de wacht nam hem zwijgend op toen hij hem de kamer uit zag komen.

"Ik heb dorst", zei Benito Buroy, zich moeiteloos aanpassend aan zijn zogenaamde staat van gevangene.

"Dan moet je naar de kantine", antwoordde de ander. "De kruik hier is voor de manschappen."

De dag was bewolkt begonnen. Er woei bij vlagen een wind die een eindeloos geruis aan de bladeren van de vijgenboom ontlokte. De aalscholvers en de meeuwen vlogen in cirkels rond en beschreven perfecte geometrische figuren in de wanorde van een storm die zich op een nog onzichtbare plek ontwikkelde. Er hing een geweldige dreiging in de lucht.

Benito Buroy stak het plein over en ging de kantine binnen. Het treurige, schaarse daglicht kreeg daar de troebelheid van een verwaarloosd aquarium. Hij ging aan een tafel zitten en nam de aanwezigen op, waarbij hij probeerde afstandelijk te lijken. De avond tevoren had hij daar gegeten zonder met iemand te praten en een spoor van antipathie achtergelaten. Dat had hij nodig om zich prettig te voelen. Hij wilde niemand leren kennen en met niemand een gesprek aanknopen. Andere mensen deden hem over het algemeen denken aan van die treinreizigers die bereid zijn hun brood en kaas te delen in ruil voor onophoudelijk geklets, in de overtuiging dat verbittering over een ondankbare echtgenote, een foto van twee krampachtig glimlachende kinderen of een armzalig stalenboek van kleurige dassen voldoende is om contact met iemand te leggen en te voorkomen dat ze alleen op de wereld zijn. Maar Benito Buroy vond de levens van anderen niet interessant. In zijn bar in Palma praatten de klanten tegen hem in de wetenschap dat hij ondertussen aan iets anders dacht. Dat was zijn manier van luisteren en zij schenen dat niet erg te vinden. De volgende avond stonden ze daar weer hetzelfde verhaal te vertellen dat hen voor de zoveelste keer naar die bar had gebracht. Doorgaans praatten de mensen over hun leven alsof het al voorbij was.

"Bruin brood en cichorei, dat is er te krijgen", zei het dikke mens van de kantine, terwijl ze hem duidelijk met tegenzin bediende.

Benito Buroy keek nieuwsgierig naar de parelketting die de vrouw over haar vettige schort droeg. Ze merkte zijn blik, want ze stopte de ketting achter het borststuk en keerde hem de rug toe, waarbij ze hem haar gigantische achterwerk als blijk van haar minachting bood.

Felisa García mocht de nieuwkomer niet. Ze stoorde zich aan de onderzoekende blik waarmee hij de dingen bekeek om er zijn voordeel mee te doen, en aan de gespannen trek op zijn vrijwel niet aanwezige kaak, een kaak zonder kin die hij steeds strak hield, niet omdat hij pijn had, dacht Felisa García, maar als onbewuste reflex van een wrede geest Ze was ervan overtuigd dat er niets goeds van die man te verwachten viel, zoals ze er ook van overtuigd was dat hij in de oorlog verschrikkelijke dingen had gedaan waar ieder ander niet van zou kunnen slapen. Want volgens haar verliest iedereen, zelfs de meest fatsoenlijke mens, weleens zijn hoofd en doet dan schandelijke dingen. Maar dan treedt er een schuldgevoel in werking dat steeds groter wordt, als een gezwel van het geweten, waardoor je vroeg of laat uit jezelf een straf gaat zoeken. Dat was de normale gang van zaken voor Felisa García, die zich schuldig voelde over alles wat er overal gebeurde of kon gebeuren en eventueel te vermijden was, alsof haar keuken, waarin ze het grootste deel van haar leven doorbracht, niet een smoezelige, slecht bevoorrade plek was maar eigenlijk de geheime motor van de wereld. Omdat ze eraan gewend was door wroeging te worden verteerd, herkende Felisa García meteen degenen die, wat ze ook deden, nooit berouw zouden hebben. Ze wist heel goed waar hem de schoen wrong bij Benito Buroy. Zodra hij de avond tevoren de kantine was binnengekomen voor zijn avondmaaltijd, had ze hem in de ogen gekeken en de inhalige onverschilligheid van de duivel in zijn ogen zien opkomen.

Geweldig uit haar humeur door de onaangename aanwezigheid van die indringer sloot ze zich op in haar domein. De grote pan die ze uit Mallorca had meegebracht stond te dampen op het fornuis. Aan de andere kant, op een gehavend marmeren aanrechtblad, stond een bak met sperziebonen. Kreunend pakte ze die op en droeg hem naar een tafel waarover een zeiltje lag. Ze was al gaan zitten om de draden van de bonen te verwijderen toen ze haar zoon Andrés in een hoekje ontdekte. Met zijn handen op zijn knieën en met wiegend bovenlijf zat hij glazig naar de vloertegels te staren.

"Wat doe je?" vroeg ze. "Zit je weer te dromen?"

Andrés fronste zijn wenkbrauwen en keek haar verbouwereerd aan. En hoewel een knagend gevoel in haar maag Felisa García waarschuwde dat ze haar zoon ging gebruiken om zich af te reageren, kon ze zich toch niet bedwingen en ging door: "Je bent nergens goed voor, je bent je moeder alleen maar tot last! Ik ben het zat! Zo wordt het nooit wat met jou!"

De jongen kreeg ogen als schoteltjes. Toen veerde hij overeind en holde de keuken uit. Zonder iemand aan te kijken liep hij de bar door, liet het plein links liggen en begon het pad naar de militaire barakken op te lopen. Hij liep snel, met een krankzinnige beslistheid en zwaaiend met zijn armen. Zo liep hij langs de baai tot hij ter hoogte was van het kampement. Verbaasd over zijn haast riep een groepje soldaten iets naar hem, maar hij luisterde niet en liep door. Hij nam de weg door de vallei, die tussen de olijfgaarden door landinwaarts voerde, en toen hij bij een tot ruïne vervallen huis kwam waar het pad ophield, begon hij tegen de berg op te klauteren. Hij klom zo snel dat het hem moeite kostte de struiken te ontwijken. Soms maaide hij met zijn handen door de lucht om de takken van de heidestruiken en de peperbomen opzij te duwen, die tegen hem aan sloegen in de windvlagen die de storm aankondigden.

Grommend en struikelend bereikte Andrés de top van de berg en toen begon hij naar het dal van de stemmen af te dalen. Het was er smal en het stond er vol pijnbomen, maar hij kende het er goed want hij kwam er heel vaak. Vanaf het laagste punt van de stroombedding kon je haarscherp, alsof een stem uit het hiernamaals ze helemaal naar je trommelvliezen blies, de gesprekken horen die ver weg op het plein of in het legerkamp werden gevoerd. Vroeger werd Andrés bang als hij ze hoorde en dan vluchtte hij weg omdat hij dacht dat het spoken waren, totdat hij op een dag de onmiskenbare boze stem van zijn moeder hoorde die haar man verweet dat hij haar zo weinig hielp en dreigde dat ze bij haar zuster op Mallorca zou gaan wonen. Dat was een sensationele ontdekking. Die dag meende Andrés de plek te hebben gevonden waar de woorden terechtkwamen wanneer ze door de wind werden meegenomen, en vanaf dat moment zat hij daar urenlang te wachten op die onzichtbare vlinders die, omdat ze zo zwak waren, in zijn eigen hoofd geboren leken te worden.

Maar die ochtend stopte hij ook daar niet. Hij beklom een kale heuvel, bedekt met stenen die onder zijn voeten wegrolden. Hij viel een paar keer voordat hij enigszins beurs maar vastberadener dan ooit de weg bereikte naar de vuurtoren van N'Ensiola, die het verst weg lag van de twee vuurtorens op het eiland, helemaal aan de andere kant van de baai dan waar het dorp steeds verder in verval raakte. Hij liep een tijdje tussen steeds steilere rotsformaties door en even later had hij aan beide kanten de zee. Hij wilde de rots al beklimmen waarop de vuurtoren stond, toen het korte oorverdovende geknetter van een donderslag hem plotseling, alsof hij een klap in zijn nek had gekregen, deed stilstaan. Even werd het zeeoppervlak door een bliksemstraal verlicht. Andrés keek omhoog. Er begon een sluier van water over hem heen te vallen. Het regende zo hard dat de druppels pijn deden aan zijn voorhoofd. Hij bedekte het met zijn handen en wilde vluchten, terug naar de kantine rennen, maar de vuurtoren verhief zich voor hem en in zijn oren dreunden de verwijtende woorden van zijn moeder nog na. Hij slaakte een lange gil om zijn angst te verdrijven. Toen klom hij verder naar boven, uitglijdend over de stenen, verblind door de stortbui. En net toen hij zich totaal verloren voelde, botste hij tegen de muur van de vuurtoren op. Hij spreidde zijn armen, drukte zich ertegen aan en liet zijn wang tegen het ijskoude steen rusten. En met afgrijzen keek hij naar het wazige zeeoppervlak, dat niet langer doorzichtig was en zich uitstrekte onder een nevel voortgestuwd door windvlagen die daar, op die plek waar de wereld ophield, rondwervelden zonder obstakels tegen te komen. Pas toen verzamelde hij al zijn kracht en moed, draaide zich om en begon aan de terugtocht.

Toen hij een hele tijd later eindelijk hijgend en doorweekt bij de kantine aankwam, onder de schrammen, met gescheurde broek en bloedende knieën, stond Felisa García hem in de deur op te wachten. Ze zei niets toen ze hem zag. Ze sloeg slechts een deken om hem heen en voerde hem met haar arm om zijn middel mee tussen de tafels door waarop de resten van de middagmaaltijd nog stonden. Terug in de keuken zette de vrouw een kop bouillon op het tafelzeil en ging zitten. Toen dwong ze Andrés ook te gaan zitten, als in zijn jeugd op haar schoot, en met een hoek van de deken wreef ze heel zachtjes zijn hoofd droog. Hoewel hij een beetje verbouwereerd was, begreep Andrés dat zijn moeder niet weer boos zou worden. Hij pakte de kop om zijn handen te warmen en glimlachte trots, omdat hij, na een bovenmenselijke inspanning waarmee hij alles wat zij voorspeld had weerlegde, erin geslaagd was de verste plek waar hij naartoe kon te bereiken.

Terwijl Felisa García hem wiegde, merkte ze dat haar benen onder het gewicht van haar zoon begonnen te slapen.

Kapitein Constantino Martínez zat op de galerij van de commandopost. Aan de horizon, boven een kalme donkere zee, doofde de laatste gloed van de schemering. Die leek dan misschien wel spectaculair, dacht de militair, maar het was een halfzacht operettedecor vergeleken bij de brandende pijn in zijn maag. Wantrouwend keek hij naar het dienblad met daarop zijn avondmaaltijd, dat hij op een krukje terzijde had geschoven. Hij bedacht dat kool te bitter was en dat het scherpe vocht natuurlijk in contact was gekomen met zijn inwendige wonden en deze had aangetast. Hij was daar bij de eerste hap al bang voor geweest, maar nu was het te laat. Hij had spijt dat hij zich door honger had laten leiden, al moest hij toegeven dat het niet alleen honger was geweest maar ook zijn voorliefde voor een groente die niet goed samenging met de stukjes ijzer die in zijn lichaam zaten. Want de militair, weinig onderlegd in anatomie, was ervan overtuigd dat het schroot dat in zijn rug was gedrongen uiteindelijk in zijn darmwanden terecht was gekomen. Dat meende hij stellig, zonder erbij stil te staan dat het schroot om daar te komen verschillende vitale organen zou hebben moeten verwoesten, en dat hij bovendien al last van brandend maagzuur had in de lang vervlogen jaren van zijn jeugd, toen die bijziende, anarchistische lerares het niet voldoende vond om het opheffen van alle grenzen te prediken maar hem voor de klas liet komen om op een wereldkaart onmogelijke plaatsen met namen als Osaka, Jeruzalem of Petrograd aan te wijzen, in de overtuiging dat die ooit voor haar en voor al haar leerlingen uit Extremadura net zo nabij zouden zijn als bijvoorbeeld Villafranca de los Barros. Van het chaotische wereldbeeld van die vrouw kreeg kapitein Constantino Martínez niet alleen brandend maagzuur, maar ook de behoefte in een kleine, geordende wereld te leven. Daardoor wist hij al vroeg, hoe kon het ook anders, dat hij bij het leger wilde.

De boot van Lluent voer op dat moment de haven binnen. Vanaf de galerij van de commandopost zat de kapitein ernaar te kijken met de flauwe weemoed waarmee men vanaf het ziekbed de dingen bekijkt. Hij streelde met een onbestemd gevoel zachtjes over zijn maag. Toen keek hij naar het pakje tabak dat op de grond lag en dacht dat als hij zin had om een sigaret te rollen, wat het geval was, dit misschien een teken was dat zijn lijden begon af te nemen, al merkte hij dat dan nog niet. Ja, dat was beslist een goed teken. Maar toen hij zijn arm uitstrekte om het pakje te pakken, zag hij iemand roerloos aan het andere eind van de galerij staan en daar schrok hij even van, wat een nieuwe aanval van zuurbranden veroorzaakte.

"Die kool wordt nog eens mijn dood", zei de militair toen hij Benito Buroy herkende. "Op dit eilandje eten we alleen maar vis en groente, en dat is maar beter ook. Het vlees dat we hier krijgen is half bedorven. Je kunt er onmogelijk achter komen van welk dier het afkomstig is."

Trouw aan zijn geringe belangstelling voor alles van anderen bleef Benito Buroy zwijgen. Ook hij had net gegeten, in de kantine, met als enig gezelschap dat vervelende dikke mens dat niet tegen hem praatte en hem nooit aankeek. Haast een paradijs. Maar daarna was er een groep soldaten gekomen en luidruchtig gaan zitten kaarten. Ze hadden zich voortdurend tot hem gericht om te vragen waar hij in de oorlog had gezeten of zijn mening te vragen als ze het niet eens waren, of om domweg telkens weer te zeggen dat hij bij hen moest komen zitten, alsof ze het niet prettig vonden dat hij daar zo in zijn eentje zat. Van lawaaierige groepen kreeg Benito Buroy een ondraaglijk gevoel van gedeelde eenzaamheid, en daarom had hij de kantine al snel verlaten en was, bij gebrek aan een andere mogelijkheid dan over het nu in duisternis gehulde plein te wandelen, maar naar de militaire commandopost teruggegaan.

"Wilt u iets leuks horen?" ging de kapitein verder. "De storm van gisteren heeft de doden op het kerkhof opgegraven. Hier zijn ze altijd zo lui geweest dat ze nooit de moeite namen om kuilen te graven. Een beetje scheppen voor de vorm, wat aarde over het lijk en een ruwe steen, als ze die al plaatsten, tegen de muur. Dat is alles. Dan gaat het regenen en breekt de hel los … Ik heb een peloton moeten sturen om de graven wat te fatsoeneren. Ze zijn van alles tegengekomen, zelfs een handgeschreven briefje en het skelet van een hond. Wie haalt het nu in godsnaam in zijn hoofd een hond op een kerkhof te begraven?"

En nadat hij in zijn stoel was gaan verzitten alsof hij een stekende pijn in zijn sluitspier had, zei hij nog maar eens: "Die verdomde kool wordt nog eens mijn dood."

Benito Buroy moest denken aan Otto Burmann. Ook hij klaagde vaak over zijn maag, over reumatische of arteriële pijnen en over allerlei kwalen in het algemeen. Omdat die geen zichtbare oorzaak hadden, stelden ze hem in de gelegenheid een hele dag in het met kussens bezaaide grote bed door te brengen en daar lag hij dan zachtjes te kreunen, terwijl hij zielige houdingen aannam en hem om een beetje troost vroeg.

"Ik heb een lijst nodig van alle bewoners", zei hij tegen de militair, geen acht slaand op wat deze hem verteld had.

"Welke bewoners?" vroeg de ander. "Van hier … van Cabrera? U bent toch twee dagen geleden aangekomen? Dan kent u ze inmiddels allemaal! Op een Duitser na, die ergens in het binnenland rondzwerft. Maar die komt u nog wel tegen. Zo af en toe komt hij naar de kantine."

Benito Buroy bedacht dat hij geluk had. Als de Duitser door de bergen rondzwierf, zou hij zich makkelijker van hem kunnen ontdoen. Hij vroeg waar de man zich precies bevond.

"Een paar dagen geleden heeft een patrouille hem nog gezien", ging de militair verder, die ondanks zijn brandend maagzuur een spraakzame avond had. "Hij zit aan de andere kant van het eiland, aan een baai die de Pan wordt genoemd, met een steile rots in het midden. Hij schijnt in een grot te wonen, er zijn er daar een heleboel. Wat ik me afvraag ... wat ik me afvraag is wat een Duitser hier te zoeken heeft. Wat zou hij hebben gedaan? Even onder ons, ik heb de opdracht hem met kogels te doorzeven als hij van het eiland probeert te ontsnappen, maar hij komt niet eens in de buurt van de kade. Toch controleren we altijd het bevoorradingsschip, want je weet maar nooit."

Hij rekte zich uit en hief zijn gekruiste armen boven de rugleuning van zijn stoel, legde zijn voeten op de balustrade, stak zijn sigaret, die was uitgegaan, weer aan en zei openhartig: "Die stomme Duitsers! Ze zijn zo stijf! U had hem een paar weken geleden moeten zien, toen Felisa paella voor ons had gemaakt!"

Dankzij het enthousiasme van de kantinehoudster was dat een leuke dag geworden in een tijd waarin niemand dat verwachtte. Met de exotische wijsheid van mensen die ver weg de meest schitterende dingen hebben gezien, kwam ze van Mallorca terug alsof ze een wereldreis had gemaakt en allemaal schatten en gastronomische lekkernijen had vergaard. Hoewel ze zonder morren terugkeerde naar haar eenzame opsluiting in de keuken van de kantine, zou ze nooit vergeten dat een heer uit de hoofdstad, een echte heer, haar had geprezen om haar fantastische smaak. Dat had haar opvatting over zichzelf zo veranderd en ze voelde zich zo prettig in haar pasontdekte vrouwelijkheid dat ze zelfs haar groezelige jasschort waste en haar norse manieren zo veel mogelijk verzachtte. Zo – schoon, keurig netjes en vriendelijk – verscheen ze die ochtend heel vroeg in de kantine. Paco, die nooit op haar lette, bleef verbaasd naar haar kijken en wilde haar weer mee naar de slaapkamer nemen, maar

Felisa gaf hem een vriendschappelijk duwtje en beval hem een mooi vuur op het plein te maken, omdat ze een hele hoop gloeiende kolen nodig had voor een demonstratie van haar fantastische kookkunst. Ze vroeg Andrés een tafel onder de pergola te zetten waaraan ze met zijn allen konden zitten en toen ze de kapitein in de richting van het kampement zag lopen ging ze achter hem aan, waarbij ze een beetje met haar heupen probeerde te draaien, net genoeg om niet reumatisch te lijken.

"Constantino", zei ze, "vandaag komen we het middageten niet brengen. U moet naar mijn huis komen. Ik ga de paella maken die ik u beloofd heb. Kleedt u mooi aan en neem iets te drinken mee."

Zo kwam het dat op een bloedhete dag halverwege augustus de kantinebeheerders en hun zoon Andrés, Lluent, een andere visser genaamd Sebastián die met zijn neus in de boter viel, de hoogste militaire autoriteit van het eiland Cabrera en zijn gevangenen Leonor en Camila Dot het glas hieven om te drinken op een toekomst die zich op zijn zachtst gezegd nogal duister aandiende. Om het geluk dat Felisa voelde door het nieuwe inzicht dat ze wat waard was compleet te maken, verscheen die dag ook de Duitse kluizenaar voor zijn portie tabak. Bij het zien van het festijn bleef hij staan, met een uitdrukking op zijn gezicht die het plotselinge verlangen verried om hard weg te lopen van al die mensen die hun gesprekken hadden gestaakt en zich hadden omgedraaid om naar hem te kijken. De kapitein schraapte zijn keel, in verlegenheid gebracht door de aanwezigheid van de Duitser. Hij had de opdracht gekregen hem in de gaten te houden, geen drankjes met hem te drinken, en Constantino Martínez hield stipt rekening met de plaats die ieder in de wereld innam. Maar op dat roteilandje bleek het bijzonder moeilijk de vormen te handhaven.

Gelukkig voor iedereen liet Felisa García zien dat je autoriteit niet in theorie uitoefent maar in de praktijk. Ze pakte de Duitser bij de hand, trok hem mee naar de pergola, gaf hem een glas met sherry die de kapitein had meegenomen en vroeg toen aan de militair of hij Paco wilde helpen de paella naar de tafel te brengen. De militair, die volgens de opdracht van de kantinehoudster zijn netste uniform had aangetrokken, gehoorzaamde ook nu weer, al was het dan met de tegenzin van iemand die latrines moet gaan schoonmaken.

Een tijdje later waren ze allemaal een beetje aangeschoten van de wijn, die gevloeid had met een scheutigheid die niet paste bij hun rantsoen, en visser Sebastián, die niemand kende, keek met onverholen begeerte naar Leonor Dot. Zij deed heel elegant alsof ze het niet merkte en luisterde naar Felisa García. De kantinehoudster had uit Mallorca jonge slaplantjes meegenomen en legde uit dat ze die moest samenbinden wanneer ze begonnen te groeien, zodat de binnenste bladeren bleek zouden blijven. Paco, die zag dat zijn wijnvoorraad naar de bliksem zou gaan, had besloten die in zijn eigen lichaam op te slaan. Slap hangend in zijn stoel zat hij onsamenhangend te brabbelen tegen de wingerd die hem schaduw gaf. Lluent zat te neuriën, want dat was wat hij altijd deed. En de kapitein, verschanst achter zijn krijgshaftigheid die hem nooit in de steek had gelaten, droomde van een kleine wereld die niets te maken had met die piepkleine, ellendige wereld daar. Hij droomde van een kleine wereld, maar groot genoeg om deze vaderland te noemen zonder Osaka, Jeruzalem of Petrograd erbij te hoeven halen. Beneveld riep hij "Leve Spanje!" en hulde zich weer in stilzwijgen. Alleen Markus Vogel bleef onverstoorbaar. Hoewel hij ondanks zijn goede manieren als een wolf van de paella had gegeten, had hij amper van de wijn geproefd en de hele maaltijd niets gezegd. Het leek alsof hij per ongeluk aan die tafel zat en daar uit beleefdheid bleef zitten.

Andrés en Camila hadden zich al een tijdje geleden van de anderen afgezonderd. Het meisje had een van haar schriften tevoorschijn gehaald en leerde Andrés nu mensen tekenen.

"Je moet niet zoveel armen maken. Dan lijkt het net een inktvis."

Andrés knikte dwangmatig maar ging door met armen tekenen.

"Nu is het net een egel", zei Camila.

En toen richtte ze zich tot de Duitser.

"Markus, kun jij ook niet praten?"

Markus Vogel keek haar even aan. Camila had het gevoel dat er iets over haar gezicht gleed, maar het was de blik van de Duitser. Niemand had haar ooit zo aandachtig bekeken, alsof haar gezicht allerlei dingen had die grondig bestudeerd moesten worden. Gewoonlijk keken de mensen naar elkaar zonder veel te zien.

"Ik heb niks te vertellen", antwoordde de Duitser ten slotte.

"Maar je moet toch af en toe praten. Anders blijven al je gedachten in je hoofd zitten en word je net als Andrés. Die heeft er zoveel dat hij ze niet kan ordenen."

De Duitser glimlachte. Het was de enige keer tijdens die zomerse maaltijd dat hij zich op zijn gemak leek te voelen. Hij boog zich naar Camila toe en aaide haar zachtjes over haar wang. Toen trok hij zijn hand voorzichtig terug, zoals wanneer je een breekbaar voorwerp in een vitrine hebt gezet.

"Als je praat", zei hij tegen het meisje, "zorg er dan voor dat je woorden interessanter zijn dan je zwijgen. Maar die gedachte is niet van mij maar van een Griekse filosoof. Je hebt gelijk. De volgende keer zullen we even praten."

Hij stond op om zonder verder uitstel naar zijn verlaten strand terug te keren. Felisa García verdween even de kantine in en kwam terug met een pakje, dat ze de Duitser bijna openlijk overhandigde. Die stopte het in zijn zak en maakte dankbaar een lichte buiging.

"Ik ben blij dat ik gekomen ben", zei hij. En hij voegde er verrassenderwijs aan toe: "U ziet er vandaag stralend uit."

Onwillekeurig slaakte Felisa García een zucht van voldoening, maar ze herstelde zich onmiddellijk. Terwijl ze hem een klap op de borst gaf die ieder minder stevig persoon dan hij omver zou hebben geworpen, zei ze dat hij nu meteen moest ophoepelen naar die ellendige rots van hem. Toen de Duitser wegliep, ging ze weer aan tafel zitten en keek met afgrijzen naar haar man. En terwijl ook zij allerlei gedachten door elkaar haalde, maar op een manier die makkelijk te ontraadselen was, riep ze uit:

"Wat een man ... jasses, wat een man!"

"Leve Spanje!" zei kapitein Constantino Martínez, die zich verplicht voelde weer de leiding in zijn kleine deel van het vaderland te nemen, nogmaals. "Die Duitsers kunnen de pot op!"

Leonor Dot was roerloos midden in de moestuin blijven zitten, met haar armen om zich heen geslagen. Met het ochtendgloren kwamen er frisse windvlagen van zee die haar haren door de war maakten, maar de vrouw had het niet in de gaten en voelde geen kou. Ook had ze die ochtend niet genoten van het uitzicht op de baai in de totale stilte van die vroege uren, zoals ze anders altijd deed. Er viel een lok voor haar ogen. Nog steeds in gedachten verzonken streek ze hem achter haar oor. Ze was net wakker geworden, misschien voor het eerst sinds ze op het eiland was niet in beslag genomen door iets wat tot het verleden behoorde. Ze was wakker geworden met een bijna vergeten gevoel van geluk, met de prettige behoefte om iets te gaan doen, niet om zich alleen maar staande te houden en ook niet uit de koppigheid die haar tot die ochtend overeind had gehouden, maar om toe te geven aan het vurige verlangen dingen te ondernemen die de moeite waard zijn om ervoor je bed uit te komen. Nadat ze zich stilletjes had aangekleed en een kus op Camila's voorhoofd had gedrukt, was ze naar de moestuin gegaan om naar de slakroppen te kijken. Het moment was gekomen om ze op te binden, zoals Felisa haar op de dag van de paella had uitgelegd.

Ze ging weer naar binnen, wakkerde het vuur wat aan met een paar kleine houtjes en zette een steelpan met water op. Toen pakte ze een paar repen stof die ze al klaar had liggen en ging weer naar de moestuin. In de verste hoek kwamen ook de wortels al uit de grond, en in de buurt van de waterput waren de blaadjes van de rapen en de radijzen al zichtbaar. Tegen de muur van het huis stonden in de grond geslagen stokken te wachten op het groeien van de tomatenplanten. Hoewel ze zichzelf niets hoefde te verwijten, schaamde Leonor Dot zich dat ze zich daar tevreden voelde, trots op haar werk en rustig omdat Camila eindelijk, na zo'n lange tijd, veilig was. Ze kon en wilde de verschrikkingen die er in haar leven waren geweest niet vergeten, maar ze kon niet vermijden dat er in haar geest, net als in de moestuin waarin ze zo hard gewerkt had, een paar zaadjes gericht op de toekomst ontkiemden. Zelfs de levendigste herinnering kan niet beletten dat het leven doorgaat. Hoewel ze dat wel wist, voelde Leonor Dot zich toch beschaamd omdat ze die ochtend tevreden was, ongeveer net zo beschaamd als wanneer ze terugdacht aan de dagen na de dood van Ricardo. In het ziekenhuis was Camila geen seconde van haar moeders zijde geweken, maar Leonor kon zich haar aanwezigheid, het gezicht van haar dochter niet herinneren, en ook niets van wat ze gedurende al die tijd tegen haar had gezegd. Ze had nooit geweten waarvan Camila geleefd had tot het moment, op een ochtend als deze, dat een verpleegster haar wakker had gemaakt en had gezegd dat ze het ziekenhuis mocht verlaten, en de politie hen had aangehouden voordat ze zich zelfs maar hadden kunnen afvragen wat ze met hun leven gingen doen.

Even later zat Camila, nog in haar nachtjapon, op de veranda te lezen en kaas te eten. Haar moeder was die ochtend onvermoeibaar en maakte neuriënd het terrein voor het huis schoon. Achter haar lag de zee, die de zon doorschijnend zou maken. Camila sloeg haar blik even op en zag dat de boot uit Mallorca op dat moment de baai binnenvoer. Ze waarschuwde haar moeder, want sinds Felisa García naar de hoofdstad was gereisd en een brug met haar zwager had gevormd, was die boot een vat vol verrassingen voor de kantinehoudster geworden. Die hoge piet op Mallorca kon niet tolereren dat iemand van zijn familie op de drempel van de armoe leefde en stuurde haar dus worsten, mandflessen met olie en grote witte boerenbroden. En Felisa, die Leonor Dot dankbaar was dat ze haar de ring van Xuxa had gegeven, deelde met haar de geschenken.

Die ochtend had de boot nog iets anders dan pakketten bij zich. Er stapten drie mannen van boord die zich naar de militaire commandopost begaven. De man die in het midden liep droeg ondanks de hitte een jas en had een koffer in de hand. Naast hem was het onmiskenbare silhouet van de commissaris te zien.

"Ze komen weer een arme stakker brengen", zei Leonor Dot. "We zullen binnen blijven tot ze weg zijn."

Het had geen enkele zin de man die hen op Cabrera had opgesloten te ontwijken. Ze waren daar juist omdat ze op die plek zijn bezoek niet konden ontvluchten. Dat ze inmiddels al een hele tijd op het eiland verbleven betekende bovendien niet dat ze hen langzamerhand aan het vergeten waren. De commissaris was hen beslist niet vergeten, al ondernam hij weinig pogingen om Leonor Dot onder druk te zetten. Hij wist dat de tijd haar zou breken. Leonor besefte op haar beurt dat ze zich zo koppig als ze wilde kon gedragen zonder dat het iemand iets kon schelen. Wie bekommerde zich om een dossier dat al maandenlang, zelfs al jarenlang in een la lag? Wie kon het wat schelen dat zij en haar dochter de rest van hun leven op dat eiland zouden wegkwijnen? Moest ze in zekere zin die politieman niet dankbaar zijn dat hij zijn belangstelling voor hun lot had verloren?

Kort na aankomst van de boot liep de commissaris, hijgend vanwege de klim, de moestuin door en om het huis heen tot hij bij de veranda kwam. Toen ging hij zonder te kloppen of zich aan te kondigen naar binnen. Leonor Dot, die op dat moment bezig was met de afwas van de vorige avond, hief haar kin en keek hem strak aan. De commissaris scheen niet te beseffen dat hij inbreuk op andermans privacy maakte. In werkelijkheid besefte hij dat wel, maar beschouwde hij het als een onderdeel van zijn werk. Hij nam plaats op een van de stoelen, keek even naar Camila, die stilletjes in een hoek van de kamer was blijven staan, en tikte een paar keer met zijn knokkels op tafel.

"Wanneer gaat u die papieren tekenen?"

"Het is allemaal laster", antwoordde Leonor Dot meteen. "Ik ga u niet helpen Ricardo's nagedachtenis te bezoedelen."

"U weet niet wat mannen achter de rug van hun vrouwen doen."

Hij zweeg even om zijn valse opmerking op haar in te laten werken. Toen ging hij verder: "Denk daar maar eens goed over na ... En dan zal ik u nog eens wat zeggen. Ik kan ervoor zorgen dat u en uw dochter naar Mexico gaan. Daar hebt u vrienden, dat weet ik. Er zijn mij een heleboel dingen over uw verleden verteld."

Leonor Dot draaide zich weer om naar de gootsteen en leunde op het steen, zonder zich te bewegen. De commissaris stond op van zijn stoel, liep naar haar toe en pakte haar armen van achteren vast. De vrouw bood geen weerstand. De politieman hield haar polsen tussen zijn handen alsof hij ze op haar rug ging vastbinden. Maar hij wilde ze alleen maar bekijken.

"Godsamme!" riep hij uit. "Ze hadden daar in Barcelona dus gelijk! U hebt geluk, de littekens zien er goed uit. Ik hoop niet dat u hier weer gek wordt en het opnieuw probeert."

Hij wilde nog wat zeggen maar werd onderbroken door de stem van Camila. Achter hem klonk een nauwelijks gearticuleerd geloei.

"Laat haar los …! Laat haar los, zeg ik je! Laat haar los …!"

Een paar kleine vuisten trommelden op zijn rug alsof een vogel er met zijn vleugels tegenaan sloeg. Hij haalde zijn schouders op, liet de handen van Leonor Dot los en na een blik op het meisje te hebben geworpen, dat zich had teruggetrokken en hem aankeek met ogen die veranderd waren in twee woeste spleten, verliet hij het huis met de gedachte dat hij erg veel zin in een glaasje wijn had. Als die vrouw per se met haar hoofd tegen de muur wilde lopen, nou, dan de groeten en tot de volgende keer. Had ze maar niet met een rooie moeten trouwen.

Het was een prachtige dag. Er woei een windje van zee dat wat verkoeling bracht, maar de commissaris begon genoeg te krijgen van Cabrera. Telkens wanneer hij het eiland bezocht, viel het hem op dat de mensen daar leefden zonder iets te doen, als honden die in de schaduw liggen. Zelfs de soldaten vervielen in een mensonterend lui leventje waar niemand iets tegen leek te doen. Het was treurig om te zien hoe ze geeuwend en in hun kruis krabbend rondom het kampement wandelden. Als hij het voor het zeggen had gehad, zou hij ze met zijn allen die rots laten ommuren of het kasteel laten herbouwen, want dat vond hij een enorm gemis, of een groot kruis laten oprichten voor hen die gevallen waren voor God en voor Spanje.

Onderweg naar de kantine kwam hij Felisa García tegen, die met een doos omhoogliep.

"Waar gaat u verdomme heen?" riep de commissaris. "Is hier dan niemand op zijn plek? Wie moet ik nu om een glas wijn vragen?"

"Mijn man", antwoordde de vrouw zonder stil te blijven staan. "Op dit uur is hij nog redelijk nuchter. En doe maar niet zo nijdig, verdomme, want mijn zoon is oorlogsinvalide!"

Toen Felisa bij de deur van Leonor Dot aankwam, botste ze tegen Camila op die zich snel had aangekleed en naar buiten kwam rennen om de man te zien die door de commissaris naar het eiland was gebracht. De kantinehoudster hield het meisje tegen en zei dat ze niet zo hard moest lopen. Toen liet ze haar gaan en riep iets om Leonor te laten weten dat ze er was. Er kwam geen antwoord. Toen ze naar binnen ging, zag ze Leonor met de rug naar haar toe voor het raam staan. Ze zette de doos voorzichtig op tafel, haalde het deksel eraf en pakte er een fles uit.

"Mijn zwager heeft me dit gestuurd. Het lijkt een mousserende wijn. Gek, hè? Mijn zus weet dat ik niet drink."

Leonor Dot haalde haar zakdoek uit haar zak en snoot haar neus. Toen liep ze naar de tafel, pakte de fles op en bestudeerde even het etiket.

"Het is een Veuve Clicquot", zei ze, terwijl ze de andere vrouw met een bedroefde glimlach aankeek, "… champagne, Felisa. Die wordt in Frankrijk gemaakt en is heel duur."

"Wat gek … Er zit een briefje bij. Vertel eens wat erin staat."

Het was geschreven op een typemachine en met een pen ondertekend, in barokke krullen. Leonor Dot las het met opeengeklemde lippen. Felisa García, die wel in de gaten had dat er iets niet goed zat, keek haar bezorgd aan, zonder goed te luisteren naar de woorden die ze voorlas.

"Je zwager zegt dat jullie die ten overstaan van iedereen moeten opdrinken en een toost op zijn gezondheid moeten uitbrengen. Hij wil dat men weet dat jullie familie van hem zijn."

De kantinehoudster had een hand op haar onderarm gelegd. Ze bracht haar gezicht vlak bij de wang van de ander. Haar adem was wee en haar stem dreunde op Leonor Dots trommelvliezen met het hese geslis van de ontboezeming.

"Jij hebt dit weleens gedronken … Jij kent dit spul, hè? Het doet je denken aan gelukkige tijden …"

Leonor Dot glimlachte weer. Ze deed dat met de afwezige blik van oude mensen die zich niet meer herkennen in hun eigen herinneringen.

"Ik zal ervoor zorgen dat je weer gelukkig wordt!" riep Felisa

García plotseling, waardoor Leonor opschrok uit haar gedachten.

Ze liep naar de deur, maar voordat ze wegging draaide ze zich om naar haar vriendin en spreidde in een wijd gebaar haar armen, als een sopraan op het hoogtepunt van een aria.

"Voorlopig heb je deze flessen! Ze zijn van jou! Je hoeft me niet te bedanken! Drink ze op!"

Benito Buroy was nu al vier dagen op het eiland en het pistool lag nog steeds verborgen onder de matras op zijn bed. Het was hem nog niet gelukt de Duitser die hij moest doden te zien, maar die vier dagen zonder enige bezigheid hadden de haast weggenomen die hij bij aankomst had gehad. Met verrassend gemak was hij gewend geraakt aan het trage tempo dat iedere activiteit leek te beheersen. Ook had hij zijn slaaptijden veranderd. 's Avonds na het eten, wanneer er een flauw schijnsel uit de kantine kwam en er soldaten in het donker wat rondwandelden en over vrouwen praatten als over hemelse wezens, en de golven bij het breken op het strand de kiezels lieten rollen met de zachte melodie van castagnetten, en Lluent wiegend zat te neuriën voor de deur van zijn huis, op dat uur waarop een vredige sluimertoestand zich van alles meester maakte en de kapitein zijn sigaar opstak op de galerij en de bulderstem van Felisa García steeds zachter klonk, alsof het plein ver weg was, niet ver in afstand maar door afzondering en eenzaamheid, op dat uur ging Benito Buroy zomaar ergens zitten en viel zonder dat hij door enige gedachte gekweld werd, leeg van ideeën en gevoelens, binnen een paar minuten in slaap. Als hij dan na een poosje weer wakker werd, zat de kapitein niet meer op de galerij en heerste er een absolute stilte op het plein. Dan wankelde hij naar huis en ging naakt in bed liggen, en een paar uur later, vlak voordat het licht begon te worden, werd hij weer wakker met een gevoel van welbehagen dat hij sinds zijn jeugd niet meer gehad had.

Hoewel hij zich daar niet van bewust was, had Benito Buroy datgene gevonden waarnaar hij sinds het einde van de oorlog zo verlangd had, een plek waar hij ver weg van alles, van de tijd en de geschiedenis, kon leven, een plek waar ambitie geen zin had en waar herinneringen steeds verder konden vervagen tot ze geheel verdwenen waren. Het was de ideale plek voor iemand die nergens meer belangstelling voor had. En toch zou er die ochtend iets gebeuren wat hem eraan zou herinneren dat vluchten niet mogelijk was, dat ze hem nooit ook maar een beetje rust zouden gunnen en dat hijzelf, Benito Buroy Frere, niets anders was dan weer zo'n jager die naar Cabrera was gekomen om iemand te beletten aan zijn lot te ontkomen. De burgeroorlog was al meer dan een jaar geleden afgelopen, maar men zat nog onvermoeibaar achter de vijand aan en ook hij deed daaraan mee, of hij dat nou leuk vond of niet.

Die ochtend werd hij iets vroeger dan anders wakker. Toen hij zag dat er geen licht door het raam naar binnen scheen, draaide hij zich om en wilde verder slapen, totdat hij ineens begreep dat hij niet wakker was geworden doordat het spoedig licht zou worden maar door ongewone geluiden in de hal van de commandopost. Even later hoorde hij het geluid van een motor bij de steiger en de stem van de kapitein, die vroeg of de vrijwilligers klaar waren. Benito Buroy kleedde zich aan en ging naar buiten. Op de kade escorteerde een koppel van de guardia civil een man wiens handen op zijn rug waren gebonden. Achter hen liep een pastoor die zijn armen wreef om warm te worden. Kapitein Constantino Martínez stond onder de vijgenboom met een sergeant te praten. Naast hen stonden verschillende soldaten in de houding. Ze keken nieuwsgierig naar de gevangene die net voet aan wal had gezet, omdat ze ander gedrag dan normaal van hem verwachtten. Maar meegevoerd door een van de agenten die hem bij zijn elleboog vasthad, hield de man zijn blik strak op de grond gericht. Toen ze bij de plek kwamen waar de militairen stonden te wachten, overhandigden de agenten de kapitein een envelop.

"Van de krijgsraad", zei een van hen, "van het militair tribunaal in Palma. De veroordeelde is afkomstig van Cabrera."

De priester stampte op de grond om zijn voeten te warmen. Hij was verkleumd door de tocht over zee. De kapitein sloeg een kruis en begroette hem met een buiging.

"Misschien hebt u zin in een borrel om weer warm te worden," suggereerde hij.

"Wat zegt u me nou!" antwoordde de pastoor. "Nee … we gaan het meteen doen."

Ze begonnen de weg naar het kasteel op te lopen. Benito Buroy, die hen op een afstand volgde, besefte dat hij nog nooit in het binnenland van het eiland was geweest, nooit verder dan de omgeving van het plein was gekomen. Aan de horizon begon het te dagen en een flauw licht kleurde het landschap, een licht zo kil dat het de vochtige lucht van zee met zich mee leek te brengen. Er groeide daar bijna niets, maar het rook er doordringend naar rozemarijn. Eenmaal boven op de heuvel lieten ze de ruïnes van het kasteel links liggen en liepen in de richting van het binnenland. Daar, boven aan een flauwe helling die afliep naar zee, aan de andere kant dan waar het dorp lag, was een kerkhof. Er stond een lage stenen muur omheen en het was zo klein dat het vrijwel onopgemerkt bleef. Een roestig hek sloot de ingang af, maar de agenten maakten het niet open. Ze zetten de man tegen de buitenkant van de muur. De priester, die het na de inspannende klim eindelijk warm leek te hebben, liep naar de man toe en keek hem even ongeduldig en zonder enig medelijden aan.

"Wat jij gedaan hebt is onvergeeflijk", zei hij, "maar de Heer is oneindig vergevingsgezind. Wil je biechten?"

Als enig antwoord begon de gevangene te snikken.

"Gedraag je als een man, hé", riep de pastoor. "Ik zal het je nog één keer vragen … Wil je je zonden opbiechten of neem je ze liever mee naar de hel?"

De man bleef doorsnikken. Zijn knieën knikten en hij zocht steun op de arm van de priester.

"Laat me los! Ga staan! Ga staan, zeg ik je toch!"

De geestelijke zette de veroordeelde weer tegen de muur. Toen hij er zeker van was dat hij overeind bleef staan, liep hij van hem weg terwijl hij tegen kapitein Constantino Martínez zei:

"Kom, laten we er een eind aan maken."

Benito Buroy, die op enige afstand op een rots was gaan zitten, zag dat de soldaten een beetje treuzelden toen ze in het gelid moesten gaan staan. Ze vonden het waarschijnlijk niet prettig te moeten schieten op een man die huilde. De sergeant duwde hen in de rij en liet hen hun wapens in de aanslag nemen. Toen keek hij naar zijn superieur, maar de kapitein, die met de priester aan het praten was, gaf met zijn hand te kennen dat hij zelf het karwei moest afmaken. De zon kwam al boven de horizon uit.

Er klonken meerdere knallen, een chaotisch salvo, en toen zakte de veroordeelde door zijn knieën. Even bleef hij in die houding zitten. Toen viel hij voorover en ontsnapte er een lange jammerklacht uit zijn mond. De soldaten keken verbaasd toe, zonder hun geweren te laten zakken.

"Ridruejo!" schreeuwde de kapitein. "Ziet u niet dat hij nog leeft? Geef hem in één keer het genadeschot!"

De sergeant deed een stap naar voren en haalde zijn wapen uit de holster, en toen klonk er een laatste pistoolschot. De pastoor had het tafereel met groot ongenoegen gadegeslagen.

"Wat kost het een moeite om Spanje te zuiveren", zei hij nadenkend tegen de kapitein, die instemmend knikte. "De duivel heeft dit land in zijn greep, en zo zijn we … U kunt gaan, als u wilt. Ik zal een gebed voor de ziel van deze moordenaar uitspreken en daarna zal ik graag een glas met u drinken."

Dat liet de militair zich geen twee keer zeggen. Terwijl de priester de soldaten de opdracht gaf daar ter plekke – buiten de gewijde grond, omdat de veroordeelde niet had willen biechten – een graf te graven, keerde hij zich om en aanvaardde de terugtocht naar de commandopost. Benito Buroy bleef op zijn steen zitten totdat de kapitein vlakbij was. Toen kwam hij overeind en ging naast hem lopen.

"Goedemorgen", mompelde de kapitein. "U ziet het, ze duiken overal op. Het zijn net vliegen in de zomer."

Benito Buroy reageerde niet op deze opmerking. Hij liep te denken dat ook hij een opdracht moest vervullen. Over een paar dagen zou het bevoorradingsschip komen en hij moest daarmee terug naar Palma. Maar hij had de Duitser nog niet eens gezien.

"Die brave parochiepriester heeft me het verhaal van de man verteld", ging de militair verder. "Weet u dat hier op Cabrera eersteklas houtskool werd gemaakt? En weet u wie die maakte?

72

De vent die we net hebben gefusilleerd. Als hij gewoon zijn beroep was blijven uitoefenen zou hem niets zijn overkomen, maar hij ging liever naar de Ampurdán om priesters te vermoorden. Hij is in Barcelona opgepakt, waar hij zich in een kelder te midden van de ratten verstopt had."

"Ik had hem weer kolen laten branden!" was Benito Buroy zonder veel enthousiasme van mening. "Eens zullen we weer een normaal leven moeten gaan leiden."

"Denkt u dat? En wat doen we met de wraakzucht van deze marxist? Moet ik zaken gaan doen met iemand die me haat en me het liefst dood ziet? Moeten we toelaten dat ze allemaal naar huis terugkeren en blijven samenspannen? Terwijl zelfs kardinaal Gomá, die een dienaar van God en een heilige is, heeft gezegd dat de enige oplossing is hen uit te roeien … Kijk, kijk daar."

Kapitein Constantino Martínez wees in de richting van de zee. In de verte, op het kalme water, waren twee grijze streepjes te zien die in het zinderende licht leken te verdampen.

"Ziet u dat? Dat zijn Engelse schepen. Ze zijn daar om ons de handel met Italië te beletten, dat is voorlopig het enige. Maar vroeg of laat zullen we in oorlog komen. En dan zal ik mijn handen vol hebben aan het verdedigen van het eiland en kan ik niet ook nog eens in de gaten houden of er een communist van plan is me van achteren neer te steken. De ergste vijand zit in de achterhoede, beste kerel."

Ze versnelden hun pas, want de militair wilde melding maken van de aanwezigheid van de Britse vloot. Toen ze bij het plein kwamen en zagen dat de deur van de kantine al openstond, liep Benito Buroy daarheen. Zodra hij binnen was, zag hij Felisa García door een van de vettige ramen naar buiten staan kijken.

"Wie was het?" vroeg de vrouw. "Ik wilde niet kijken."

"Iemand van hier", antwoordde Buroy met zijn ellebogen op de bar leunend. "Ze hebben me zijn naam niet gezegd … Hij was kolenbrander."

Felisa García hield haar blik op het raam gericht, maar ze leek niet te zien wat zich buiten afspeelde. Ze legde haar hand tegen het vuile oppervlak van de ruit.

"Straks zal mijn zoon in zijn rolstoel ergens op een hoek in Madrid staan … Toen hij klein was, vroeg hij vaak of hij met Pascual mee mocht. Zo heette die man, Pascual. Mijn zoon vond het prachtig om de nacht in de openlucht door te brengen en te zien hoe de rook van de houtstapel kwam. Hij leerde het vak goed, kinderen leren snel … Het is werk dat hij nu zou kunnen doen, als hij terug zou komen."

Benito Buroy voelde de verrassende behoefte om iets te zeggen.

"Ik was ook bijna gefusilleerd …", begon hij, maar hij vond zichzelf belachelijk en maakte zijn zin niet af.

"Ik zie dat u meer geluk hebt gehad", antwoordde de kantine-houdster. "U hoeft me uw leven niet te vertellen."

De weduwe van Ricardo Forteza was nu al meer dan een maand geleden met haar dochter op het eiland aangekomen. Soms ging Leonor Dot 's avonds, wanneer Camila al sliep, naar de kantine om wat te kletsen. Ze vond het leuk om met Felisa aan de keukentafel te zitten praten, terwijl ze door het raam naar de sterren keek en op de achtergrond het geluid van de stemmen van de weinige klanten van de bar en het droge getik van de domino-stenen hoorde. In die keuken hing een warme, hartelijke sfeer. En warm en hartelijk waren ook de woorden van Felisa García, die zich als ze alleen was met haar vriendin overgaf aan filosofische bespiegelingen van een verpletterende eenvoud. Na een lange introspectieve stilte zei ze dan "Het is allemaal zo een-voudig en zo ingewikkeld, vind je niet?" of "We zouden zo gelukkig zijn als we niet zoveel tegenspoed hadden", of mis-schien wel "Ik ben blij dat ik niet heb doorgeleerd zoals jij, Leonor, met het leven dat ik leid zou het heel triest zijn als ik alles zou weten wat jij weet". Op deze bespiegelingen reageerde Leonor Dot onveranderlijk met een glimlach, en dan kwam Felisa García's lawaaierige karakter weer ten dele naar boven en sloeg ze met haar hand op tafel en riep uit: "Wat ben ik toch een domme gans, verdorie, ik kan helemaal niet nadenken! De ideeën komen gewoon achter mekaar in me op en dan ga ik onzin kletsen!"

Ze had nooit kunnen vermoeden dat Leonor Dot haar misschien wel bewonderde, maar iets in de blik van dat dametje maakte dat de kantinehoudster zich verwant met haar voelde, dat ze op het idee kwam dat ze eigenlijk helemaal niet zoveel van elkaar verschilden en dat zij, Felisa García García, ondanks dat ze was opgegroeid in die armzalige uithoek, zich best wel een beeld kon vormen van hoe de wereld in elkaar zat, met al zijn grootheid en ellende. In het gezelschap van Leonor Dot werd Felisa aangestoken om haar gevoelens onder woorden te brengen, wat geen gemakkelijke opgave was. Ze was eraan gewend geraakt permanent met een vaag gevoel van onbehagen te leven en als ze dat in haar lange, trage gesprekken in de keuken probeerde te omschrijven, kreeg haar bestaan duizend onverwachte schakeringen en een rijkdom waar ze versteld van stond en zelfs een beetje duizelig van werd. Soms probeerde ze zichzelf even te vergeten en begon ze over het eerste wat er in haar opkwam: "Een van de soldaten, een jongen uit Logroño die op de kweekschool zit, heeft me verteld dat de Arabieren de peper vanuit het Verre Oosten hierheen hebben gebracht. Dat is toch niet te geloven! Als ik kon lezen, zou ik boeken over peper lezen."

"Er staat van alles in boeken, Felisa", antwoordde Leonor Dot dan. "Als je wilt, leer ik je lezen."

Maar de kantinehoudster schudde nee en zei dat ze geen tijd en geen zin had, dat ieder was zoals hij was en dat zij – en dat zei ze op een manier alsof ze het over een lichamelijk kenmerk of een karaktereigenschap had waar je onmogelijk omheen kon – als analfabeet was geboren en zo zou sterven op de dag dat God haar tot zich nam.

Op een van die avonden verliet Leonor Dot, na een tijd met Felisa te hebben zitten kletsen, de kantine en liep langzaam naar huis. Het was volle maan en de maan was zo groot en gaf zoveel licht dat het geen avond maar een sombere dag leek. De grond schitterde alsof de stenen dooraderd waren met edelmetalen, en de zavelbomen die de weg markeerden hadden hun groene kleur verruild voor een wittig grijs waardoor het fossielen leken. Gealarmeerd door het licht vlogen er vogels door de lucht. Leonor Dot bleef staan om naar de glanzende, metaalgrijze zee te kijken, maar na enkele momenten voelde ze in haar lichaam de kou en het gevoel van eenzaamheid, het gevoel voor altijd alleen te zijn dat haar overviel zodra ze zich even liet gaan. In stilte ging ze op weg naar huis, denkend dat ze die nacht moeilijk de slaap zou kunnen vatten. De sleutel die Camila gevonden had zat in het sleutelgat, maar ze gebruikten hem nooit meer. Zachtjes duwde ze de deur open.

Het eerste moment was ze verrast dat het maanlicht de kamer binnenstroomde, want voordat ze naar het plein was gegaan had ze zelf de gordijnen dichtgedaan. Bijna meteen daarna slaakte ze een gesmoorde kreet en bracht haar hand naar haar borst. Camila lag op haar buik te slapen, onbedekt en met haar nachtjapon tot haar middel opgetrokken. Haar voeten lagen gekruist, haar kuiten waren ontspannen en op haar dijen tekenden zich de eerste rondingen af waaraan je kon zien dat ze spoedig een vrouw zou zijn. Haar billen lagen als een bleke vrucht spierwit in het zilveren licht. Camila lag behoed door de maan te slapen terwijl Andrés roerloos en met open mond bij het bed naar haar stond te kijken, met de verbaasde en betoverde blik waarmee men getuige is van een wonder.

Leonor Dot deed een paar stappen naar voren alvorens te reageren. Maar toen ze eenmaal begreep wat er aan de hand was, wierp ze zich buiten zichzelf van woede op de jongen en begon met haar handen op hem in te slaan.

"Rotjongen! Je bent een rotjongen!"

Andrés verroerde zich niet en probeerde zich ook niet te verdedigen. Hij bedekte alleen maar zijn hoofd met zijn armen. Camila stak een blinde hand uit op zoek naar het laken. Haar moeder duwde Andrés krachtig naar de deur, waarbij ze op hem in bleef slaan.

"Ga weg! Ik wil je nooit meer zien! Ga weg!"

De jongen gaf gehoor aan haar bevel met de dolzinnige houding van een opgejaagd dier. Hij rende het huis uit, stak de weg over en verdween de bergen in. Leonor Dot kwam achter hem aan. Hijgend en met gebalde vuisten riep ze een laatste dreigement, dat klonk als het breken van glas in die nacht die wel dag leek: "Ik vermoord je als ik je ooit weer zie!"

Ze keerde naar huis terug en deed de deur op slot. Camila, die totaal niet begreep wat er aan de hand was, was onder het laken gaan liggen en weer in slaap gevallen. Haar moeder dekte het raam af met de deken. Toen liet ze zich met kleren en al op bed vallen. In tegenstelling tot wat ze gevreesd had, misschien dankzij het feit dat ze haar eenzaamheid en gespannenheid op de rug van die arme achterlijke jongen had afgereageerd, viel ze spoedig in slaap.

De volgende ochtend was haar verontwaardiging verdwenen, maar haar nachtelijke kreten hadden Felisa García gealarmeerd. De kantinehoudster, die de hele nacht geen oog had dichtgedaan omdat ze vergeefs had gewacht tot ze haar zoon naar bed zou horen gaan, zat nu te wachten tot zij kwamen ontbijten. Ze ging bij hen aan tafel zitten en vroeg wat er gebeurd was. Leonor Dot weigerde het haar te vertellen maar Felisa, die iets vermoedde en niet in staat was zich doof te houden voor slecht nieuws, eiste dat ze dat wel deed. Leonor legde het haar lachend uit en schilderde het af als een onbelangrijke gebeurtenis. Camila dronk stil een glas melk. Felisa García keek bedroefd naar het meisje, terwijl ze haar handen in een mechanisch gebaar aan haar schort afdroogde.

"Vergeef me, vergeef ons allebei", zei ze. "Andrés is niet in staat iemand kwaad te doen, maar hij kan zich niet beheersen. Mijn god, het is allemaal mijn schuld. Ik heb die jongen gebaard … Hij is de hele nacht niet komen opdagen en ik weet niet waar hij zich verstopt heeft."

"Maak je geen zorgen, Felisa", mengde het meisje zich in het gesprek op merkwaardig vastberaden, vrolijke toon. "Ik weet waar hij is. Ik zal hem nu meteen gaan halen."

Ze pakte een homp brood en terwijl ze er met smaak in beet verliet ze snel de kantine. Toen ze alleen waren, keken de twee vrouwen elkaar aan.

"Het is niet belangrijk …" begon Leonor Dot.

"Maar het is een teken", fluisterde de ander, terwijl ze om zich heen keek uit angst dat iemand het zou horen. "Camila straalt vrolijkheid uit en mannen vinden het leuk om mooie dingen kapot te maken. Hier zijn ze niet allemaal zoals Andrés, die van toeten nog blazen weet. We moeten voorzichtig zijn, Leonor. We zullen samen op haar passen."

Inmiddels rende het meisje langs de militaire barakken. Even later kwam ze voorbij het vervallen landhuis en begon de heuvel te beklimmen die haar scheidde van het dal van de stemmen. Ze trof Andrés zittend op een rots aan. In de schaduw van de pijnbomen was de vochtige lucht van de nacht nog niet verdampt. Andrés was doodsbleek en zijn armen trilden. Toen hij haar zag, boog hij zijn hoofd en sloeg zijn blik neer. Camila ging vertrouwelijk naast hem zitten. Hij schoof een eindje van haar vandaan. Het meisje keek een tijdje naar een vogel die voor haar neus zat te fluiten en van tak tot tak sprong.

"Dat kun je niet maken, Andrés", zei ze ten slotte.

En na een tijdje nadenken, terwijl ze haar benen optilde om haar schoenen te bekijken, voegde ze eraan toe: "Misschien mag je ooit naar me kijken … maar ik wil niet dat je me nog een keer bespiedt."

Vandaag kregen we een grote verrassing. We waren net thuis na het middageten en mijn moeder zat al op de veranda om even te gaan slapen, toen er zachtjes op de deur werd geklopt. Het was niet Felisa, want die slaat altijd met haar handen zo hard op de deur dat je het waarschijnlijk op Mallorca kunt horen. Een beetje nieuwsgierig ging ik opendoen en toen stond daar Markus, met zijn witte baard en zo onzeker dat ik in mijn domheid dacht dat hij zich in het huis vergist had. Hij keek me weer op die rare manier aan, alsof mijn gezicht een kaart was, en zei: "Ik zoek iemand om mee te schaken."

Ik zei dat hij niet bij de deur moest blijven staan. Heel voorzichtig kwam Markus toen achter me aan, alsof zijn schoenen onder de modder zaten en hij bang was alles vies te maken. Mijn moeder was een beetje zenuwachtig geworden toen ze hem daar zo in de deur naar de veranda zag staan, met die ingewikkelde manier van doen van hem. In onze flat in Madrid, en ook in Barcelona, wist mijn moeder heel goed hoe ze mensen moest ontvangen en iedereen voelde zich altijd meteen vertrouwd en op zijn gemak. Maar ze is nu al een hele tijd alleen. Toen ze onze gast zag, stond ze op. Na even aarzelen gaven ze elkaar een hand. "Ik kan u niets aanbieden, we hebben niets, helemaal niets", verontschuldigde mijn moeder zich met een grimas. En daarna liet ze zonder enige reden een heel raar lachje horen en vroeg me de andere stoel te halen.

Markus zat een hele tijd op de veranda naar de baai te kijken. Toen stelde hij voor een wandeling over het strand te gaan maken. Op Cabrera is geen schaakspel, maar dat is geen probleem voor hem. Terwijl we over de met kruisdoorn bedekte helling naar beneden liepen, legde hij me uit dat het om de bewegingen gaat en dat die in ons hoofd zitten. De rest kun je overal op de grond vinden. En zo hebben we in het zand een schaakspel bij elkaar gezocht. Voor de pionnen namen we ronde steentjes, witte en zwarte. En verder moest ieder zelf voor zijn grote stukken zorgen. Voor de torens koos ik twee wat grotere stenen die overeind bleven staan, kastanjebolsters voor de lopers en slakkenhuizen voor de paarden. De koningin was een schelp bedekt met paarlemoer, en de koning de dop van een limonadeflesje. Die dop was wel verroest, maar als je hem ondersteboven legde had hij de vorm van een kroon. Markus deed niet erg zijn best om stukken te zoeken, want hij liep samen met mijn moeder. Ze hadden het over de bossen in Beieren, over bomen zo hoog als kathedralen, en ze hadden het over Parijs en Venetië, en over boeken en over de verschillende rozensoorten. Ze behandelden elk onderwerp heel kort, alsof ze kleine hapjes namen van een taart die zo lekker was dat ze geen tijd hadden voor meer. Soms zwegen ze een tijd, zoekend naar woorden. En wanneer een van beiden zijn mening over iets gaf, was de ander het er altijd mee eens. In hun ballingschap en na zo veel ongelukkige jaren konden ze het niet over hun hart verkrijgen elkaars herinneringen kapot te maken.

Die wandeling over het strand heeft mama goedgedaan. Toen we weer thuis waren, heeft ze Markus haar moestuin laten zien. Ze hebben die zo grondig, met zoveel aandacht en respect bekeken dat het leek alsof ze een museum bezochten. Daarna, toen hij mij twee keer had laten winnen op een schaakbord dat hij met een potlood op de tafel had getekend, wilde mama een van

Felisa's flessen champagne opentrekken. "Het is heiligschennis om hem warm te drinken", zei mama, "maar Felisa vindt het vast leuk als we met haar Veuve Clicquot een toost uitbrengen. Ze vindt u heel aardig." Ze hebben een hele tijd op de veranda gezeten terwijl ik worstelde met een probleem dat Markus me had opgegeven, mat in drie zetten. Ik werd er bijna gek van, maar het is me gelukt.

Toen het donker werd, zijn we met zijn drieën naar de kantine gegaan. Markus had zich weer in zijn eigen wereld opgesloten en deed haast geen mond open. Maar hij heeft samen met ons gegeten, aan onze tafel bij het raam, en hij maakte niet de indruk dat hij zich in de plek vergist had of daar tegen zijn zin zat, zoals op die dag van de paella. Toen we klaar waren, zei mama dat het tijd was om naar huis te gaan. Ik moest voor het naar bed gaan nog een beetje studeren. Het was al avond, en in het donker kun je niet door de bergen lopen. Daarom heeft Felisa Markus, met het dreigement dat ze hem geen tabak meer zou geven, gedwongen bij Andrés te blijven slapen, op de stromatras waar zijn broer sliep totdat hij de oorlog inging. En zoals altijd heeft hij haar gehoorzaamd. Ik heb nog nooit iemand gezien die zo snel gehoorzaamt. Maar morgen, als wij iets eerder dan normaal naar beneden gaan om te ontbijten, is hij vast en zeker al verdwenen.

Ze hadden al een tijdje geleden gegeten en Camila zat aan tafel, in het licht van de lelievormige lamp, wiskundesommen op te lossen die haar moeder haar had opgegeven. Leonor Dot was naar buiten gegaan om een luchtje te scheppen, want het was een warme avond. Maar ze kwam weer binnen met haar armen voor haar borst gekruist en haar handen om haar schouders geklemd. Dat gebaar maakte Leonor Dot altijd als ze bezorgd was. Ze zei dat er op de kade iets aan de hand was, dat er alarm werd geslagen.

Ze dachten niet dat ze gevaar zouden lopen, alleen dat ze hulp moest bieden. Ze lieten alles in de steek en holden zonder zelfs maar de voordeur op slot te doen naar beneden, naar het dorp. Op het plein heerste grote opschudding. Felisa was de deur van de kantine uit gekomen met een enorme haak in haar hand. Ze foeterde luid op Paco, die verwezen op en neer liep, met gespreide armen en gebogen hoofd, alsof hij iets op de grond aan het zoeken was. Camila en haar moeder liepen tot aan de vijgenboom. De bladeren lieten in het donker een zacht geruis horen. Benito Buroy en de soldaten van de wacht kwamen de commandopost uit en renden met olielampen naar de kade, waar de boot van Lluent lag afgemeerd. Camila en haar moeder liepen achter hen aan zonder te begrijpen wat er aan de hand was. Maar toen ze bij de kade kwamen, zagen ze dat de kapitein zijn pistool uit de holster haalde, aan boord sprong en in het wilde weg op het donkere water begon te schieten. Leonor Dot gaf een gil toen ze de schoten hoorde en bleef met haar handen voor haar gezicht staan. Camila liep door. Helemaal doorweekt en trillend stak Lluent een pikhaak in het water en trok er wanhopig aan. Benito Buroy gaf Camila een lamp, vroeg haar die omhoog te houden en sprong eveneens in de boot. Nadat de kapitein het magazijn had leeggeschoten, sloeg hij wat dreigende taal uit, deed een nieuw magazijn in het pistool en begon weer op het water te schieten. Hij leek gek te zijn geworden, maar de anderen sloegen geen acht op hem. Benito Buroy duwde hem met zijn schouder weg om Lluent te helpen de pikhaak uit het water te trekken. Ze schreeuwden allemaal alsof ze betrokken waren in een schermutseling met een onzichtbare vijand. Camila's hart bonsde zo hevig dat ze het gevoel had dat ze een kikker had ingeslikt.

Toen hief ze de lamp nog hoger en zag hem. Het aarzelende licht viel op de zijkant van de boot en ook op het inktzwarte water. Aan de romp zat een monster gekleefd. Het had een zilverkleurige huid en was langer dan de boot van Lluent. Het lag op zijn rug, met zijn grote muil opengesperd, en bloedde overal. Uit zijn opengescheurde buik puilden ingewanden, die als een vreemde plant van vlees in het water bewogen.

"Mijn god!" zei Felisa García toen ze hijgend bij de plek waar Camila stond was aangekomen. "Het is de grootste tonijn die ik ooit van mijn leven gezien heb! Hij weegt vast meer dan driehonderd kilo."

Ze hield de haak nog in haar hand. Ze overhandigde hem aan

een soldaat en gaf deze daarbij zo'n harde duw dat hij bijna in het water viel.

"Schiet op, uilskuiken! Wil je dat de haaien hem opeten?"

Met zijn allen bonden ze het monster vast. Toen ze het uit het water hesen, helde de boot zo sterk over dat het water met bakken de kuip in stroomde. Maar ze slaagden erin de tonijn veilig te stellen voor een stel rovers die niemand kon zien en die waarschijnlijk nog niet eens in de haven waren. Benito Buroy vloekte en keek naar zijn hand om te zien of hijzelf, te midden van al dat bloed, ook bloedde. Hij had zich ergens aan gesneden. Zichtbaar trots op zijn dappere optreden stopte de kapitein het pistool weer in zijn riem. En Lluent stapte uitgeput aan wal, deed een paar stappen op de kade en viel toen voorover. Leonor Dot rende naar hem toe om hem te helpen, terwijl Felisa García haar emoties niet kon bedwingen en tegen iedereen schreeuwde dat ze een stelletje waardeloze kerels waren.

Even later lag de tonijn eindelijk op de kade, was het weer rustig op het plein, hield Benito Buroy zijn arm omhoog met zijn hand in een verband en klopte de inmiddels gekalmeerde kantinehoudster op de rug van Lluent, die op de grond was blijven zitten.

"Ik ben de hele dag met hem bezig geweest", zei de visser met uitgebluste stem. "Het heeft me zes uur gekost om hem klein te krijgen. Ik weet goddomme niet hoe ik het voor elkaar heb gekregen."

Vanaf die avond zou Camila de zee met andere ogen bekijken. Nooit zou ze hem meer kunnen zien zonder de gedachte dat wat zich voor haar uitstrekte eigenlijk niets anders was dan een grens. De zee was een wereld die zich verschool, een plek met bergen, bossen en reuzen, die vredig op de oever brak en al zijn geheimen voor zich hield. Lluent zei terecht dat de oceaan zo groot was dat ze het zich niet eens konden voorstellen. Ook zei hij dat hij zich als hij ging vissen, voelde als een blinde, door op goed geluk aas uit te werpen daar waar als zijn gezichtsvermogen niet toereikend was. En die dag was het geluk met hem geweest. Terwijl ze griezelend langs de rand van de kade liep, zocht Camila tevergeefs naar de haaien die Lluent tot aan de haven hadden achtervolgd.

"Ik ga een retelekkere stoofschotel maken!" riep Felisa García, even vergetend dat ze in navolging van Leonor Dot een dame was geworden. "Nu gaan we het vieren!"

Met zijn allen gingen ze naar de kantine. Kapitein Constantino Martínez beval de regimentsarts te roepen, die met zijn medicijnenkistje aan kwam hollen en zonder enige andere vorm van verdoving dan een paar slokken brandewijn Benito Buroys wond behandelde. Hij moest vier hechtingen in de wijsvinger aanbrengen en deed er vervolgens een indrukwekkend verband omheen.

Paco ontkurkte een fles wijn en toen werd er een dronk op Lluent uitgebracht. En op dat moment, nadat hij een slok uit zijn glas had genomen en zonder te beseffen dat hij op het punt stond iets te doen wat misschien wel de rechtvaardigste daad van zijn leven zou zijn, ging kapitein Constantino Martínez zitten en haalde met een ontspannen gebaar een vel papier uit zijn zak. Hij vouwde het voorzichtig open op tafel, want doordat het papier in het verleden nat was geworden was het heel broos en dreigde het uit elkaar te vallen. Na het even bekeken te hebben alsof het een rebus of gewoon abracadabra was, richtte hij zich tot de aanwezigen.

"Mijn mannen hebben dit na de storm op het kerkhof gevonden. Het is ondertekend door een zekere Dolores Rimbau, maar het is geschreven in het Catalaans. Is er hier iemand die Catalaans kent?"

"Dat is Xuxa", zei Felisa. "Zo heette ze, Dolores Rimbau."

Leonor Dot liep naar de tafel, liet haar handen op het hout rusten en bekeek het papier zonder het aan te raken. De letters waren onbeholpen geschreven en in de loop der tijd bijna volledig vervaagd. Daardoor werd het meer een kruiswoordraadsel oplossen dan lezen. Iedereen keek naar Leonor terwijl ze zachtjes haar lippen bewoog alsof ze in stilte bad.

"Het lijkt me een testament", verklaarde ze ten slotte. "Het is gericht aan een pastoor, een zekere vader Dalmau. Ze zegt dat ze met haar ring begraven wil worden, en dat de duivel ik weet niet wie zal komen halen … Ik begrijp niet …"

"Maar goed", viel Felisa haar snel in de rede, "die ring is nooit boven water gekomen, dus kon die wens niet ingewilligd worden. Moge Xuxa rusten in vrede. Laten we nog een fles wijn opentrekken!"

De kapitein schudde zijn hoofd ten teken dat hij het er niet mee eens was en zwaaide zijn wijsvinger op en neer boven het papier.

"Er staat nog iets in. Het gaat over een boot ... Ik weet niet wat er staat, maar het gaat over een boot."

Leonor Dot bestudeerde het papier opnieuw grondig.

"Ze heeft het over een zekere Nicanor Menéndez, zo lijkt het, Nicanor Menéndez ... En inderdaad over een boot ... Die niet van hem is omdat hij er niet voor betaald heeft, en ze wil dat ze de boot laten zinken ... Laten zinken?"

Ze hield het papier omhoog om het bij het licht van de gloeilamp te bestuderen. Ze knipperde een paar keer met haar ogen en legde het weer op de tafel.

"Ja ... Ze wil dat ze de boot in de baai tot zinken brengen. En om er zeker van te zijn dat ze dat hebben gedaan, wil ze dat er een stukje van de kiel met haar mee begraven wordt. Dat is alles. Tot slot zegt ze tegen de pastoor dat hij de missen voor haar niet moet vergeten."

Ze trok haar mondhoeken verbaasd naar beneden en haalde haar schouders op. En op dat moment deed Lluent, die een eindje van de tafel af had gestaan, een paar stappen naar voren met zo'n rood aangelopen gezicht dat hij leek te stikken.

"Hij heeft hem aan mij gegeven!" schreeuwde hij. "Hij is nu van mij! Niemand mag hem laten zinken!"

Kapitein Constantino Martínez keek hem perplex aan. Toen draaide hij zich om naar Felisa García. Omdat zij niets zei, richtte hij zich tot de kantinehouder, die nog steeds met de fles wijn in zijn handen stond.

"Wie is deze Nicanor? Wat is hier verdomme aan de hand?"

Aan Paco's gezicht was duidelijk te zien dat hij zijn uiterste best deed een waarschijnlijk verhaal te bedenken, maar zijn afgestompte geest gaf hem alleen maar de waarheid in.

"Hij was de man van Xuxa. Op een goede dag is hij in het

gebouwtje van de vissers gaan wonen en sindsdien hebben ze geen woord meer gewisseld. Ik weet niet wat ze elkaar hebben aangedaan. Toen Xuxa stierf, nam Nicanor niet eens de moeite naar de begrafenis te gaan. Later is Lluent gekomen en met hem gaan samenwerken. Ze zijn een paar jaar samen geweest. In ruil daarvoor heeft Nicanor hem de boot nagelaten. Dat heeft hij hier, in het bijzijn van iedereen, aangekondigd. Als ik de pijp uit ga, zei hij, is de boot van hem. En toen wees hij op Lluent."

"Maar de boot was niet zijn eigendom", zei de militair nadenkend.

Er viel een pijnlijke stilte. Andrés, die niet begreep dat de feestelijke sfeer vanwege de vangst van de tonijn was omgeslagen in een grafstemming, klapte een paar keer in zijn handen. Toen liet hij smekend zijn blik langs alle aanwezigen glijden.

"Dit is een moeilijk op te lossen kwestie", mompelde de kapitein. "Er is niets heiligers dan de laatste wens van een overledene."

"Ook als die slechts voortkomt uit wraak?" mengde Felisa García zich eindelijk in het gesprek. "Xuxa was een slecht mens, dat zweer ik u bij alles wat me heilig is. Ik heb haar goed gekend."

"Dat kan wel wezen, maar een testament is een testament."

De kantinehoudster ging voor de militair staan. Nog nooit was ze zo vastberaden van plan geweest om een idee te verdedigen en nog nooit zo machteloos omdat ze dat niet met stemverheffing kon doen. Maar ze hield zich in, en ondanks dat haar kaak trilde wist ze een helder betoog te houden.

"Nicanor heeft het geld voor die boot ruimschoots bij elkaar verdiend. Hij heeft er zijn hele leven mee gewerkt. Xuxa stak daarentegen geen poot uit, behalve dan om anderen kwaad te doen. En dat wilde ze na haar dood blijven doen ... Denk er goed over na, Constantino. U weet dat ik geen revolutionair ben. Ik vind dat ieder moet houden wat hem toebehoort. Maar in dit geval zouden we iemand verschrikkelijk onrecht aandoen. En we zouden dat Lluent aandoen, die het allemaal niet kan helpen ... Ik weet niet hoe uw plichtsgevoel is. En ik weet ook niet of u net als ik weleens van de nare gedachten niet kunt slapen. Ik weet niet of u weleens van de zorgen in uw bed ligt te draaien, met een drukkend gevoel op uw borst en happend naar adem. Maar ik weet wel dat als ik in uw schoenen stond, ik liever met mijn geweten in het reine zou blijven dan de wensen van een loeder te vervullen."

De kapitein blies zijn wangen op, zichtbaar niet op zijn gemak. Hij dacht even na, pakte toen zijn glas en ging staan.

"Felisa", besloot hij toen, "neem zoveel je wilt van de tonijn en maak die stoofschotel. Ik hoop dat jullie ervan zullen genieten. De rest zal in beslag genomen worden voor de manschappen."

Nadat hij zijn glas had leeggedronken en het naast het testament had neergezet, verliet hij de kantine. Felisa García slaakte een zucht van verlichting.

"Ik ben degene die het lijk van Xuxa heeft gevonden", verklaarde ze met gebroken stem. "Op de weg rook het naar de dood, maar ik had niet gedacht dat … Dat komt niet in je hoofd op. Ik riep haar. Ze gaf geen antwoord en toen ben ik haar huis binnengegaan. Ze lag in haar bed met haar handen op haar buik. Als er niet zoveel vliegen waren geweest, zou je gedacht hebben dat ze sliep… Ze had de brief op tafel gelegd. Ik nam aan dat die voor de pastoor was en ging ervan uit dat er niets goeds in kon staan. Ik had hem moeten verscheuren en daarmee uit, maar ik verstopte hem in de jurk die ze bij wijze van doodshemd droeg. Ik wilde dat haar gal met haar begraven zou worden …"

En ineens weer helemaal zichzelf, zei ze tot besluit: "Hoe kon ik vermoeden dat een rottige storm de ellende uit het verleden nog eens zou oprakelen!"

Ze greep het schandelijke testament en hield er een lucifer bij. Zo kreeg Lluent het voor elkaar dat de boot die hij jarenlang had gebruikt om de zee geheimen te ontlokken, definitief van hem werd.

Het begon al licht te worden toen Benito Buroy de militaire commandopost verliet. Over zijn schouder droeg hij een ransel waarin hij het pistool, een wijnzak met water en een kaart van het eiland had gestopt. Die dag was hij precies een week op het eiland. In de loop van de ochtend zou het bevoorradingsschip aankomen waarop hij naar Mallorca moest terugkeren. Hij had weinig zin om naar Palma en naar zijn leven in de bar terug te gaan, maar hij had geen keus. Het werd tijd opnieuw zand te gooien over het zuiveringsdossier dat, wat hij ook deed, telkens weer als onkruid de kop opstak.

Hij nam de weg naar het kasteel, om te vermijden dat ze hem vanuit het militaire kampement zouden zien. Even later liet hij het kerkhof achter zich. Boven op de heuvel bleef hij staan om aan de hand van de kaart zijn positie te bepalen. Hij besloot langs het strandje van Santa María te lopen en daarna de bergen in te trekken om het eiland op zijn smalste punt over te steken. Hij klom omhoog in een diepe stilte, slechts verbroken door het gekraak van zijn voetstappen op de stoffige keien en van de brekende takken van de kermeseiken. Toen hij de laatste rotsen was opgeklauterd, steunde hij met zijn handen op zijn knieën om weer op adem te komen. Er heerste daar zo'n grote rust dat het gejaagde pompen van zijn hart op het hele eiland te horen leek. Aan Buroys voeten ontvouwde zich een met groen bezaaide helling tot aan een wijde baai zonder enige bebouwing. Aan een kant verhief zich het kale eilandje waarover kapitein Constantino Martínez het had gehad. Tegenover dat eilandje hield Markus Vogel zich schuil in een grot.

Benito Buroy was van plan geweest langs de kust te lopen tot hij dat hol gevonden had, maar vlak voordat hij helemaal beneden was ontwaarde hij in de verte, op een rotspunt, het kalme silhouet van de Duitser zittend aan zee. Een paar minuten later klonken zijn voetstappen achter de rug van die man die hij nog nooit gezien had. Het verbaasde Benito Buroy dat hij zich niet omdraaide, terwijl hij hem toch gehoord moest hebben. Hij keek even naar het grijze haar en de brede, afhangende schouders. De Duitser steunde met zijn onderarmen op zijn benen, alsof iets op de grond vóór hem al zijn aandacht opeiste. In elk geval leek hij geen enkele belangstelling te hebben voor dit onverwachte bezoek. Benito Buroy opende zijn ransel, wierp een blik op het pistool, haalde de kurk uit de wijnzak en nam een paar slokken. Toen legde hij de zak op de grond.

"Ik verwachtte u al", zei Markus Vogel. "Een paar dagen geleden liepen hier soldaten. Ik dacht al dat de tijd begon te dringen."

Benito Buroy trok een geërgerd gezicht. Hij liep door totdat hij voor de Duitser stond, maar deze sloeg zijn blik niet op. Hij strekte een lange, knokige vinger en wees naar een hagedissenhuid op een rots.

"Op een gegeven moment verroerde hij zich niet meer en vluchtte hij niet meer weg. Toen begonnen de mieren hun werk te doen. Het heeft hun twee dagen gekost om hem helemaal leeg te halen."

Nadat hij dit gezegd had, keek Markus Vogel zijn bezoeker recht in de ogen.

"Ook ik zal me niet verroeren", zei hij. "Doe het meteen. Kwel me niet langer."

Benito Buroy stak zijn hand in de ransel. Toen het verband om zijn wond de kolf van het wapen raakte, vertrok zijn gezicht onwillekeurig van pijn. Niettemin sloot hij zijn hand eromheen, met zijn middelvinger de trekker zoekend, maar hij kon er niet toe komen het ding tevoorschijn te halen. Hij had geen zin in koelen bloede op die man te richten. Hij dacht dat het minder akelig zou zijn door de tas heen te schieten, maar hij werd alleen al naar bij de gedachte. De Duitser keek hem strak aan, met een blik die hij niet heel lang zou kunnen verdragen. Buroy merkte duidelijk hoe gespannen hijzelf was. Hij moest zijn vingers samenknijpen om niet te laten merken dat zijn hand trilde.

Buroy hoefde maar één moment te richten en dan de trekker over te halen. Hij hield de tas wat hoger, maar hij kon er niet toe komen het pistool eruit te halen. En op dat moment voelde hij weer die irritatie die hij maar niet van zich af kon zetten, die sterker was dan hijzelf. Het was een soort weerzin die voortkwam uit het gevoel dat hij verkeerd bezig was omdat ze hem dwongen dit te doen, omdat ze hem konden dwingen en hij zich daarbij neer moest leggen. Maar wat wilde hij in godsnaam redden door toe te geven en die misdaad te begaan? Zijn lange, saaie avonden in de bar, waar hij moest luisteren naar gesprekken die hem niet interesseerden? Het verstikkende gezelschap van Otto Burmann, die met de dag meer verloren en wanhopig was? Zijn bezoekjes met Erica aan de wc, waar zij zich verlaagde door hem jammerend te pijpen?

"Ik weet niet wat u gedaan hebt en het interesseert me ook niet", zei hij om zich te beschermen tegen zijn eigen gedachten, "maar ik moet de bevelen die ik heb gekregen uitvoeren."

"U bent geen schutter van de Falange", antwoordde de Duitser. "En u bent ook geen militair en werkt niet voor de Gestapo. Ik weet niet wie u bent."

Benito Buroy hield zijn hand wat hoger zonder hem uit de ransel te halen en streelde met zijn vinger de holte van de trekker. Maar ineens kwam de gedachte in hem op dat hij over enkele seconden helemaal alleen zou zijn op die plek, naast een lijk met een kogelgat in het voorhoofd, en dat hij door de bergen zou moeten terugkeren met een bittere smaak in zijn mond, zich afvragend wie hijzelf was, wie die man was die Markus Vogel vermoord had, en dat Felisa García hem in de kantine een bord linzen zou voorzetten waar hij geen hap van door zijn keel zou kunnen krijgen, en dat diezelfde avond nog Erica zijn zaad naast de wc zou uitspugen, denkend aan haar volgende glas gin, en dat even later, in het met kussens bezaaide bed waar hij zo'n hekel aan had en zo droevig van werd, Otto Burmann verwijtend in zijn oor zou fluisteren dat hij een slecht mens was terwijl hij met zijn altijd koude hand zijn buik zou strelen, en dat hij steeds meer aan slapeloosheid leed en de nachten steeds langer werden, en dat hij zich voor de zoveelste keer ergens in de duisternis zou afvragen waarom hij verdomme toch met alle geweld wilde blijven leven terwijl leven iets was wat hij allang niet meer leuk vond.

De ogen van de Duitser waren rood geworden. Hij had zich heel sterk gehouden, maar het was duidelijk dat zijn weerstand bijna gebroken was.

"Ik smeek het u", fluisterde hij, en in zijn gebroken stem hoorde Buroy dat die man elk moment ineen kon zakken, zich voorover kon laten vallen of in huilen kon uitbarsten. "... Ik zal me omdraaien, als ik het daarmee makkelijker voor u maak."

Benito Buroy voelde de hechtingen van zijn wond schrijnen. Om het wapen vast te pakken moest hij zijn vinger in het verband strekken. De seconden verstreken en hij vond het steeds moeilijker om het te doen. Hij begon te begrijpen dat het al te laat was, dat hij de noodzakelijke vastberadenheid of lichtvaardigheid kwijt was om het te doen, dat hij de kans had laten lopen en dat hij op een nieuwe gelegenheid zou moeten wachten. De volgende keer zou hij gewoon schieten, zoals hij altijd had gedaan, zonder stil te staan bij wat hij deed.

"Ongetwijfeld zijn er genoeg redenen om je te doden", riep hij uiteindelijk uit terwijl hij zijn vinger van de trekker haalde. "Ongetwijfeld heb je het meer dan verdiend ... Ik kom nog wel terug."

Hij liet het pistool los, hing de ransel over zijn schouder, pakte de wijnzak van de grond en liep zonder om te kijken weg.

De rest van de dag zwierf hij door de bergen, omdat hij de kracht of de moed niet had om naar de haven terug te keren en geconfronteerd te worden met de boot die hem naar Mallorca moest brengen. Toen hij eindelijk besloot terug te gaan, begon het al donker te worden. Vanuit de hoogte constateerde hij dat alleen nog de boot van Lluent aan de kade lag. Zijn eigen transport had waarschijnlijk al een paar uur geleden de trossen losgegooid.

Met tegenzin daalde hij de kale heuvel af waar het dorp begon. Hij had honger maar voordat hij naar de kantine ging, ging hij eerst naar de militaire commandopost om het pistool op te bergen. Toen de soldaat van de wacht hem zag, zei hij dat de kapitein in zijn kantoor op hem zat te wachten. Benito Buroy deed de deur open.

"Man!" zei de militair terwijl hij zich naar voren wierp in zijn stoel, die een langdurig gekraak liet horen. "Ik ben blij u te zien! De commissaris heeft al een paar keer gebeld. Hij is razend. Het schijnt dat hij u vandaag in Palma verwachtte."

"Ik heb de opdracht niet kunnen uitvoeren", verontschuldigde Benito Buroy zich vaag.

De kapitein stond op en liep naar de archiefkast om de sherryfles te pakken.

"Dan blijft u dus nog een week bij ons. Prima. Dan zult u getuige zijn van de toestanden die we hier gaan krijgen. We gaan in oorlog komen, beste kerel. Dat kan ik u nu wel verzekeren."

Hij vulde de glazen. Voordat Benito Buroy zijn glas naar zijn mond kon brengen, had de kapitein het zijne al in één teug geleegd.

"Generaal Kindelán is al een tijd bezig de Balearen te bewapenen, uit angst voor een invasie", ging de militair verder. "En nu zijn wij aan de beurt. Als het goed is, krijg ik deze week meer manschappen en meer geschut. En warempel zelfs een vrachtwagen! Ik heb de manschappen de weg naar het kampement laten verbreden. Wedden dat we één dezer dagen Marokko zullen innemen?"

Benito Buroy was op een van de stoelen gaan zitten en wreef nadenkend over zijn kruin. Weer een oorlog. Het was algemeen bekend dat Franco zich zou aansluiten bij de As, om Spanje weer de status van grote mogendheid te geven die de Fransen en de Britten haar altijd hadden onthouden. Maar hoe moest hij een land dat na drie jaar burgeroorlog verscheurd en verarmd was opnieuw bewapenen?

Op dat moment ging de telefoon die aan de muur in het kantoor hing. Kapitein Constantino Martínez haastte zich om de hoorn van de haak te nemen.

"Hallo … Ja, met mij, geef hem maar … Dag meneer de commissaris … Ja, hij is er, hier komt hij … Natuurlijk …"

Benito Buroy stond al naast hem. De militair gaf hem de hoorn en ging zijn eigen glas nog eens vullen. Buroy sloot zijn ogen voordat hij het apparaat bij zijn oor bracht.

"Mag ik vragen wat je verdomme aan het doen bent, eikel?" donderde de stem van de politieman.

"Er zijn wat problemen geweest. Ik heb een paar dagen extra nodig."

"Ik wil dat je komende woensdag hier bent! Dat je absoluut hier bent! En dan ligt die vent onder de zoden! Heb je me begrepen! Heb je me begrepen, stuk uitschot? Als je woensdag niet hier ben, ruk ik de kloten van je lijf en stop ze in je mond!"

"U kunt op me rekenen …" begon Benito Buroy.

Maar uit de hoorn klonk alleen een schel gepiep.

"Bent u klaar met uw gesprek?" vroeg vrijwel meteen daarop een vrouwenstem.

De boottochtjes waren halverwege augustus begonnen, een paar weken voordat Benito Buroy op het eiland aankwam, en ook voordat een storm de doden had opgegraven en met hen het testament van Xuxa, en voordat Leonor Dot Andrés betrapt had toen hij Camila begluurde en een peloton vrijwilligers de voormalige kolenbrander gefusilleerd had bij de omheining van het kerkhof. Het idee was ontstaan na de paella-maaltijd die Felisa García bij haar terugkeer uit Mallorca had gemaakt. Markus Vogel was alweer met zijn portie tabak de bergen in verdwenen en Paco lag stomdronken, met zijn hoofd slap achterover hangend, in zijn stoel te snurken. Camila, die zich verveelde, had Lluent gevraagd een tochtje met haar in zijn boot te maken. En de visser, die ook te veel wijn had gedronken, was opgestaan. Enigszins wankelend had hij aangekondigd dat hij haar mee zou nemen naar een grot aan zee waar het water zo helder en blauw was dat het van saffieren getrokken leek.

"Niemand verlaat Cabrera zonder mijn toestemming!" had kapitein Constantino Martínez, uit een langdurig alcoholisch gepeins ontwakend, geroepen.

"Dat is ook niemand van plan, rustig maar", had Felisa García goedgehumeurd geantwoord. "Want jullie zijn allemaal zo dronken dat het niet om aan te zien is! Maar morgen, wanneer Lluent weer nuchter is, gaat hij natuurlijk met deze dames een eindje op zee varen. Het wordt tijd dat ze wat verkoeling krijgen."

Nadat de kapitein de volgende ochtend zijn toestemming voor de tocht had gegeven met een gekweld gegrom, omdat door de kater het brandende gevoel van het schroot dat in zijn ingewanden roestte versterkt werd, gingen Lluent en zijn gasten voor het eerst uit varen. Zoals hij beloofd had nam de visser hen die keer mee naar een grot met gedempte echo's en verrassend blauw water, waar tientallen vleermuizen aan een stalactietengewelf hingen. In de weken daarop gingen ze nog een paar keer en werden die tochtjes een gewoonte, zodat kapitein Constantino Martínez voortdurend onrustig de horizon afspeurde. Soms voeren ze om de rots waarop de vuurtoren zich verhief en doorkliefden ze het water naar het zuiden, om de steile kust te zien waar de golven tegenaan beukten. Dan werden ze door de wind naar de tweede vuurtoren van het eiland gedreven, die zijn lichtbundels richtte naar de diepe wateren die tot aan Algerije liepen. Soms ook voeren ze de andere kant op, om het kasteel heen en langs de kust naar het noorden, waar het water rustiger was en ze goede plekken vonden om het anker uit te werpen. Daar leerde Lluent Camila de vislijnen gereed te maken of de tenen fuiken te laten zinken, die ze vervolgens met een boei markeerden. De visser praatte weinig, maar soms wees hij op een grauwe vlek aan de hemel en zei: "Een torenvalk. Dat is goed, die eet de ratten op." Of hij wees zonder iets te zeggen met zijn vinger naar een rots waar een eenzame geit een wankel evenwicht bewaarde boven de afgrond.

Leonor Dot sprak ook weinig. Ze zat meestal ineengedoken op de voorsteven en liet zich, gewiegd door het op en neer gaan van de boot, wegzinken in de tijdloze wereld van de herinneringen. Soms werden die zo levendig dat de stemmen van Camila en Lluent steeds verder weg klonken, alsof ze zich langzaam maar zeker van haar verwijderden, en dan veranderde de warmte van de zon op haar gezicht in de zachte druk van een hand, of in een ander licht en een andere warmte onder een andere zon, of zelfs in de ijzige kou van een winterochtend in een verre stad. Met gesloten ogen, een beetje misselijk en slaperig door het geschommel, dwaalde Leonor Dot in gedachten door een voorgoed voorbij verleden, dat ze ondanks alles moest oproepen om te voelen dat ze nog leefde. Soms deden haar herinneringen te veel pijn en dan sloeg ze haar handen voor haar gezicht en verbaasde ze zich erover dat de verschrikkingen van een geruïneerd leven konden uitmonden in een vredig moment op een boot, onder de milde zon van alledag.

Dat maakte Leonor Dot echter niet minder strijdlustig. Op een van de tochtjes waarop ze naar de rotsen waren gaan kijken die achter het Isla dels Conills lagen, was ze opgestaan toen ze in de verte de nevelige kustlijn van Mallorca ontwaarde. Die leek zo dichtbij dat je ten onrechte ging denken dat je erheen kon zwemmen. Lluent kende dat gebied vol gevaarlijke zeestromen goed, want hij verkocht het grootste deel van zijn vangsten in

Colonia de Sant Jordi, wat de dichtstbijzijnde haven bij Cabrera was. Leonor Dot draaide zich om naar de visser. Haar pupillen glansden.

"Lluent", zei ze, "breng ons naar Mallorca. Zeg dat we in zee zijn gesprongen en dat je niets voor ons hebt kunnen doen."

Lluent trok een nietszeggend gezicht. Toen beet hij op de binnenkant van zijn lippen alsof hij ze af wilde bijten en zei met glashelder inzicht: "Als ik dat deed, zou ik degene zijn die je leven overboord had gegooid. Je kunt niet het ene gat met het andere vullen. Je hebt geen idee hoezeer het me spijt."

En toen hij dat gezegd had greep hij, met de matheid waarmee men vervelende beslissingen die geen uitstel dulden uitvoert, het roer en draaide zijn boot in de richting van de haven.

"Dat is waar", erkende Leonor Dot met een brede glimlach, terwijl ze even wankelde door de manoeuvre en toen wat onhandig weer ging zitten, "je hebt gelijk … maar ik moest het proberen."

Het vieren van de vangst van de tonijn was allang beëindigd. Gealarmeerd door de snelheid waarmee zijn wijnreserves slonken, had Paco een fles weten te redden door hem achter de vuilnisbak weg te moffelen. Met die fles, naast wat hij al gedronken had, had hij genoeg om de rest van de dag door te komen. De volgende ochtend zou het bevoorradingsschip met een nieuwe lading komen. Op dat late uur was dat dus geen reden om zich zorgen over te maken. Maar hij had andere zorgen.

Languit in een stoel onder de wingerd bij de kantine, met zijn overhemd helemaal open om zijn dikke bos borsthaar te ventileren, keek hij naar het donkere plein en dacht na over de ernstige problemen die hem kwelden. Hij verbaasde zich al een paar dagen over de houding van zijn vrouw en stoorde zich er ook aan. Felisa García leek een ander mens sinds ze naar Mallorca was geweest en daar de bescherming van haar zwager had gevonden. Tot dan toe had ze uitsluitend beslissingen genomen die betrekking hadden op haar huishoudelijke taken, maar nu begon ze zich overal tegenaan te bemoeien en hem veel vinniger dan anders te bekritiseren. Weliswaar had Felisa altijd geschreeuwd, zo peinsde de kantinehouder, maar dat waren vrouwelijke buien waar ze aan toegaf zonder op te houden met in de pan te roeren of de vloer in de bar te vegen. En dat was, wat Paco betreft, een positieve houding. Hij was ervan overtuigd dat vrouwen veel moesten schreeuwen, want zo gooiden ze de moeilijke kanten van het moederschap en van wat hij hun 'behoefte om te zogen' noemde eruit, wat niets anders was dan het onvervulde en nu niet meer mogelijke verlangen naar nog meer kinderen. Een schreeuwende vrouw was voor Paco een echte vrouw. Maar schreeuwen of dreigementen en beledigingen vanachter het fornuis naar zijn hoofd slingeren was iets heel anders dan zwijgen als het graf, hem vol verachting aankijken en in de intimiteit van het echtelijk bed klagen dat die stomme zus van haar veel meer geluk had gehad dan zij.

"En dat alles voor een paar varkens en een kudde geiten", mompelde ze liggend in bed, met haar nieuwe nachtjapon met stroken die ze ook uit Palma had meegenomen. "Maar zelfs die hebben we niet weten te behouden. Wat zouden mijn ouders denken als ze ons konden zien. Godzijdank zijn ze dood, zeg dat wel ... Als ik naar Mallorca was gegaan om samen met mijn zuster te leren naaien, zou ik misschien nu ook getrouwd zijn met een rijke man ... Of in elk geval met een man die ergens voor diende."

Paco reageerde nooit op haar verwijten, deels uit trots en deels omdat het hem op dat uur te veel moeite kostte om goed te articuleren. Al snel viel hij als een blok in slaap en wanneer hij de volgende ochtend wakker werd, stelde hij tot zijn opluchting vast dat het leven nog hetzelfde was, dat Felisa niet meer in bed lag en dat hij haar door het huis hoorde scharrelen. Dan stond ook hij op, ging naar het kot waar hij tussen allerlei oude rommel een fles wijn bewaarde, nam een paar slokken om moed te vatten en besloot Felisa García die dag te laten zien dat haar man geen mislukkeling was maar een man met voldoende lef en energie om de touwtjes in handen te nemen en ervoor te zorgen dat zij als een koningin, of in elk geval als die stomme zus van haar, zou kunnen leven. Vervolgens drentelde hij wat door de bar, ging naar de binnenplaats waar geen varkens en geiten meer stonden, stak zijn hoofd schuchter om de hoek van de keukendeur en ging ten slotte met een ontevreden gevoel onder de pergola zitten, omdat Felisa om zes uur was opgestaan en alles al had gedaan. Daar beklaagde Paco zich in stilte dat hij een hysterische, bazige vrouw had, zonder te beseffen dat hij het bed niet had opgemaakt, dat het een vieze bende in de kantine was, dat als het eens een keer regende er verschillende plafonds in huis lekten, dat er al met al duizend dingen moesten gebeuren buiten wat hij iedere dag deed, namelijk onder de pergola gaan zitten broeden hoe hij aan nog wat wijn kon komen op een manier dat Felisa García kon doen alsof ze het niet zag.

Ook ergerde Paco zich aan de gesprekken van zijn vrouw met Leonor Dot. Die dame uit de stad was niet goed voor haar, want die vulde de rampzalige invloed die de man van haar zuster op Felisa had op een andere manier nog eens aan. Terwijl die zwager haar verlangen had gewekt een ander, rijker en leuker leven te leiden, ging ze door de gesprekken met Leonor Dot ten onrechte denken dat zijzelf kon veranderen, dat ze een gevoelige, zelfs best slimme vrouw kon worden. Op sommige avonden, altijd nadat ze met Leonor Dot in de keuken had zitten praten, lag Felisa García in bed eerst een tijdje stil naar het plafond te staren en begon dan te praten, maar helemaal niet met de bedoeling hem te bekritiseren. Dat was zo mogelijk nog vervelender, want dan kreeg ze zo'n aanval dat ze het licht had gezien.

"Het leven", zei ze dan, "is zoiets als een vuilnisbelt voor je hebben en een veld vol klaprozen achter je. Je moet naar de mooie dingen weten te kijken."

"Het leven is klote", antwoordde Paco, want dat was de enige opmerking die hij, hoeveel glazen hij ook ophad, kon maken en het centrale en feitelijk zelfs enige onderwerp in zijn zeer beperkte brein.

"Sommige mensen maken alleen maar anderen ongelukkig", oordeelde Felisa, waarbij ze zijdelings haar neiging om standjes uit te delen weer botvierde.

Die avond, na het sluiten van de kantine, brak Benito Buroy met zijn eenzame gewoonten en ging bij Paco onder de pergola zitten. Tegen de met sterren bezaaide hemel tekende zich het silhouet van de eeuwenoude vijgenboom af. Benito Buroy was in een bespiegelende bui. Een paar minuten lang keek hij naar zijn in verband gewikkelde vinger, die de legerarts net behandeld had. Er waren vier hechtingen nodig geweest en het ging om de wijsvinger van zijn rechterhand, de vinger waarmee hij de trekker moest overhalen.

De week op Cabrera was omgevlogen. De volgende dag zou het bevoorradingsschip komen zonder dat hij Markus Vogel zelfs maar gezien had. Hij had alleen maar zitten wachten tot hij op het plein zou verschijnen en niet eens de moeite genomen hem te gaan zoeken op het strand waar de patrouille van kapitein Constantino Martínez hem had gelokaliseerd. Maar de Duitser was niet naar het dorp gekomen en ook al had hij dat wel gedaan, dan nog had hij niet in ieders bijzijn op hem kunnen schieten. Waar wachtte hij op? Wilde hij het gezicht van zijn slachtoffer zien? Hij wist dat dit niet raadzaam was. Wanneer hij iemand elimineerde, deed hij dat snel en zonder diegene aan te kijken. Hij wilde niet dat de doden zich in zijn nachtmerries op hem zouden wreken. Waar wachtte hij dan op? Wilde hij het op het laatste moment doen om niet in de kantine te hoeven wachten alsof er niets gebeurd was, alsof er aan de andere kant van het eiland geen lijk lag weg te rotten? Als dat de reden was, dan was het moment nu aangebroken. Hij moest het karwei de volgende ochtend hebben opgeknapt als hij met de boot naar Palma terug wilde. En dat, naar Palma terugkeren, was toch onvermijdelijk. Hij huiverde bij de gedachte aan de reactie van de commissaris als hij zijn bevelen niet zou uitvoeren. Dus zou hij bij het krieken van de dag opstaan en het eiland doorkruisen op zoek naar de misantropische Duitser. Met een beetje geluk zou hij vroeg genoeg in Palma zijn zodat Otto Burmann nog een asperge-omelet voor hem kon maken.

Enigszins verbaasd dat die gereserveerde man bij hem kwam zitten, nam de kantinehouder hem even vanuit zijn ooghoeken op. Toen waagde ook hij zich, ondanks het feit dat hij een dikke tong had en dit het praten bemoeilijkte, misschien omdat het moment zich ervoor leende, aan filosofische bespiegelingen.

"Vrouwen moet je hard aanpakken", zei hij.

En terwijl hij met zijn duim over zijn schouder naar de kantine wees waar de gedempte stemmen van Felisa en Andrés klonken, verklaarde hij zich nader: "De mijne is bang voor me."

Benito Buroy bleef zwijgen, maar iedereen op Cabrera was daaraan gewend, niemand verwachtte nog enig antwoord van hem.

"Bang, ja, ze is bang voor me", zeurde Paco door, terwijl hij zijn glas vulde met de laatste druppels wijn. "Ze is zo bang voor me dat ik met haar zou kunnen doen wat ik wilde."

Dat was op Cabrera nog nooit vertoond. Halverwege de ochtend klonk tweemaal langdurig het hese geloei van een sirene en even later voer een gigantisch, haveloos schip de haven binnen. Het leek in staat dwars door het eiland heen te varen en daarna zijn weg door de kalme zomerse zee te vervolgen. Paco, die als eerste de kantine uit kwam om het schouwspel te bekijken, zag algauw dat het om een oude schoener bekleed met stalen platen ging. Op het dek waren soldaten druk in de weer. De sirene loeide opnieuw en uit de schoorsteen kwam een dikke zwarte rookwolk.

Kapitein Constantino Martínez kwam gekleed in zijn gala-uniform en vergezeld door vier soldaten met tressen de militaire commandopost uit en begon met kordate tred in de richting van de kade te lopen. Hoewel het pantserschip, dat traag en moeizaam de kade naderde, er meer trots dan welvarend uitzag, bekeek de kapitein het met de trots waarmee men het uiterlijk vertoon van het moederland aanschouwt. Na al die maanden van slapeloze nachten, al die tijd van het stil en gedisciplineerd observeren van een zee die vergeven was van de vijandelijke schepen, kwam nu de nationale vloot met de langverwachte versterking.

Benito Buroy, die op de galerij van de commandopost naar de radio zat te luisteren, zag dat ook Paco zich spontaan met zwierige tred naar de kade begaf. Felisa García daarentegen was in de deuropening van de bar blijven staan. Met haar handen samengevouwen voor haar borst, alsof ze bad, aanschouwde ze het geheel met de bezorgdheid waarmee in de loop van de geschiedenis goede kokkinnen jongemannen lachend en zingend naar het front hebben zien vertrekken. Het grote nadeel van een stevige soep, filosofeerde Felisa García verdrietig, was dat mannen als ze die op hadden zich tot alles in staat voelden. Zo was dat met haar oudste zoon gegaan, die naar het front was vertrokken met de belofte dat hij beladen met cadeaus voor haar terug zou komen. Zelfs een omslagdoek uit Manila had hij haar beloofd … Aan tragedies was altijd, zowel op het eiland als overal elders, een groot vertoon van optimisme voorafgegaan.

Het schip moest een tijdje manoeuvreren voordat het aan de kleine kade lag afgemeerd. Even later deed kapitein Constantino Martínez, wiens Spaanse geest heen en weer werd geslingerd tussen de wereldse onverschrokkenheid van de veroveraar en de geestelijke vastberadenheid van de Numantijnse verdediging, zijn uiterste best om zijn krijgshaftigheid te bewaren in het bijzijn van de luitenant die deze reddingsexpeditie leidde, maar er dansten sterretjes voor zijn ogen bij het zien van alles wat er uit de buik van het als torpedojager vermomde koopvaardijschip werd geladen. Behalve een afdeling van vijftig man die de troepenmacht onder zijn bevel zou komen versterken, werden voor zijn neus houten kisten met Duitse opschriften opgestapeld. Naar hem verteld werd, zaten daarin twee kanonnen ter verdediging van de kust die bij de ingang van de baai zouden worden geïnstalleerd, verschillende machinegeweren en een grote hoeveelheid munitie. Ook hadden de mariniers twintig of dertig vaten uitgeladen, en op dat moment maakten ze zich op om een stoffig uitziende vrachtwagen, met een enorme laadbak achter de cabine, de kade op te rijden.

"Hij is uitgerust met een gasgenerator", verklaarde de luitenant van het fregat. "Als onze benzinetoevoer wordt afgesneden, kunnen ze hem op kolen laten rijden."

"Allemachtig", riep kapitein Constantino Martínez uit, "u hebt een vooruitziende blik. Maar met zoveel vaten brandstof en zo'n klein eiland zal die gasgenerator nog in geen jaren nodig zijn."

"De vaten zijn niet voor de vrachtwagen", antwoordde de ander, waarbij hij zijn stem een geheimzinnige klank gaf. "Ik zou u graag even in uw kantoor willen spreken."

Camila, die naar het dorp was gekomen om de troepen te bekijken, kwam op het plein de twee militairen tegen. Op de kade maakten de pas ontscheepte infanteristen van het vertrek van de officieren gebruik door ontspannen in groepjes te gaan staan praten. Maar een korporaal liet hen aantreden en bracht hen met snelle pas naar de barakken. Camila bleef alleen achter bij de vrachtwagen, die tussen de houten kisten en de vaten geparkeerd stond. Ze liep naar het voertuig toe en legde haar hand op een van de koplampen. Op dat moment klonk er een gefluit. Het meisje trok haar hand verschrikt terug en keek zoekend om zich heen, zonder in de gaten te hebben dat een marinier vanaf het dek van het schip haar met gebaren uitnodigde aan boord te komen. Even verderop stond Paco met een stel bemanningsleden te praten. De kantinehouder hield zijn armen in een cirkel en draaide ze energiek van de ene kant naar de andere, alsof hij aan het uitleggen was hoe je stokvis moest bereiden of een menuet moest dansen. Hoewel Camila ook dat niet in de gaten had, beeldde hij waarschijnlijk de rotatie van luchtafweergeschut uit.

"Camila!"

Felisa García riep haar vanaf het smalle strand dat tussen de kade en de kantine in lag.

"Kom ontbijten! Hup, snel, nu ben ik het zat!"

Het meisje snoof geërgerd, streelde nogmaals de koplamp, waardoor haar vingers onder een vettige stof kwamen te zitten, en gehoorzaamde zonder veel haast te maken. Ondertussen stond Leonor Dot vanuit de deuropening van de bar ontstemd naar de gigantische boot die achter de rug van haar dochter lag afgemeerd te kijken.

De trossen van de zogenaamde pantserkruiser werden even later weer losgegooid, zodra de vergadering van de militaire bevelhebbers in het kantoor van de commandopost was beëindigd. Na die vergadering was kapitein Constantino Martínez in een stuurs, onheilspellend stilzwijgen naar de kade teruggekeerd. Het zag er niet naar uit dat hij goed nieuws had gekregen. Hij riep luid naar Paco dat hij onmiddellijk aan wal moest komen en nam afscheid van de luitenant door zijn hand met tegenzin naar zijn pet te brengen. De luitenant kwam duidelijk in de verleiding hierover een opmerking te maken, maar hij beantwoordde de groet toch met een brede glimlach en liep toen naar de loopplank.

"Wat is er met u aan de hand?" vroeg Paco, zijn stem verheffend om boven het geloei van de sirene van de boot uit te komen. "Het lijkt wel alsof u ineens kiespijn hebt."

Kapitein Constantino Martínez wierp hem een troebele blik toe. Hij was totaal van slag.

"Ik heb me nog nooit in mijn leven zo belachelijk gemaakt", mompelde hij. "Ze brengen me een vrachtwagen en ik heb geen weg. Die marinier viel bijna van zijn stoel van het lachen … En ik heb ze nog zo gewaarschuwd, ik heb ze wel honderd keer gezegd dat ze voort moesten maken, dat straks de vrachtwagen zou komen en dat ik hem dan nergens zou kunnen laten rijden. Als die idioten nou een beetje haast hadden gemaakt …!"

Op dat moment kwam er een groep soldaten uit het kampement aanzetten. Die had de kapitein laten roepen. De groep stond onder bevel van een sergeant die duidelijk zenuwachtig in de houding ging staan. Hij richtte een bezorgde blik op Paco, die zijn schouders ophaalde en zich omdraaide om te kijken hoe de boot wegvoer.

"Luister goed, Ridruejo", zei de kapitein. "Je hebt twee dagen om de weg te verbreden. Als je dat over twee dagen niet voor elkaar hebt, spoel ik je strepen door de wc."

"Tot uw orders, kapitein. Wat u wilt … het is alleen niet mogelijk. We hebben bijna geen gereedschap. We moeten het zo ongeveer met onze handen doen."

"Goed. Ik geef je precies de tijd die je nodig hebt, maar geen dag meer. Geen dag! Waar is de chauffeur van de vrachtwagen?"

Een van de soldaten deed een stap naar voren. Het was een magere man, met handen die onder het smeer zaten en piekerig haar dat langer was dan voorgeschreven. Hij droeg een overall met zoveel vlekken dat het een camouflagepak leek.

"Je zult de vrachtwagen op het plein moeten parkeren", zei de kapitein tegen hem. "Laat de anderen de kisten maar naar het gebouwtje van de vissers brengen. Zodra het mogelijk is, zullen we de wapens in elkaar zetten en opstellen … En dan te bedenken dat de veiligheid van Mallorca voor een groot deel van ons afhangt. God sta ons bij!"

Tegen die tijd was de kantine leeg en hadden de weinige burgers van Cabrera zich op de kade verzameld. Arm in arm met Leonor Dot stond Felisa vol walging naar haar man te kijken, alsof hij de schuldige was van dat vertoon van wapens. Benito Buroy bestudeerde met de onbezorgde houding van een voorbijganger de Duitse opschriften op de kisten. En Camila en Andrés keken door de raampjes van de vrachtwagen naar de gescheurde stoelzittingen en het dashboard vol butsen waarop een plaatje van de Maagd van Pilar zat. De chauffeur duwde hen weg om in de cabine te kunnen stappen. Na de stoel in de goede stand te hebben gezet, haalde hij een pen over en klonk er een langdurig geknars. De vrachtwagen schokte een paar keer, maar stond toen weer stil en gaf geen geluid meer. De man probeerde het opnieuw. Toen de motor een knerpend geluid gaf, trapte hij op het gaspedaal, wat een serie ontploffingen veroorzaakte die het begin van een trommeloptocht leken. Met een geweldig gepruttel en geknal kwam het voertuig in beweging en reed een paar meter vooruit.

Geschrokken door het kabaal was Andrés hard weggehold naar het plein.

"Ik wil mee!" riep Camila, zich nog steeds vastklampend aan het raampje. "Mag ik alstublieft mee?"

Kapitein Constantino Martínez keek verbaasd naar het meisje.

"Maar … hij kan toch nergens heen", wierp hij nogal onzinnig tegen.

"Laat haar maar, Constantino", kwam Felisa García voor haar op. "Het arme kind heeft niets om zich mee te vermaken."

Verbaasd en geërgerd door die inbreuk van de burgerklasse in heilige legerkwesties, zette de militair een hoge borst op en trok energiek aan de onderkant van zijn uniformjasje. De kantinehoudster keek de man echter op zo'n manier aan dat hij niet durfde te weigeren, uit angst dat hij anders misschien een incident zou veroorzaken.

"Vooruit dan maar", stemde hij toe, en zich tot de chauffeur richtend: "Rijd een paar rondjes over het plein. Dan kan de motor warm worden, want dat is zo te zien hard nodig."

De soldaat stak zijn arm uit om de deur voor de bijrijder te openen. Behendig als een eekhoorn klom Camila de vrachtwagen in. Ze was onder de indruk van de grootte van de cabine. Het dak was hoog boven haar hoofd, en om het dashboard aan te raken moest je voorover buigen en je voeten op de grond zetten. Afgezien van de versleten bekleding van haar stoel, was het een en al koel, glanzend metaal. Toen de vrachtwagen begon te rijden, greep ze zich bij gebrek aan een betere plek krachtig aan de rand van het raampje vast.

Het voertuig reed de kade af en het plein op, met een grote stofwolk achter zich aan. Aangezien hij weinig keus had, besloot de chauffeur om de vijgenboom heen te rijden. Toen hij klaar was met het rondje, zat hij midden in de wolk die hij zelf had veroorzaakt, maar hij stopte niet. Sukkelend als een oude kermisattractie maakte hij nog een rondje, en toen nog een. Camila, die zich al helemaal op haar gemak voelde, greep zich stevig vast aan de raamlijst, stak haar hoofd naar buiten en begon te lachen. Ze lachte zo vrolijk dat ze het hele plein, het hele eiland met vrolijkheid vulde, en iedereen die naar haar keek – Felisa García en Leonor Dot, Benito Buroy, de kantinehouder en zelfs kapitein Constantino Martínez – voelde zich merkwaardig gelukkig, alsof Camila's lach, haar stralende gezicht dat in de stofnevel voorbij kwam zetten, de aanstekelijke blijdschap van die geïmproviseerde carrousel, een paar magische momenten lang het allerbelangrijkste op deze wereld was en het enige wat de moeite waard was om naar te kijken.

"Wat een meisje!" riep Felisa García. "Ze is om op te eten!"

Ze strekte haar armen uit alsof ze die explosie van blijdschap van een afstand wilde grijpen en aan haar omvangrijke boezem wilde drukken. En Leonor Dot voelde dat de haartjes in haar nek overeind gingen staan. Maar Camila zag het niet. Het enige wat ze wilde was naar hartelust lachen en rondjes draaien tot ze er duizelig van was.

Onder de pergola waar zijn vader zich altijd bezatte zat Andrés nu doodstil, ondraaglijk onzichtbaar, en hij kreunde vrijwel onhoorbaar om tevergeefs de aandacht van hen allen te trekken om ook deel te kunnen nemen aan de pret.

Met de komst van september raakte de horizon bedekt met dichte, laaghangende wolken, alsof Cabrera zich uit een meer verhief dat in de verte werd omgeven door land van loodgrijze watten. Hoewel het overdag nog steeds zeer warm was, begon er tegen de avond een kil aandoend briesje te waaien en begon het zee-oppervlak te bruisen alsof het door enorme scholen vissen in beweging werd gebracht. Lluent hield niet van dat veranderlijke weer. Dan zat hij lang naar de hemel te turen in de veronderstelling dat die iets voor hem verborg. Zonder dat verder iemand enig verschil zag dat de ene of de andere beslissing rechtvaardigde, fronste hij zijn voorhoofd en voer uit om te gaan vissen, of vloekte zachtjes en legde de boot beter vast zodat hij niet door de wind en de golven tegen de pier zou worden gesmakt.

Lluent zat er niet vaak naast met zijn weersvoorspelling, maar toch had hij meer dan eens de nacht moeten doorbrengen in Colonia de Sant Jordi omdat hij niet meer naar Cabrera terug kon, en een enkele keer was hij op volle zee verrast door een storm die plotseling zonder enige waarschuwing was losgebarsten. De visser hield beslist niet van deze maand waarin de wolken zich hoog in de lucht als bij toverslag uit het niets ontwikkelden, soms met bulderend geraas en plotselinge buien, of daar rustig bleven hangen, spinnend, veranderd in gigantische buitenaardse katten, onverklaarbaar rustig en inactief. Zijn oude baas, Nicanor Menéndez, had hem geleerd ze niet te vertrouwen. Met de boot op drift in de afwachtende eenzaamheid van de wateren, het zeil gestreken en het eiland zo ver weg dat je je ogen moest inspannen om het wazige silhouet ervan te zien, zei hij dan: "De zee en de lucht zijn grillig omdat ze zo groot zijn. Kijk maar, kijk maar om je heen. Overal is zee, die houdt nooit op ... En dan moet je ons zien. Wat zijn wij nou? Nietige wezentjes, dat zijn we. Wij zouden maar heel weinig substantie opleveren. Hier is te veel soep voor zo weinig vlees."

Dan wees hij naar de hond die over de boot heen en weer

rende en voortdurend met zijn staart rechtovereind en zijn snoet onrustig snuffelend bleef staan, tot het uiterste gespitst op alles wat niet zichtbaar was.

"Die weet wel wanneer er storm op komst is. Wanneer hij als een bezetene gaat janken, hoef je niet meer te twijfelen. Keer dan zo snel als je kunt naar de haven terug."

Andere vissers werden in die septembermaanden ook verrast door de grillen van de hemel en de zee. Soms scheerden ze op kammen van schuim de baai binnen en bereikten kletsnat en buiten adem de kade. Dat gebeurde ook op de avond van die dag dat Camila een lange tocht mocht maken in een vrachtwagen die nergens heen reed. Halverwege de middag was de lucht betrokken en klonk er een aanhoudend gejank, een droevig gejammer. Even later leek de zee te kolken met zijn wateren kouder dan ooit. Paco, die onder de pergola zat, zag een grauwe, ronde schuit aan komen varen. Aan één kant stond in grote slordige letters de naam *Margarita* geschreven. Hij riep Lluent, die binnen met een paar soldaten domino zat te spelen.

"Slechte zaak", zei de visser, nadat hij in de deuropening was komen staan en een blik op het schip had geworpen. "Het zijn haaienvissers. Je kunt niets goeds van hen verwachten."

Het waren drie mannen met een onverzorgd, onguur uiterlijk. Toen ze de bar binnenkwamen, werd het avondeten al opgediend. Benito Buroy zat in zijn eentje aan een tafel, en Leonor Dot en Camila op hun gebruikelijke plek bij het raam. De nieuwe gasten gingen aan de bar staan. Een van hen sloeg met gebalde vuist op de tapkast. Paco kwam met wankele tred binnen en ging achter de bar staan.

"Brandewijn", zei de man. "Allejezus wat een weer. Wat een kloteberoep en wat een kloteplek. Godverdomme wat een klerezooi!"

"Het is niks gedaan vanavond", stemde de kantinehouder met hem in. "Misschien willen jullie wat eten."

"Pak de fles en donder op, anders kun je een trap onder je hol krijgen! En het is op jouw rekening, klootzak, want we zijn hier niet voor onze lol! Als er nou tenminste nog hoeren waren ..."

Hij draaide zich om naar de zaal.

"Want zijn hier hoeren of niet?"

De anderen begonnen om zijn grap te lachen, terwijl Paco haastig een fles en drie glazen op het marmer zette. Er was een diepe stilte in de kantine gevallen. Alleen het geluid van het bestek was te horen, en buiten het lugubere gejammer van de wind. Leonor Dot en Camila aten met hun blik strak op hun bord gericht. Toen klonk er de tik van een dominosteen die met kracht op tafel neerkwam en de stem van Lluent die luid en duidelijk zei: "Dubbel vijf. Wie het lef heeft om het tegen me op te nemen, moet het zeggen."

Na hem een blik vol walging te hebben toegeworpen, draaide de man die de boventoon voerde zich weer om naar de bar en leegde in één teug zijn glas brandewijn. Een van de andere haaienvissers, de jongste, maakte aanstalten de confrontatie met Lluent aan te gaan, maar de derde, een wat oudere dikke, schele man, hield hem aan zijn arm tegen. Lluent praatte rustig door, zonder van tafel op te staan en zonder de moeite te nemen hen aan te kijken. Hij leek zich tot de soldaten te richten die, helemaal niet op hun gemak, al hun aandacht op het spel richtten.

"Pak die fles brandewijn en ga weg. En dat is niet op rekening van Paco maar op rekening van mij. In mijn huis is hout om een vuur te maken. Er zitten dekens in de kist, jullie kunnen op de grond slapen. Ik kom straks."

Twee van de haaienvissers grepen de fles en de glazen en liepen in de richting van de deur. Maar de jongste draaide zich woedend om.

"Gaan we doen wat hij zegt? Gaan we doen wat dit stuk ellende zegt?"

De schele gaf hem vanaf de ingang van de kantine een teken met zijn hoofd. Toen hij zag dat zijn jongere maat zich niet verroerde, liep hij terug, greep hem bij de kraag van zijn oliejas en trok hem de kantine uit. Voordat hij zelf ook naar buiten ging, draaide hij zich om naar de visser.

"Daar krijg je nog narigheid van, Lluent", zei hij.

Hun stemmen stierven steeds verder weg naarmate ze het plein overstaken. In de kantine heerste een opgeluchte maar ook bedrukte sfeer. Hoewel iedereen doorging met wat hij voor de komst van de mannen had gedaan, leek men het gevoel van gevaar, van vernedering niet van zich af te kunnen zetten.

Camila legde haar bestek op haar bord neer, stond van tafel op en liep naar Lluent toe. Ze legde een hand op de onderarm van de visser.

"Ga je bij hen slapen?" vroeg ze met een iel stemmetje.

Lluent keek naar de zachte hand, naar de lange vingers van het meisje. Toen keek hij haar in de ogen en spleten zijn droge lippen zich in een glimlach.

"Dat is altijd nog beter dan alleen slapen", antwoordde hij.

Felisa is bedroefd, omdat ze bij het kerkhof een man hebben doodgeschoten met wie ze als kind gespeeld heeft. Soms, als ik zie hoe slecht het leven mensen behandelt, denk ik weleens dat het mij ook slecht zal behandelen, dat me net als mama verschrikkelijke dingen zullen overkomen, of dat ik zelf dingen zal doen waar ik spijt van zal krijgen en die dan de rest van mijn leven op mijn geweten drukken. Ik neem aan dat je je snel vergist, de weg kwijtraakt of je door moedeloosheid laat meeslepen, alles zeg maar overboord gooit. Dat moet heel verleidelijk zijn als je al heel lang leeft en begint te merken dat er bijna niets van wat je hoopte gebeurt. Dat zegt mama altijd, dat je in je jeugd in staat bent de hele wereld te omhelzen en dat naarmate de decennia verstrijken je met je armen minder kunt omvatten, alleen nog een paar mensen van wie je houdt, en dat je er op het laatst voldoende aan hebt in lange slapeloze nachten je kussen te omarmen. Felisa, met haar vreemde gedachten, zegt ongeveer hetzelfde maar dan op een andere manier. Ze zegt dat je de toekomst beter voor je kunt hebben, dat alles dan mooier is.

Ik herinner me een avond waarop papa echt heel verdrietig thuiskwam. In die tijd was hij altijd bezorgd of boos door dingen waarover hij niet wilde praten, maar die avond deed hij dat wel. We aten linzen met worst en ik haatte linzen. Iedere andere keer zou ik zijn gaan klagen en dat wilde ik nu ook gaan doen, maar papa was aan tafel gaan zitten zonder ons zelfs maar te groeten en, met zijn lege lepel halverwege zijn bord en zijn mond, zat hij toen zo stil dat het eng was om te zien. Mama, die begreep dat er iets ergs aan de hand was, at ook niet. Ze wachtte af. Het leek alsof we alle drie linzen haatten. Toen legde papa heel voorzichtig zijn lepel in de linzen, alsof hij een papieren bootje in het water van een vijver legde, en terwijl hij strak naar de lepel bleef kijken zei hij: "Pepe is gisteren vermoord. Ik heb bericht van het front gekregen."

Mama zei "Mijn God", stond op en sloeg van achteren haar armen om papa heen en liet haar wang op zijn haar rusten.

Pepe was de broer van papa, zijn enige broer. Ze konden niet goed met elkaar opschieten want hij was anarchist, maar ze waren samen opgegroeid en waren elkaar altijd blijven zien, al was het alleen maar om eindeloos ruzie te kunnen blijven maken. Ze waren bang dat ze elkaar niet meer zouden herkennen als ze elkaar niet af en toe zagen. Ik herinner me hoe Pepe in de zitkamer bij ons thuis zat te lachen en te vloeken, om maar niet te laten merken hoe ongemakkelijk hij zich voelde, en hoe mijn vader zwijgend naar hem keek, heel ongelukkig omdat hij niet wist wat hij moest zeggen. Tijdens die bezoeken, die heel vaak op geschreeuw uitliepen, baden mama en ik de hemel dat ze niet te veel zouden drinken, niet zouden praten, alleen maar even samen zouden zijn, elkaar zouden omarmen en dat ieder dan weer zijn eigen weg zou gaan, waarbij ze op hun manier van elkaar hielden, een beetje omdat het moest en een beetje uit eerbied voor de herinnering aan de jeugd die ze samen hadden doorgebracht.

Daarom was papa die avond zo verdrietig, omdat ze zijn broer hadden vermoord. Ik was toen nog heel klein en ik begon die linzen toen maar te eten om de dingen makkelijker voor hem te maken. Maar papa zag me niet. Hij zei: "Het ergste is dat het allemaal voor niets is geweest. Al die offers, al dat bloed … voor niets. We zullen de geschiedenis in gaan vanwege het feit dat we helemaal voor niets naar de bliksem zijn gegaan."

Met die krachtige maar heel lieve stem die ze op moeilijke momenten opzette, verklaarde mama dat Pepe gestorven was omdat hij zijn ideeën verdedigde en dat dat voor ons voldoende moest zijn. Maar papa was niet alleen bedroefd door het nieuws of ontmoedigd doordat alles zich tegen hem keerde. Hij wist heel goed wat hij zei, daar had hij goed over nagedacht. "Als je je leven op het spel zet, moet je er wel iets mee bereiken", zei hij. "En als ze je doodschieten, moet wat je achterlaat wel de moeite waard zijn. Het mag niet zo zijn dat we alles waar we van hielden hebben verwoest en dat dit rotland dan nog steeds hetzelfde is als het was, of zelfs nog slechter. Kijk naar onze dochter." En toen wees hij met zijn vinger naar mij. De schrik sloeg me om het hart, omdat ik begreep dat papa net ontdekt had dat hij me niets meer te bieden had. "We hebben haar toekomst niet weten te redden", zei hij.

Ik herinner het me als de dag van gisteren. Hij bleef me aankijken op die droevige manier waarop verslagen mensen kijken. Ik had zin om te gaan huilen maar ik perste mijn lippen op elkaar, omdat ik huilen een wel erg makkelijke manier vind om problemen op te lossen. Ik bleef hem aankijken en merkte dat papa, hoewel hij niet bewoog, langzaam weer tot zichzelf kwam. "Camila", zei hij ten slotte, "ik ga proberen je uit Spanje weg te krijgen. Naar de Verenigde Staten als het kan, of naar Mexico. Het loopt hier helemaal fout, liefje, en ik moet je in veiligheid brengen … Ik weet niet of je het kunt begrijpen."

Nee, dat kon ik niet, omdat ik nog heel klein en een beetje dom was, maar ik knikte, in de hoop dat ze niet zagen hoe bang ik was om alleen naar verre landen te reizen. Maar ja, mijn vader zou wat hij me gezegd had niet kunnen uitvoeren. Een paar dagen later is hij voorgoed verdwenen, en ik ben nergens heen gereisd.

"Constantino", zei Felisa García, "ik ben gekomen om u een oplossing te bieden voor een probleem waar u nog geen weet van hebt."

Gezeten in zijn leunstoel keek de militair de vrouw weinig geestdriftig aan. Natuurlijk had hij problemen, dacht hij, en vanzelfsprekend zouden er weer nieuwe bij komen, honderden, maar daar hoefde je nog niet op vooruit te lopen. Alles waar hij geen bericht over ontving viel niet onder zijn verantwoordelijkheid, en daarin was kapitein Constantino Martínez, die zijn hele leven al in het leger zat, heel strikt. De hogere rangen dienden ook ergens voor. Zij moesten beslissen in hoeverre iets een probleem was of niet en of hij dat diende op te lossen. Tot die tijd bestond het vermeende probleem gewoon niet. Dat was de basis van de innerlijke rust die de legerlogica hem verschafte, en die moest je vooral niet weerleggen. Slechts uit angst voor de kantinehoudster wees hij dus naar de stoelen aan de andere kant van zijn bureau.

"Ga maar zitten. Ik heb alleen liever dat u het over uw eigen problemen hebt en niet over de mijne. Als het binnen mijn mogelijkheden ligt, zal ik u graag de hand reiken, dat begrijpt u."

"Natuurlijk heb ook ik problemen, Constantino", begon Felisa García, na te zijn gaan zitten met het gebruikelijke gegrom waarmee ze haar ledematen altijd tot de orde riep. "En ik kom u helpen in de hoop dat ik daarmee ook mezelf help. U weet dat Pascual vorige week is gefusilleerd. Ik had de moed niet erheen te gaan en u hebt geen idee hoezeer me dat spijt. Ik had Pascual heel lang niet gezien. Hij was onze kolenbrander, een rustige man en een goed mens."

De kapitein begon zich echt op te winden. Ieder ander zou hij er allang uit hebben gesmeten, maar tegenover Felisa García liet hij alleen met een ongeduldige beweging zijn stoel kraken.

"Het is een beetje laat om nog een goed woordje voor hem te doen", zei hij ironisch. "Maar ik kan u wel verzekeren dat hij er uitstekend in geslaagd is uw medelijden niet te verdienen. Laten we hem met rust laten."

De kantinehoudster was niet van plan toe te geven. Ze had Pascual goed gekend omdat ze samen waren opgegroeid en ze wist zeker dat als hij vreselijke dingen aan het front had begaan, hij die op bevel had gedaan. Want Pascual was zo mak als een lam en zo onnozel dat hij niet eens wist waar de Middellandse Zee lag, terwijl die hem toch overal omringde.

"Ik bid iedere dag voor zijn ziel", hield ze vol. "Dat is niet veel, want ik heb een hoop te doen, maar ik bid ... Niet Andrés maar mijn andere zoon heeft namelijk het vak van hem geleerd. Hij vond het heerlijk om 's nachts samen met Pascual bij het kolenvuur te blijven."

"En wat heb ik daarmee te maken?"

"Doe niet zo bokkig, Constantino. En neem me niet kwalijk ... maar u hebt een vrachtwagen die op kolen rijdt en op dit eiland is niemand meer die kolen brandt. Al is mijn zoon invalide, hij is een verantwoordelijk man. Met de hulp van een paar soldaten zou hij alle houtskool kunnen maken die nodig is om de vrachtwagen te laten rijden, en bovendien om ons in de winter warm te houden en het koken wat makkelijker te maken. U zou er alleen voor moeten zorgen dat hij naar Cabrera terugkomt."

De kapitein trok zijn wenkbrauwen op en trommelde met zijn vingertoppen op de tafel.

"Dat is geen slecht idee", antwoordde hij, "dat moet ik toegeven. Hij zit nu in Madrid, nietwaar?"

"Ja. En hij wil niet terugkomen. Maar ik denk dat jullie hem kunnen overtuigen ... goedschiks natuurlijk, want die arme jongen heeft al genoeg geleden voor Spanje."

"En uw man, wat vindt die ervan? Is hij het ermee eens?"

Felisa García hief haar handen naar het plafond vol scheuren, alsof ze een goddelijke autoriteit wilde aanroepen.

"Mijn man heeft geen mening. Dat zou u moeten weten, Constantino."

De militair barstte in lachen uit. Zijn kwade bui was voorbij. Hij opende een lade van zijn bureau, haalde er een sigaar uit en stak hem op, terwijl hij bij zichzelf zei dat zijn inwendige wonden konden ophoepelen. Eigenlijk had Felisa García gelijk. Cabrera moest in staat zijn in haar eigen behoeften te voorzien als er, zoals voorspeld werd, slechter tijden zouden aanbreken. De Duitse onderzeeboten doorkliefden de wateren op zoek naar Britse konvooien. Ook al zou de oorlog zich op zee ontwikkelen, ze moesten erop voorbereid zijn sommigen onderdak te verlenen en anderen dat te weigeren als het nodig was. En de luitenant-ter-zee die de vrachtwagen was komen brengen, had hem gewaarschuwd dat ze voorlopig niet terug zouden komen.

"Ik zal kijken wat ik kan doen ... Maar dan bent u me op zijn minst een ham schuldig."

"Daar kunt u van op aan. Ik zal het mijn zwager vragen."

Toen ze buitenkwam, zocht Felisa García de schaduw van de

vijgenboom op en bleef daar handenwrijvend naar de zee staan staren. Ze wist niet of ze goed gehandeld had, maar ze had de indruk dat de wereld steeds warriger werd en dat ze moest proberen dat tegen te gaan. Eén ding was Felisa García echter duidelijk en dat was dat de landen moesten blijven waar ze waren, met hun grenzen duidelijk afgetekend op van die kaarten waarop ze allemaal zo mooi een andere kleur hadden, en dat buren respectvol met elkaar moesten omgaan in plaats van elkaar te vermoorden, en dat zonen een vrouw moesten zoeken of naar hun ouders terug moesten keren en niet in de hoofdstad moesten gaan bedelen. Alles moest zijn plek hebben, omdat dat de enige manier was waarop ieder wist wat zijn stek was. Zo simpel was dat. Wat moest haar zoon, die tot hij de oorlog in ging slechts een paar keer van Cabrera af was geweest om zijn tante in Palma te bezoeken, nou loten verkopen op een straathoek in Madrid? Zou hij daar gelukkig worden? Zou hij niet voor de verrassing komen te staan dat het leven in de hoofdstad langzaamaan weer normaal werd terwijl hij nog steeds op zijn hoek zat, steeds meer misplaatst en steeds zieliger, als een onprettige herinnering aan tijden waaraan niemand terug wilde denken? Voor Felisa García had het leven geen zin als je kind geen plek had om te schuilen wanneer het slecht met hem ging.

"Kompassen zouden niet naar het noorden maar naar je huis moeten wijzen", zei ze tegen zichzelf in de schaduw van de vijgenboom.

En in die gedachte vond ze voor de zoveelste keer rust. Ze was zo voldaan dat ze haar verwarde ideeën in één enkele duidelijke, goed gestelde zin had samengevat, dat ze in plaats van naar de kantine naar Leonor Dot toe ging.

Haar vriendin, die in de moestuin bezig was, schoot toe toen ze haar zwaar hijgend zag aankomen en was onmiddellijk bereid haar te helpen. Felisa wilde namelijk dat ze de zin die ze net bedacht had zou opschrijven.

"Het is een mooie zin", zei Leonor Dot, nadat ze aan Felisa's wens had voldaan en het papier omhoog hield om het nogmaals te lezen.

Felisa García aarzelde even, maar ze zou zich door niets laten afschrikken nu ze eenmaal een besluit had genomen.

"Ik heb er zo genoeg van!" riep ze uit. "Ik wil die dingen opschrijven. Wat heb ik eraan als ze alleen in mijn hoofd zitten? Met de leeftijd is het daar een rommeltje geworden en ik kan nooit iets vinden als ik het nodig heb!"

Leonor keek haar liefdevol aan en pakte haar bij haar schouders.

"Natuurlijk, Felisa. Ik zal het je leren. Je zult alles wat je maar wilt kunnen lezen en schrijven."

"Als het me maar niet te veel moeite kost", zei de kantine-houdster ten slotte, terwijl ze benauwd naar het papier keek waarop Leonor Dot haar gedachte over kompassen had weer-gegeven.

Na zijn bezoek aan Leonor Dot en Camila was Markus Vogel niet meer naar het dorp gegaan. Maar die ochtend deed hij dat wel, gedreven door de angst waarin hij leefde sinds Benito Buroy drie dagen eerder ineens in zijn kluizenaarsoord was verschenen. De Duitser werd gek van het wachten op de aange-kondigde terugkeer van zijn moordenaar, en hij meende hem voortdurend te bespeuren in het knappen van een tak, in het geklapwiek van een vogel of in het kabbelende geluid van een golf die tussen de keien op het strand doorsijpelde. Soms zat hij tot zijn eigen verbazing met opgetrokken knieën en gebogen hoofd verborgen tussen de rotsen en maakte zichzelf wijs dat hij wat schaduw wilde zoeken, of hij begon ineens met wild kloppend hart te rennen, als een hert dat een vreemde aanwe-zigheid vermoedt. Maar Markus Vogel vond zichzelf geen laf-aard. En hij was ook niet het type man dat eraan zou kunnen wennen zijn leven lang op de vlucht te zijn. Hij moest toegeven dat zijn merkwaardige gedrag misschien wel voortkwam uit het feit dat hij te lang geen contact met andere mensen had gehad. Het kostte hem steeds meer moeite met zichzelf te leven, zich-zelf te herkennen in de aderen op zijn hand, in zijn littekens en moedervlekken, in zijn gewoonten en zelfs in zijn herinnerin-gen, alsof een ander steeds meer delen van zijn lichaam en zijn denken in beslag nam. Hardop praten, wat hem tot voor kort hielp om zichzelf gerust te stellen, vond hij nu gedrag voor gekken, zodat hij zich hardnekkig hulde in een zwijgen dat hijzelf niet kon verdragen. De dreiging die Buroy vormde, de zekerheid dat hij vroeg of laat terug zou komen om hem te doden, had het broze evenwicht verstoord dat hij tot dan toe in stand had weten te houden.

Toen Markus Vogel dan ook in het dorp verscheen, was zijn uiterlijk meer verwilderd dan anders. Hij had iets van een reiziger die heel lang weg was geweest en zich onzeker voelde door de veranderingen die zich in het dorp hadden voorgedaan. En er hadden inderdaad wat veranderingen plaatsgevonden. De voor de commandopost geparkeerde vrachtwagen leek geduldig te wachten tot hem een plek werd gewezen waar hij zou kunnen rijden; de vruchten aan de vijgenboom begonnen te rijpen en als de wind langs zijn bladeren zo groot als waaiers streek gaf hij een sterke geur af, en behalve dat Paco een sikje had laten staan droeg hij nu ook een dikke gouden ketting om zijn nek. Wie hem niet kende zou hem voor een Turkse zeerover hebben aangezien die op wonderbaarlijke wijze het voorbijgaan der eeuwen had overleefd. Die ochtend zat hij aan het strand, op een van de voorste rotsen die de kade vormden, waar hij een zeebrasem van zijn schubben ontdeed en afspoelde in de zee.

Markus Vogel bleef staan bij de vaten die in een rij achter de kantinehouder stonden. Hij probeerde er een te bewegen om te kijken of het vol was. Toen liep hij naar de rand van de kade en keek naar het militaire kampement dat zich in de verte verhief, in dat deel van de baai dat het meest beschut was tegen de open zee. Overal langs de kust waren groepjes soldaten te zien die aan de weg werkten, die tot daar liep.

"Ik dacht dat het dieselolie voor de vuurtorens was", merkte Paco op, en hij wees met zijn mes naar de vaten, "maar dat kan helemaal niet, want die kunnen ze over land niet daarheen krijgen. Je hebt toch geen idee waar ze die voor nodig hebben."

Ieder ander dan de kantinehouder zou aan de blik van de Duitser hebben gezien dat hij wél een idee had waar ze die vaten voor nodig hadden. Maar Paco schudde slechts zijn hoofd, en met één haal sneed hij de buik van de zeebrasem open, haalde de ingewanden eruit en gooide ze in zee. Meteen zwom er een wolk van visjes omheen.

"Wat een rotbeesten! Ziet u ze? Ziet u hoe ze springen? Zo gaat het in dit rotleven. Als het slecht met je gaat, is iedereen er als de kippen bij."

"En zelf u eet de rest op", merkte Markus Vogel laconiek op.

Hij liep naar het plein terug. Na een blik op de verlaten galerij te hebben geworpen, bekeek hij de vrachtwagen voor de commandopost belangstellend. Maar de soldaat van de wacht maakte een afwerend gebaar met zijn hand, waarop de Duitser naar de kantine ging. Toen hij binnenkwam, zag hij Benito Buroy aan een tafel de krant zitten lezen. Verder was er niemand. Markus Vogel bleef abrupt staan, terwijl hij merkte dat zijn hart sneller ging kloppen. Hij dacht even na, zonder te weten wat hij doen moest, en liep achterwaarts naar de deur terug.

Benito Buroy trok zijn wenkbrauwen op, verbaasd de kluizenaar in de bar te zien. Hij keek onrustig naar de keuken, omdat hij instinctief hoopte dat Felisa García tevoorschijn zou komen. Hij had het pistool niet bij zich. Zonder van zijn stoel te durven opstaan vervloekte hij zichzelf dat hij zo goed van vertrouwen was geweest. Het was nooit bij hem opgekomen dat de Duitser als eerste zou kunnen aanvallen.

De twee mannen keken elkaar zwijgend aan. Het gevoel van gevaar nam langzaam maar zeker af en veranderde in een steeds sterker wordende spanning, als een gepiep dat pijn deed aan hun trommelvliezen maar dat ze niet tot zwijgen konden brengen.

"Ik zoek Felisa", zei Markus Vogel, als eerste reagerend.

Hij had gepraat om achter zijn woorden bescherming te zoeken, maar ook om zijn teleurstelling te verjagen. Onderweg naar het dorp had hij zich vastgeklampt aan de flauwe hoop dat zijn achtervolger het eiland had verlaten op dezelfde dag dat hij besloten had niet op hem te schieten. Het leek echter duidelijk dat ze allebei geen keus hadden en de situatie waarin ze zich bevonden niet konden veranderen. Vroeg of laat zou die man hem proberen te doden.

Het ontging Benito Buroy niet dat er een zweem van ongenoegen op het gezicht van de Duitser lag. Het stelde hem gerust te ontdekken dat Markus Vogel niet naar hem op zoek was om hem voor te zijn, maar hij was ineens bang dat zijn plannen weleens nog dwazer zouden kunnen zijn, dat hij naar het dorp was gekomen om hem aan te geven bij de autoriteiten. Hij verwierp die gedachte echter meteen weer. Markus Vogel leek niet zo naïef dat hij voor zichzelf valse hoop zou wekken. Hij moest beseffen dat het tijden waren waarin er makkelijk een dode viel, en dat er onder die omstandigheden niets aan te geven viel en dat er niemand was bij wie je dat kon doen.

"Het verbaast me enigszins u hier te zien", antwoordde hij.

De Duitser knikte even instemmend. Hij leek zich wat rustiger te voelen of overwoog misschien dat zijn situatie er, wat hij ook deed, niet slechter op kon worden. Hij liep naar de tafel waar Leonor Dot gewoonlijk zat, maar ging niet zitten. Hij kruiste zijn handen op zijn rug, de vettigheid op de ruiten zorgvuldig vermijdend, en bleef naar het plein staan kijken. In de omlijsting van het raam zag hij Paco op de kade, de takken van de vijgenboom op de voorgrond en op de achtergrond de kalme zee in de baai. Benito Buroy vermoedde dat Markus Vogel met zijn rug naar hem toe was gaan staan om met hem te praten. Een ander negeren is soms de enige manier om hem te kunnen ondervragen.

"U bent niet van plan Cabrera te verlaten?" vroeg Markus Vogel, dit vermoeden bevestigend.

Benito Buroy sloeg een pagina van de krant om. Dat exemplaar van *Solidaridad Nacional* was met de laatste boot uit Palma gekomen, de boot die hij had laten lopen na zijn mislukte bezoek aan de rotskust. Midden op de voorpagina, in een lettertype dat veel groter was dan de rest, stond: STORTBUI VAN WATER EN BOMMEN OP ENGELAND.

"Dat kan ik niet doen zolang ik mijn opdracht niet heb uitgevoerd", antwoordde hij. "Dat weet u."

"Toch hebt u niet geschoten", zei Markus Vogel, terwijl hij zich eindelijk omdraaide.

Hij liep naar de tafel en keek aandachtig naar de gewonde vinger van Benito Buroy. Er zat geen verband meer omheen. Je kon de vier zwart geworden punten van de hechting zien.

"U heb niet geschoten toen het kon, en nu ben ik gewaarschuwd. Dat maakt het moeilijker voor u …"

Buroy nam niet de moeite te antwoorden. Hij zou ook niet geweten hebben wat hij moest zeggen. De Duitser daarentegen leek er behoefte aan te hebben tegen hem te praten, hij leek voor zichzelf te willen verklaren hoe het kon dat die man zijn leven, in elk geval voorlopig, gespaard had. Hij zei: "Ik weet niet of u van de situatie geniet of deze juist vervelend vindt … Weet u wat ik denk? Dat u hier bent omdat het moet, niet omdat u het als uw plicht ziet."

Benito Buroy keek hem ijskoud aan. Soms was hij er zelf verbaasd over hoe weinig andere mensen hem konden schelen. Dat die man zou lijden onder de wetenschap dat hij achtervolgd werd, interesseerde hem helemaal niets. Ook interesseerde het hem niet dat hij misschien de hoop koesterde dat hij, Benito Buroy Frere, een beter mens was dan het leek. Hij stond er al te lang niet meer bij stil wat zijn opvattingen voor effect hadden.

"Maakt u zich om mij geen zorgen", antwoordde hij, terwijl hij de krant open op tafel neerlegde. "Komende woensdag ga ik naar Mallorca terug."

De Duitser knikte instemmend. In dat stadium van hun leven waren ze zich er allebei van bewust dat er gebeurtenissen zijn die als voldongen feiten beschouwd kunnen worden voordat ze hebben plaatsgevonden, dat die onvermijdelijk zijn vanaf het moment dat er op een kantoor een bevel wordt gegeven en alles wat nodig is om dat bevel uit te voeren in werking wordt gezet.

"U weet waar ik zit. Ik ben niet van plan me te verstoppen", zei Markus Vogel tot slot.

Hij draaide Buroy de rug toe om de kantine te verlaten, maar op dat moment kwamen Leonor Dot en Camila binnen. Het meisje rende blij naar hem toe en wierp zich in zijn armen.

"Markus! We dachten dat je onzichtbaar was geworden! Soms hoorden we je voetstappen, maar dan gingen we naar de veranda en dan was je er niet!"

Benito Buroy plantte zijn elleboog op tafel. Met zijn voorhoofd in zijn hand haalde hij diep adem. Zijn blik werd gevangen door die van Leonor Dot, die met onderzoekende ogen en op elkaar geklemde kaken was blijven staan, alsof ze ineens iets vermoedde. Omdat hij begreep dat ze de laatste woorden van de Duitser gehoord had, begon hij een slap melodietje te neuriën en verdiepte zich weer in de krant.

Camila werd wakker met het gevoel dat ze 's nachts in haar bed had geplast. Haar dijen waren nat en haar nachtjapon plakte aan haar benen. Ze keek verschrikt naar het andere bed, maar Leonor Dot was al opgestaan. In het schemerdonker zag Camila de omgewoelde lakens en het kussen met de kuil waar haar moeders hoofd had gelegen. Ze richtte zich een beetje op om het gordijn open te kunnen trekken. Vol schaamte betastte ze vervolgens voorzichtig de stof onder haar billen. Die was doorweekt. Camila walgde alleen al bij de gedachte dat haar dat was overkomen. Toen ze haar hand terugtrok, ontdekte ze dat er bloed op zat. Het was stroperig en bleef aan haar vingertoppen kleven. Hoewel ze eerst een beetje schrok, stelde het haar gerust dat het geen urine was. Het was ongetwijfeld dat wat haar moeder haar al tijdenlang voorspelde. "Camila", zei ze dan, "een dezer dagen word je ongesteld. Je bent al bijna dertien maar je bent laat in je ontwikkeling, net als ik. Dat is maar goed ook, want dan word je langer." En dat klopte. Een kerf in de deurpost getuigde ervan dat ze al langer dan één meter zestig was. In de tijd dat ze nu op het eiland verbleef was ze bijna een centimeter gegroeid, maar nog veel opzienbarender waren de veranderingen die haar lichaam had ondergaan. Ze was dunner geworden en had langere vingers gekregen, met duidelijk zichtbare knokkels, en haar armen sloegen tegen een paar knokige heupen die daar eerst niet waren. Ook haar gezicht was hoekiger geworden, waardoor de kaak en de jukbeenderen zich scherper aftekenden. Het leek wel alsof haar skelet door de huid heen zichtbaar wilde worden of harder groeide dan zijzelf. Soms deden haar enkels pijn en had ze kramp in haar benen alsof ze over elektriciteitskabels liep. En dan waren er nog haar borsten, die schuchter begonnen te ontluiken en die Camila maar moeilijk als haar eigen borsten kon zien. 's Avonds, als ze in bed lag, voelde ze er door haar nachtjapon aan en dan schrok ze bij de gedachte dat ze daar voorgoed zouden zijn, aan haar, in haar. "Op jouw leeftijd is je lichaam heel extreem", zei haar moeder, "maar maak je geen zorgen. Binnenkort zul je een mooi meisje zijn en dan zul je blij zijn met alles wat er met je gebeurd is."

Camila wist niet zo zeker of ze wel wilde veranderen. En toch zat ze er ongeduldig op te wachten. Ze had het gevoel dat in haar een ander, veel meer gecompliceerd en geraffineerd persoon verborgen zat. Hoewel ze heel tevreden met zichzelf was, zag ze ernaar uit het wezen te ontmoeten dat van haar lot en van haar vormen bezit zou nemen, dat helemaal de baas over haar leven zou worden. Ze begreep dat ze op een bepaald moment afstand zou moeten doen van de comfortabele bescherming die haar moeder haar permanent bood en dat ze moest gaan genieten van de vrijheid om te doen en laten wat ze wilde.

Misschien zou dan alles beter voor haar worden. Ze voelde zich nu een soort hond wanneer de volwassenen vertederd naar haar keken. En het stoorde haar vooral als ze dat zelf had opgeroepen. Ze had bijvoorbeeld heel erg genoten van die rondjes in de legervrachtwagen om de vijgenboom, maar later was ze met een blos van schaamte uit de cabine gestapt. Hoewel Felisa onvermoeibaar bleef zeggen dat ze een snoesje was en haar moeder haar omhelsde om aan haar haar te ruiken, had Camila het vervelende, verwarrende gevoel gehad dat ze een zonde had begaan. In haar geval was die zonde haar kinderlijkheid. Ze wilde een vrouw onder de vrouwen zijn, of zich op zijn minst niet anders voelen dan andere vrouwen.

Daarom deed ze al wekenlang haar best geen dingen meer te doen die ze als typisch kinderlijk beschouwde. Ze sprong niet meer maar liep bedaard, eerst de hiel en dan de voorvoet, telkens weer, als een automaat. Ze merkte hoe moeilijk het was te leren een vrouw te zijn en zich op zo'n ingewikkelde manier te bewegen alsof het de normaalste zaak van de wereld was. En ze keurde ook haar eigen enthousiaste reacties af, die vond ze overdreven en niet passen bij haar nieuwe leeftijd. Wanneer iemand haar voorstelde iets te doen wat ze heel graag wilde, antwoordde ze "Goed" en keek geweldig verveeld een andere kant op, ook al werd ze bijna misselijk van opwinding. Ze dacht dat het heel volwassen was om heel ongeïnteresseerd te doen. Eigenlijk was ze nu voortdurend een beetje weemoedig, omdat ze het kinderlijk vond om zin te hebben in alles wat haar geboden werd. Het probleem zat hem in het feit dat ze vrijwel altijd alles leuk vond. Haar voorgewende weemoed werd dus nog eens versterkt door het verdriet omdat ze steeds meer, naarmate ze haar meer met rust lieten omdat ze onmogelijk was, de aandacht moest missen die anderen haar gaven en waar zij niets meer aan had. "Dit is een moeilijke leeftijd", fluisterde haar moeder. "Laat haar maar." Als Camila dat hoorde, reageerde ze op de meest voor de hand liggende wijze en keek mokkend naar de muur of naar een wolk aan de hemel.

"Mammie!" riep ze vanuit haar bed.

Toen ze haar moeder door de verandadeur zag binnenkomen, hield ze haar hand omhoog en verkondigde met een stem die gebroken was door het geluk dat dit tragische moment haar verschafte: "Ik geloof dat het gebeurd is."

Leonor Dot ging bij haar op bed zitten. Ze pakte haar gezicht tussen haar handen, keek haar in de ogen en gaf haar een kus op haar voorhoofd.

"Nu ben je een vrouw, kleine meid van me", zei ze zonder te merken dat ze in een krenkende tegenstrijdigheid verviel.

"Ik heb een beetje pijn in mijn buik", antwoordde Camila.

Even later liepen ze hand in hand naar de kantine en koersten rechtstreeks door naar de keuken, waar Felisa García heet water over een doek vol cichorei goot. Ze keek hen een beetje verbaasd aan. Niemand durfde haar domein te betreden zonder eerst bij de deur toestemming te vragen, en Leonor Dot had dat niet alleen nagelaten, maar zelfs de deur achter hen gesloten om met haar alleen te zijn. Kaarsrecht en met haar vingers ineengestrengeld voor haar buik keek Camila haar met een mengeling van voldoening en gekweldheid aan.

"Wat is hier in hemelsnaam aan de hand?" bulderde de kantinehoudster. "Waarom doen jullie zo geheimzinnig?"

"Ik heb stof nodig om maandverbanden te maken", antwoordde Leonor Dot, naar Camila wijzend. "Ze is ongesteld geworden."

Felisa García liet de doek los, die door het gewicht van de cichorei in het al doorgesijpelde water hing. Ze sloeg haar handen met een daverende klap op elkaar en hield ze ineengeslagen, terwijl ze intens verheugd naar Camila keek.

"Die kleine meid toch! God, wat gaat de tijd snel! Heeft je moeder je al gezegd dat je op dit soort dagen niet mag zwemmen en je zelfs niet mag wassen? En dat je geen planten mag aanraken? Je mag niet eens in de buurt van de moestuin komen! Dan zou alles verwelken … alles! Je moet heel voorzichtig doen … Zelfs mayonaise zou gaan schiften als je die zou proberen te maken!"

Camila, die niet verwacht had dat eindelijk vrouw-zijn veel weg had van leproos-zijn, wreef walgend van zichzelf haar handen langs haar rok en keek met afgrijzen naar haar moeder.

"Felisa", greep deze in, "ik geloof dat je overdrijft."

"Hoezo overdrijf ik? Wedden dat ik niet overdrijf?"

Ze liep naar de vensterbank, pakte een pot met een basilicumplant en hield hem Camila voor. "We zullen eens zien of ik op mijn leeftijd daar niets van afweet! Raak die plant maar aan, meisje, raak hem goed aan … Dan zul je eens zien wat er gebeurt."

Camila deed een stap achteruit en hield haar handen op haar rug. Het idee de basilicum dood te zullen maken vervulde haar met afgrijzen. Bijna in tranen deinsde ze terug, en ze had er nu spijt van zo naar die verandering die zich in haar voltrok te hebben verlangd. Alsof een giftige grondkleur bezit van haar gedachten nam, begon ze te denken dat volwassen worden inhield dat je het vermogen kreeg de dingen te bezoedelen en kwaad te veroorzaken.

De tijd, die onverbiddelijk lijkt door te draaien, blijft soms stilstaan als hij geconfronteerd wordt met de hardnekkigheid van het geheugen. Ondanks dat het al meer dan een jaar geleden gebeurd was, werd Benito Buroy op sommige nachten badend in het zweet wakker. Dan besefte hij dat hij in zijn dromen bijna gestikt was door de herinnering aan die andere nachten, in de gevangenis, toen hij bij elk geluid dacht dat ze hem kwamen halen om hem voor het vuurpeloton te zetten. In het summiere proces had hij amper een verdediging gekregen, maar dat zou hem ook weinig hebben geholpen. Zijn rechters hadden per slot van rekening een lange, zware oorlog gewonnen, een burgeroorlog, en ze konden en wilden niet coulant zijn. Ze wensten niet alleen aan te tonen dat Buroy op het slagveld gruweldaden had begaan, maar wilden hem ook dwingen de vrede die zij oplegden te aanvaarden. Behalve hem te straffen wilden ze hem ook laten zien dat ze hem, wanneer ze maar wilden, steeds weer hetzelfde konden laten doen, slechts door te bevestigen dat hij nog steeds in hun greep was. Benito Buroy had in dat proces dan misschien niet de doodstraf gekregen, hij zou wel voorgoed een ontmaskerde vijand zijn en in de gaten worden gehouden. Toen wist Buroy inmiddels dat een oorlog niet de problemen oplost waardoor hij is ontketend, dat hij die slechts doet overhellen naar één kant, met de onwrikbare zekerheid waarmee een getroffen dier neerstort. Trillend in een hoekje van zijn cel omdat hij in de verte het slot van een deur gehoord had, had hij begrepen dat er bij die mannen geen plaats was voor vergeven en vergeten, en ook niet voor boetedoening. Hij was voor de rest van zijn leven verslagen.

Zo werd hij dus soms 's nachts wakker in zijn kamer op Cabrera en zonder iets te zien maar met wijdopen ogen dacht hij dan terug aan die andere nachten, in de gevangenis. Ondanks alles bewaarde hij slechts een vage herinnering aan zijn angst in die eerste dagen, toen hij het bezoek van zijn beulen zo vreesde. De tijd had ze grotendeels uitgewist. Veel scherper herinnerde hij zich de nachten na die ene nacht waarin hij was bezweken voor een officier van de falange, met zijn haar vol brillantine, een bril zonder randen, een hongerig, onaangenaam gezicht, en lijdend aan slapeloosheid naar hij zelf zei. Met opgetrokken wenkbrauwen en zo nu en dan een scheef lachje, alsof hij foto's van naakte vrouwen bekeek, had de man de politierapporten doorgelezen. Uit angst voor de dood en in de stellige overtuiging dat het hem niet zou redden als hij zich zou verzetten en zou blijven zwijgen, was hij uiteindelijk bezweken en had alle namen en feiten genoemd die hij zich kon herinneren. Weer alleen in zijn cel galmden de woorden van de officier in zijn oren na: "Hiermee red je je leven, hiermee red je je leven", en de vage belofte van strafvermindering waarmee hij het verhoor had beëindigd, en zijn eerste vermoeden dat hij om zichzelf te bevrijden alleen maar was begonnen met het voeden van een beest dat onverzadigbaar zou blijken. Hij moest om vergeving vragen en die konden ze hem geven zolang hij er maar telkens om bleef vragen, telkens weer. Dit was wat hij deed sinds hij uit de gevangenis was en wat hij zou doen wanneer hij de Duitser had neergeschoten om zelf nog wat langer te mogen leven: 's nachts wakker worden, zijn ogen in de duisternis openen en wensen dat Otto Burmann, die arme wanhopige Otto Burmann, ook wakker zou worden en hem een verwijt in zijn oor zou fluisteren, waardoor hij boos zou worden of zou gaan lachen, of beledigd zou zijn. Dat deze hem in elk geval van zichzelf zou bevrijden.

Benito Buroy werd wakker en opende zijn ogen in de duisternis, maar Otto Burmann was er niet. Hij voelde dat hij geen lucht kon krijgen. Hij richtte zich op in zijn bed, tevergeefs zijn oren spitsend om een geluid te horen, iets wat hem een teken zou geven dat het al dag werd. Maar er is niets zo stil als de verloren uren in het holst van de nacht. Buroy voelde de dringende behoefte aan zichzelf te ontsnappen. Hij stond op, liep naar de deur en deed hem open. De soldaat van de wacht zat met scheefgezakt hoofd op zijn stoel te slapen. Hij bewoog zich niet toen hij langs hem liep en naar buiten ging, het plein op.

Aangestoken door het onmetelijke firmament stond de vijgenboom roerloos in het maanlicht. Benito Buroy liep een paar stappen in de veronderstelling dat hij alleen was, maar toen bereikte hem een hijgend geneurie vanaf de andere kant van het plein. Het was Lluent, die voor de deur van zijn huis zat. Hij wiegde zachtjes met zijn bovenlichaam en liet een met de uiteinden aan elkaar geknoopt touwtje als een rozenkrans tussen zijn vingers ronddraaien. Benito Buroy ging naar hem toe.

"Ik ben blij dat u wakker bent", zei de visser. "Ik heb zo hulp nodig. Mijn rug doet vandaag pijn."

De ander gaf geen antwoord, maar ging ook niet weg. Het kwam goed uit dat die oude man hem een bezigheid gaf en hem wat afleiding bood tot het licht werd. Hij vroeg zich niet eens af wat de visser van hem zou willen. Hij stak een sigaret op en keerde zich weer af naar de zee.

"Kom, laten we gaan", zei Lluent, en hij stond met tegenzin op. "De soldaten hebben de boot al geladen."

Benito Buroy keek naar de kade, maar daar was niemand. Hij liep achter de visser aan naar de zeilboot. Op het dek, vastgebonden met een touw rond de mast, stonden zes van de vaten die twee dagen eerder uit de zogenaamde pantserkruiser waren geladen. Lluent, die de tros al had losgegooid en deze nu in zijn handen hield, gaf Buroy met een hoofdgebaar te kennen dat hij aan boord moest stappen. Vervolgens sprong hij ook zelf in de boot en duwde deze met behulp van een roeispaan van de kade af. Heel rustig begon hij naar de ingang van de baai te roeien. In het maanlicht zag alles er vaag en flets uit. De zee schitterde en de huizen van het dorp, tegen de berghelling die in diepe duisternis bleef gehuld, leken op het punt te staan te vervagen en te verdwijnen. Benito Buroy gooide de peuk van zijn sigaret in zee.

"Op dit uur steekt de wind op", zei de visser.

Hij borg de roeiriemen op en hees het zeil. Na een paar momenten rust begon de boot heel traag te glijden. Benito Buroy kreeg het koud toen ze op open zee kwamen. Daar was het water niet rustig meer. Er stonden grote golven met diepe dalen, en een constante, vochtige wind bolde het zeil zodat ze snelheid kregen. Ze lieten de rotsen die de koers naar Mallorca aangaven rechts liggen en voeren van Cabrera af, zomaar ergens heen. Al spoedig was het eiland een schaduw aan de horizon. Benito Buroy zat te klappertanden. Lluent, op zijn beurt, leek aan het roer in slaap te zijn gevallen. Van tijd tot tijd hief hij echter zijn hoofd om de sterren te bestuderen en ten slotte stond hij op en keek zoekend naar het wateroppervlak.

"Hier is het", zei hij. "Als u het roer vasthoudt, dan kan ik de vaten losmaken."

Benito Buroy ging op de achtersteven staan. Hij had weer een sigaret opgestoken, maar zijn vingers trilden zo hevig dat het hem grote moeite kostte hem naar zijn mond te brengen. De visser maakte de lading los en richtte zich weer tot zijn passagier.

"Ik heb last van mijn rug vandaag", zei hij nogmaals. "Help me alstublieft ze in zee te gooien."

Samen kieperden ze de vaten in het water, die eerst naar de diepte zonken maar al snel met de benauwdheid van drenkelingen weer boven kwamen drijven, als kurken die een buitensporig gewicht dragen. Toen ze klaar waren met de vaten, ging Lluent weer aan het roer zitten en liet de boot draaien, waarbij hij een halve cirkel beschreef. Bevrijd van zijn lading was het scheepje veel lichter en sneller. Benito Buroy probeerde de vaten te lokaliseren, maar ze staken zo weinig boven het water uit dat hij ze al snel uit het oog verloor. En op dat moment, ongeveer op de plek waar ze net van weg waren gevaren, begonnen de tamme golven van onderaf te bruisen. Instinctief deinsde Benito Buroy achteruit. Hij viel bijna achterover overboord toen hij de toren van een onderzeeër zag opdoemen en even later de eindeloos lange rug, glanzend in het maanlicht.

"Geen paniek", zei Lluent. "Het zijn vrienden, Duitsers. Ze zullen degenen die hun te drinken geven geen kwaad doen."

Toen wees hij naar een plek aan de horizon waar het zwart van de hemel begon te veranderen in een diep donkerblauw.

"Kijk … het wordt al licht."

Camila zat op de veranda en deed alsof ze in een tijdschrift bladerde, maar ze kon amper haar lachen inhouden. Felisa García was een paar uur eerder, op van de zenuwen, komen aanzetten. Die middag waren dan eindelijk de lees- en schrijflessen begonnen. Leonor Dot had haar aan de tafel laten plaatsnemen en potloden en papier voor haar neergelegd. Toen was ze begonnen haar heel kalm en systematisch de grondbeginselen van het schrijven uit te leggen. Maar hoe hoog de eigendunk van de ander sinds haar reis naar Mallorca ook was, en ondanks haar recente voorliefde voor filosofische aforismen, ging ze voortdurend in de verdediging en werd zelfs agressief wanneer ze zich beledigd voelde wat betreft haar intellect. Te pas en te onpas mopperde ze tegen haar lerares dat ze de dingen zo onduidelijk uitlegde, of ze verklaarde met haar hand op tafel slaand dat ze nooit in staat zou zijn al die geheimzinnige tekens en al die flauwekul te begrijpen, ook al deed ze nog zo haar best. Na lang onderhandelen begonnen ze opnieuw met de klinkers en de lettergrepen, telkens weer opnieuw, steeds dezelfde stappen volgend en over dezelfde onbegrijpelijke vraagstukken struikelend. In die fase van de les, na twee uur worstelen, had Leonor Dot een woord op een vel papier geschreven en legde dat haar leerlinge voor.

"Lees dit, Felisa", hoorde Camila haar moeder zeggen. "Doe je best, zeg me wat daar staat."

"Hoe moet ik nou weten wat daar staat? Ik ben hier juist om het te leren!" antwoordde de ander.

"Je weet het best, Felisa. Denk eraan: de p met de a, pa; de t met de a, ta. En de klinkers ken je al. Wat heb ik geschreven? Lees maar."

"... Pe-a-te-a-te-a ... Wat is dat, verdomme?"

"*Patata*, Felisa. Dat is 'patata', aardappel ... Ik ga theezetten. Ik denk dat we daar allebei wel aan toe zijn."

"Ik ben hier niet geschikt voor, Leonor, en bovendien kun jij geen lesgeven."

"Ik zal de thee heel sterk maken. Ik zal er alle thee in gooien die ik nog heb."

Die eerste les was een ramp, maar ondanks haar weerstand en moedeloosheid ging Felisa García ermee akkoord wat oefeningen mee naar huis te nemen om die 's avonds over te schrijven. En dat deed ze, na de afwas aan de keukentafel gezeten, geeuwend en haar ogen, die traanden van inspanning, droog vegend met haar mouw. "Straks heb ik hierdoor nog een bril nodig", zei ze bij zichzelf, zonder te beseffen dat ze eraan gewend was geraakt de wereld wazig te zien maar dat ze eigenlijk al heel lang een bril nodig had. Paco, die wel kon lezen al deed hij het nooit, kwam even de keuken in en wilde de spot met haar gaan drijven, haar misschien wel verwijten dat ze zich met die onzin bezighield, maar Felisa joeg hem met een woedende blik weg. Ze kopieerde woorden zonder te weten wat ze deed, verveeld en met tegenzin, met beverige halen en een zwaar gemoed. Zonder dat ze het zelf besefte, begon er echter iets heel subtiels in haar geest tot stand te komen. Verborgen associaties kregen betekenis door ze tot vervelens toe te herhalen. Op een bepaald moment begon ze klanken te begrijpen, lettergrepen uit te spreken, alsof ze van het papier naar haar lippen sprongen. Ze las hardop "Pa" en bleef naar de kalender kijken waarop paus Pius XII, hangend aan de deur naar de bar, degenen die binnenkwamen zegende. Ze zei "Pa", maar herhaalde de klank niet en kwam dus niet uit op '*papa*', paus. Maar ineens, in een vlaag van plotselinge helderheid, liet ze haar luide stem tegen de keukenmuren galmen: "Patata." Natuurlijk: "Patata!" Om haar te bemoedigen had Leonor gezegd dat er een moment zou komen waarop lezen net zo makkelijk zou zijn als praten, en dat overkwam haar nu met het woord 'patata'. Ze zag de letters op het papier en het was alsof ze een tekening van de knol zag. Felisa García kon haar ogen niet geloven.

Hierdoor aangemoedigd besloot ze een van de lange, ingewikkelde teksten aan te vatten die Leonor Dot voor haar gemaakt had. Een tijdlang was ze aan het brabbelen en vloeken, totdat ze langzaam maar zeker, hortend en stotend, krampachtig lettergrepen uitsprak die op haar lippen meer op geproest leken.

"... *Mi... ca... sa... es... ba... ra... ta...* "

Mi casa es barata, dacht ze, met haar keel dichtgeknepen van trots omdat ze die oeroude tekens had ontcijferd. Mijn huis is goedkoop. Wat een stomme zin. Ik kan veel betere bedenken.

Het was maandag. Benito Buroy was twaalf dagen op Cabrera toen hij eindelijk naar de rotskust terugging waar Markus Vogel op hem wachtte. Hij deed dat zonder een plan te hebben gemaakt, bijna zonder te beseffen wat zijn werkelijke bedoelingen waren, zoals hij dat soort kwesties het liefst oploste. Hij had de commandopost verlaten en zat onder de vijgenboom zonder te weten wat hij die ochtend zou gaan doen, toen hij plotseling met de ingehouden ademhaling van iemand die in het diepe springt naar zijn kamer terugging om het pistool te halen, weer naar buiten kwam en automatisch het enige pad dat hij kende begon op te lopen, het pad dat langs het kerkhof en de baai van Santa María naar de top van de berg liep, over hellingen met scherpe keien en warrige peperbomen.

Terwijl hij omhoogliep, ontdekte hij dat Andrés hem bespiedde. Dat kon weleens een lastige factor worden, maar de jongen kreeg al gauw genoeg van het spel. Buroy zag hoe zijn rug, soepel en krom als die van een wezel, zich tussen de struiken verwijderde. Andrés nam een pad dat achter het dorp en de militaire barakken slingerend de bergen in liep, in de richting van het dal van de stemmen. Toen hij een eind uit de buurt was, slaakte hij een kreet die een paar seconden in de lucht bleef hangen. Buroy zou verder geen last van hem hebben, maar de jongen had hem al voldoende gehinderd doordat hij hem uit zijn dromerige toestand had gehaald. Tot dan toe had hij nergens aan lopen denken, was hij helemaal opgegaan in het turen naar de grond. Nu voelde hij het gewicht van het pistool in zijn broekzak.

Even later had hij het hoogste punt van de rotsformatie bereikt. Voor hem lag de baai van La Olla, met die ene rots die pal uit het doorzichtige water stak en al die grotten in de kalkhoudende hellingen. Een tijdlang stond hij naar de kust te kijken, zonder een mens te zien.

Tot dan toe had hij geïmproviseerd en dat moest hij blijven doen. Hij daalde af naar de rotspunt waar hij een week eerder de Duitser had aangetroffen. De huid van de hagedis, gemummificeerd door de zon, lag nog bij de steen waarop hij vastgeplakt had gezeten. Wat verderop, in een beschutte kuil, ontdekte Buroy de resten van een vuur. Markus Vogel zou daar waarschijnlijk vaker een vuur stoken, want vlakbij lagen takken en houtblokken. Benito Buroy moest het vage, verwarrende gevoel dat hij een indringer was onderdrukken. Het was echter niet de eerste keer dat hij zich in een dergelijke situatie bevond en hij wist hoe hij die aan moest pakken. Hij kon zich geen emoties permitteren, mocht niet nadenken. Hij moest zijn werk doen en dan snel weggaan. En nooit meer terugkeren. In de loop van de tijd helen de wonden van het geheugen en raken deze op de achtergrond. Vergeten is een spier die geoefend kan worden.

Hij daalde verder af naar het strand. Eenmaal op het zand ging hij met zijn rug naar de zee staan om naar de spelonken in de rotswand te kijken. Zo op het eerste gezicht was er geen teken dat de aanwezigheid van Markus Vogel verried, maar toch had hij zich daar al die maanden verstopt. Benito Buroy voelde dat hij huiverde door een vlaag van onrust. De mogelijkheid bestond dat de Duitser een nieuwe schuilplaats had gezocht. Hij was er echter van overtuigd dat de man zich daar nog steeds bevond, wachtend op hem, zoals hij gezegd had te zullen doen. Waarschijnlijk zat hij hem op dat moment vanuit het duister van zijn hol te beloeren, bespiedde hij zijn bewegingen op het strand en bereidde zich erop voor zich te moeten verdedigen in het onwaarschijnlijke geval dat hij hem zou vinden. Of misschien had hij wel een hinderlaag voor hem gelegd en wachtte hij er slechts op tot hij hem daarin zou zien vallen.

Bij het geluid van een golf draaide hij zich geschrokken om naar de zee, maar hij begreep meteen dat dit een onzinnige gedachte was. De Duitser zou hem niet vanaf het water aanvallen. Hij voelde zich belachelijk maar haalde toch het pistool uit zijn zak en duwde de veiligheidspal weg. Hij zocht met zijn blik de grotten af op zoek naar een schittering, een beweging. Hoewel er onwillekeurig een siddering door zijn ruggengraat ging, stelde de gedachte dat Markus Vogel ongewapend was hem gerust. Maar wat had hij aan een pistool als de ander zich alleen maar net zolang hoefde te verbergen totdat hij er genoeg van had hem te zoeken?

"Je had gezworen dat je je niet zou verbergen!" schreeuwde hij zo hard hij kon. Een verre echo bracht hem zijn eigen woorden terug.

Het had geen zin hem uit te dagen. Waarom zou hij zijn schuilplaats uit komen? Om zich te laten vermoorden? Door hem niet neer te schieten toen hij het had moeten doen, had hij hem de kans gegeven zich in veiligheid te brengen. En al was het eiland klein, het was wel zo onoverzichtelijk dat Markus Vogel hem eindeloos zou kunnen ontlopen. Benito Buroy kon naar het dorp teruggaan en wachten tot de Duitser daar gek van eenzaamheid, van het uitsluitend vis eten of van het gebrek aan tabak weer eens zou opduiken. Ook kon hij elke dag onafgebroken het eiland afzoeken, erop vertrouwend dat hij vroeg of laat bij toeval of per ongeluk zijn schuilplaats zou vinden. Of hij kon met een of ander smoesje de kapitein vragen het leger erop uit te sturen om hem te zoeken. Eenmaal in het dorp zou hij hem niet weer ontglippen. Er kwamen allerlei manieren in hem op waarop hij kon proberen de Duitser te pakken te krijgen, maar hij vond ze geen van alle overtuigend. Want hoe hij het ook wendde of keerde, het stond vast dat hij naar de plek waar hij Markus Vogel voor het eerst had aangetroffen was teruggekeerd om zichzelf te bekennen dat daar, op dat ellendige eiland, voor hem de oorlog eindelijk voorbij was. Ooit moest de nederlaag ten volle tot hem doordringen die hij aan het front bij de Ebro had geleden, toen ze hem trillend van kou en van angst achter in een loopgraaf hadden gevonden. Hij had al zijn kleren uitgedaan om zo kwetsbaar mogelijk te lijken, opdat ze hem niet dood zouden schieten.

"Ik zal je vinden!" schreeuwde hij nogmaals, in een laatste poging zich te verdedigen. "Ik heb geen haast."

Hij had nog nooit in zijn leven zo'n slappe leugen gebruikt. Twee dagen later zou de boot komen die hem naar Palma moest brengen en de commissaris verwachtte hem in zijn kantoor zodra hij voet aan wal had gezet. Maar Benito Buroy kon zijn bevelen niet uitvoeren, noch naar Mallorca terugkeren, noch een andere oplossing bedenken. Hij had zichzelf de mogelijkheid daartoe ontzegd. Hij wist dat de commissaris het hem niet zou vergeven en meedogenloos zou zijn. Hij wist ook dat er een paar dagen later, wanneer hij alweer in de gevangenis zou zitten of gefusilleerd zou zijn, iemand met minder scrupules op Cabrera van boord zou stappen en zich over Markus Vogel zou ontfermen. In zijn eentje op dat strand, misschien gadegeslagen door die kluizenaar die van zo ver kwam, voelde hij zich tot zijn verbazing merkwaardig één met hem. Hij kon het gevoel niet onderdrukken dat ze samen in dezelfde bodemloze put, in dezelfde afgrond wegzonken.

De man die hem vanuit een van die grotten bespiedde, die zich ondanks de belofte die hij hem in de kantine had gegeven schuilhield, die hij maar een paar keer gezien had en wiens pad hij onder normale omstandigheden nooit zou hebben gekruist, was zijn metgezel in het ongeluk geworden. Ze hadden allebei geen alternatief. Ze waren allebei al dood.

De weg was klaar op de avond voor de dag waarop het Duitse oorlogsvliegtuig over Cabrera vloog, en juist op tijd voor het bevoorradingsschip dat, omdat het woensdag was, die ochtend uit Palma aankwam en nu zijn inhoud in de laadruimte van de vrachtwagen kon overhevelen. Kapitein Constantino Martínez was opgetogen.

"Het is afgelopen met het dragen van kisten op je rug", zei hij tegen het handjevol aanwezigen bij die gedenkwaardige plechtigheid. "Vanaf heden is dit eiland een beschaafd oord. Leve Franco! Leve Spanje!"

Toen het overladen van de voorraden klaar was gaf de kapitein, die met glanzende ogen en zijn voorhoofd parelend van het zweet naast de chauffeur zat, bevel het voertuig in beweging te brengen. Maar Leonor Dot, die met Andrés aan de hand van de kantine kwam aangelopen, hield hem met een dwingend gebaar tegen. Geïrriteerd stak de militair zijn hoofd uit het raampje.

"Wat is dit nu?" vroeg hij.

"Hij wil mee ..."

Aan het gezicht van de kapitein, dat soms boekdelen sprak, was duidelijk te zien dat hij het helemaal gehad had met dat handjevol verwilderde burgers, dat het hem helemaal niet beviel om op een dag die zo belangrijk was voor de geschiedenis van het wagenpark van Cabrera met een achterlijke jongen aan zijn zijde in het kampement te verschijnen. Hij weigerde op zachte toon, terwijl hij zichzelf bezwoer overplaatsing naar het vasteland te vragen zodra de oorlog, en daarmee de cruciale rol die hem was toegekend bij de verdediging van de archipel, was afgelopen. Maar nadat hij een blik op Andrés had geworpen, die bevangen door een angstige verlegenheid zijn hoofd liet hangen en hem een blik op zijn kruin met heel dun haar bood, wees hij naar de lading die achter het enorme reservoir van de kolenvergasser in de laadbak van de vrachtwagen lag opgestapeld.

"Vooruit dan maar, klim er maar op ... En houd je stevig vast, want dit is niet de Paseo de la Castellana! We bevinden ons op militair gebied, mevrouw, en niet in een pretpark!"

Bijgestaan door Leonor Dot klauterde Andrés moeizaam in de laadbak en ging zitten, met bungelende benen en zijn handen vastgeklampt aan de zijkant van het voertuig. Toen de vrachtwagen begon te rijden, trok de jongen een gezicht alsof ze zo hard reden dat hij er duizelig van werd of elk moment achterover gesmakt kon worden. De vrachtwagen reed het plein op met de gebruikelijke stofwolk achter zich aan en verdween rammelend over de vele stenen die op de weg lagen. Leonor Dot zag hem verder rijden langs de kust, zigzaggend om kuilen te ontwijken, en een paar minuten later stoppen voor de barakken waar een groep soldaten stond te wachten.

Even later kwam hij weer terug, zonder lading en met Andrés, die de laadbak zelfs niet had verlaten om plaats te maken voor het uitladen van de kisten, glimlachend van oor tot oor. De jongen wilde ook niet van de vrachtwagen af komen toen de chauffeur het voertuig voor de commandopost stilhield. Ze deden hun uiterste best hem tot rede te brengen en lieten hem uiteindelijk daar maar zitten, terwijl hij zich verbeten vastklemde aan de planken van de laadbak, met een niet-aflatende glimlach en zijn kaak vooruitgestoken alsof hij stilstaand nog steeds aan waanzinnige snelheden was blootgesteld.

Benito Buroy stond met zijn handen in zijn zakken in de schaduw van de vijgenboom. Hij was al een paar dagen stiller dan normaal en wist niet goed de afstand te bepalen waarmee hij zichzelf wilde beschermen. Desondanks was hij te vinden waar activiteit was, daar snuffelde hij wat rond om de tijd te verdrijven, en soms deed hij zelfs mee aan een spelletje domino of ging wat kaarten met de soldaten.

"En hier blijft het niet bij", zei de kapitein toen hij uit de vrachtwagen stapte. "We zullen de weg verlengen door het binnenland, tot aan de vuurtoren van N'Ensiola, en daarna zullen we een weg rond het hele eiland aanleggen. Over niet al te lange tijd zal heel Cabrera toegankelijk zijn voor wegverkeer."

Ook hij zocht de schaduw van de vijgenboom op, en zonder te beseffen dat hij zich de rol van een kleine Tiberius toe-eigende, voegde hij eraan toe: "Over een paar jaar zal dit eiland net zo mooi zijn als Capri."

Benito Buroy verbaasde zich over deze kosmopolitische verwijzing van iemand die nooit buiten Spanje was geweest en over het feit dat kapitein Constantino Martínez, die weinig ophad met Duitsers, wel dweepte met Italië en een groot bewonderaar was zowel van het Romeinse Rijk als van Mussolini. Die man uit Extremadura, voor wie het leven niet verder ging dan een paradeplaats, meende dat in Italië de vegetatie ongelooflijk weelderig was en dat de officiële gebouwen zo groot waren dat je er buiten adem raakte, en hij was ervan overtuigd dat met Franco heel Spanje bedekt zou worden met prachtige, volle blauweregen en dat de wonderbaarlijke Valle de los Caídos, waarmee al een aanvang was gemaakt, in de loop van de tijd een verdienstelijke maar nog onervaren benadering zou lijken van de monumentale architectuur waarmee de vaderlandse bodem vol zou komen te staan. De kapitein wist niet waar Osaka, Jeruzalem of Petrograd lag en dat wilde hij ook niet weten, maar hij praatte over de streek Lazio alsof hij het over zijn eigen huis had.

Die ochtend, leunend tegen de vijgenboom, stopte hij met dromen toen hij zijn blik over de horizon liet dwalen en zag dat het bevoorradingsschip alweer naar Mallorca terugvoer. Hij keek enigszins verbaasd naar Benito Buroy, die naast hem een sigaret stond te draaien.

"U bent dus niet vertrokken", constateerde hij. "De commissaris zal uit zijn vel springen."

"Door die wond heb ik mijn werk niet kunnen doen", antwoordde Buroy. En hij voegde er listig aan toe: "Als u die haaien had gedood, zouden we de tonijn niet hebben hoeven redden en zou ik op die boot hebben kunnen vertrekken."

"Hoe kon ik die nu doden, ik moest op goed geluk schieten! En wie zegt dat er haaien waren, als niemand ze heeft gezien? Straks krijg ik nog problemen met de politie in Palma ... Houd me niet voor de gek, Buroy, want ik schrijf een rapport voor het hoofdkwartier en dan trek ik mijn handen van deze zaak af. En neem me niet kwalijk dat ik het zeg, maar u bent nu twee weken hier en ik heb u nog niets zien doen. Wat hebben ze u opgedragen? Dat u het leven van Sint Ignatius de Loyola in dichtvorm beschrijft?"

Benito Buroy pakte hem bij de elleboog en voerde hem weg van de commandopost. Ze gingen naar het gebouwtje van de vissers en leunden tegen de muur van okerkleurige steen. "Als ik u was zou ik niet te veel vragen stellen", zei hij met gedempte stem. "U kunt gerust zijn, want het is allemaal uw zaak niet. Ik twijfel er zelfs sterk aan of ze op het hoofdkwartier op de hoogte zijn. De opdracht komt uit Madrid."

Ontstemd schudde de kapitein zijn hoofd en gaf een paar klappen tegen de muur, waardoor er een kleine lawine van gruis naar beneden kwam.

"Het zit me tot hier … Die lui in de hoofdstad denken dat ze kunnen beslissen wat ze willen en dat ik het allemaal wel voor ze oplos. Heb ik daarom mijn bast vol schroot laten schieten? Om als beloning voor mijn wonden hier te worden gedetacheerd? Terwijl dit zo'n klote-eiland is, man!"

Hoewel in die dagen door de oorlog alles kon veranderen, van de landsgrenzen tot het bezit en het lot van de duizenden eilanden in de Middellandse Zee, leek het duidelijk dat voor kapitein Constantino Martínez, als zijn droom van blauweregen en kapitelen weer in de dagelijkse beslommeringen was opgelost, Cabrera toch nooit Capri zou worden.

Paco's besluit om zijn image te veranderen werd ingegeven door een cadeau dat Felisa had gekregen van de rijke Mallorcaan die met haar zuster getrouwd was. In een van de pakketten die hij haar stuurde, zat tussen de flessen olie en de ronde, witte broden een dikke envelop waarop hij, in grote letters en met de zwierige halen van een belangrijk man, de naam van zijn schoonzuster had geschreven. In de envelop zat een dikke gouden ketting, die geschikter leek om de deuren van een paleis mee af te sluiten dan om als halssieraad te dragen. Er zat een briefje bij dat, samen met het verlangen om haar filosofische gedachten op papier te zetten, Felisa García enkele dagen later deed besluiten Leonor Dot te vragen haar van haar analfabetisme te verlossen. Camila's moeder, die zich onder de weinige klanten in de bar bevond toen het pakket arriveerde, was bereid het briefje te lezen.

"De man van je zuster is benoemd tot gouverneur. Hij stuurt je deze ketting omdat hij wil dat je die draagt als je naar Palma komt … Wat een schorem. Het zijn dieven met een slechte smaak, dat zijn het gewoon. Het is een vreselijke ketting, Felisa."

Nooit eerder had Leonor Dot haar mening gegeven over personen die deel uitmaakten van het nieuwe regime. Het was ook niet haar bedoeling zich zo plotseling te laten gaan, dus toen ze was uitgesproken trok ze een zorgelijk gezicht en beet op haar lippen, bang de kantinehoudster beledigd te hebben. Maar die keek alleen maar strak naar de dikke gouden schakels.

"Ja?" vroeg ze, neerdalend van haar wolk.

En vrijwel meteen daarop zei ze: "Hij is vreselijk! Een hond zou hem nog niet kunnen dragen! Nee zeg, zelfs dood zou ik hem nog niet omdoen! Die parelketting is wel elegant, maar deze niet!"

Leonor Dot zat nog steeds in over haar opmerking.

"Het spijt me als ik iets verkeerds heb gezegd …"

Felisa García stak haar handen uit, klaarblijkelijk met de bedoeling haar te omhelzen. Het resultaat was echter dat ze er nu als een redenaar bij stond.

"Maar ik denk er hetzelfde over, mens! Mijn zwager is een prachtkerel, maar hij is en blijft een boer … Hij heeft geen stijl, als je begrijpt wat ik bedoel. We zijn hier allemaal nogal lomp. Denk aan die ring van Xuxa!"

Er viel een stilte in de kantine. Felisa keek van de een naar de ander terwijl ze zich afvroeg wat er aan de hand was, en toen ging er een lichtje bij haar branden.

"Hoe kun jij je die ring nou herinneren, terwijl je nog niet eens hier was! Maar goed … hij was zo groot als een ui en had geen enkel nut! Met deze ketting heb ik in elk geval goud voor mijn tanden, als dat nodig mocht zijn!"

Het resultaat van dit alles was dat Felisa García de ketting weer in de envelop deed waarin hij gekomen was en deze in haar slaapkamer opborg. De volgende dag verscheen Paco, die zich had onthouden van een mening over de stijlkwestie, met het sieraad om zijn nek. De dikke schakels zaten verstrikt in de dikke bos haar op zijn borst. Felisa, die nooit veel aandacht aan haar man schonk, zag het pas bij het middageten. Ze bracht hem een salade in de kantine, toen het geflonker van het sieraad haar opviel. Ze keek omhoog, in de richting van haar slaapkamer, en kon maar niet verklaren hoe die ketting vanuit haar ladekast om Paco's nek was gesprongen.

"Wat doe je met dat ding?" schreeuwde ze. "Wil je een boer lijken?"

Paco keek haar met begrijpelijke verbijstering aan.

"Boeren dragen geen kettingen", betoogde hij. "Ik wil er gewoon wat chiquer uitzien, want dat heb ik verdomme wel nodig. Vanaf een bepaalde leeftijd moeten wij mannen ons mooi uitdossen, om onze gebrekkige gezondheid en onze futloosheid te compenseren, je begrijpt heel goed wat ik bedoel. Dat doen generaals, bisschoppen en zelfs koningen. Waarom zou ik dat dan niet mogen doen?"

Felisa García keek hem even met opgetrokken wenkbrauwen aan. Ze had nog nooit meegemaakt dat haar man zich probeerde uit te spreken en was hierdoor van haar stuk gebracht. Ze ging naar de keuken maar kwam even later terug, terwijl ze haar handen afdroogde aan haar schort. Aangezien er mensen in de bar zaten, boog ze zich voorover en fluisterde in zijn oor: "Dat je niet neukt, komt doordat je te veel drinkt."

Paco, die een glas wijn in zijn hand had, zette het automatisch op tafel. Maar Felisa had hem al de rug toegekeerd en liep alweer terug naar haar domein. Toen de kantinehouder de keukendeur dicht zag gaan, slaakte hij een zucht van verontwaardiging. Hij keek om zich heen om te zien of iemand haar verwijt gehoord had, maar direct daarna zou hij de discretie die zijn vrouw aan de dag had gelegd zelf tenietdoen. Hij was te beledigd om dit over zijn kant te laten gaan. Hij ging haar achterna, opende woedend de deur en beet haar op luide toon toe: "En jij spint niet meer!"

Na die verschrikkelijke bewering draaide hij zich om en liep enigszins gekalmeerd naar zijn plaats terug, maar nu kwam Felisa achter hem aan. Ze kwam de kantine uit voordat Paco weer was gaan zitten, posteerde zich voor zijn tafel en plantte haar amen in haar zij.

"Hoezo spin ik niet meer? Wat bedoel je daarmee, dat ik niet meer spin?"

"Nou, gewoon. Vroeger, als je lag te spinnen in bed wist ik al dat je pruim nat als een spons was. Nu por je me alleen maar in mijn zij! En hoe! Op een nacht zul je nog eens een rib van me breken!"

"Dat zal dan wel zijn omdat je stinkt! En die spons, die zit nu in jouw buik! Zuiplap, ongelooflijke zuiplap!"

Ze zwegen plotseling toen ze merkten dat ze niet alleen waren. Ze keken elkaar vol haat aan, alsof ze van plan waren een duel achter het kerkhof af te spreken, en toen gingen ze allebei weer door met waar ze mee bezig waren, Felisa in de keuken en Paco met zijn salade. Leonor Dot, die aan de tafel bij het raam op Camila zat te wachten, dacht dat dat huwelijk water maakte en over niet al te lange tijd zou zinken. Ze had reden om dat te denken en toch vergiste ze zich. De wegen van de liefde en het verlangen zijn vaak ondoorgrondelijk.

In plaats van zich onder de wingerd te installeren hing Paco die avond grommend als een beer om het huis rond, helemaal vervuld van zijn koortsachtige streven om niet te drinken. Felisa, die het niet prettig vond om haar man te zien lijden, had de boel eerder dan anders aan kant en ging in bed liggen zonder de nachtjapon aan te trekken die ze uit Palma had meegenomen. Een beetje verlegen kwam Paco de slaapkamer binnen, ging op het bed zitten en trok brommend zijn kleren uit. Toen ging hij enigszins gehaast op haar liggen. Ze hadden het een hele tijd niet gedaan en waren op een leeftijd waarop ze elkaars lichamen niet meer als vertrouwd zagen, zodat ze allebei verbaasd waren dat de ander zo'n dikke buik had. Maar hun onderlijven voegden zich moeiteloos naar elkaar, zoals dat altijd gebeurd was. Gedurende de korte tijd dat Paco op en neer bewoog, had Felisa het merkwaardige gevoel dat ze met hem in een vredig gesprek was gewikkeld waarin ze oude tijden memoreerden. Ze voelde niets anders dan dat, maar dat was voor haar al voldoende. Die nacht zei Paco niet dat het leven rot was en zij had niet de behoefte hem met een elleboogstoot van zich af te duwen. Later, toen hij moeizaam van haar af was geklommen, zoals iemand die van een muur af klautert, kon Felisa de slaap niet vatten. Hoewel haar lippen gesloten waren, lag ze nog steeds met Paco te praten over toen de kinderen klein waren en als hazen door de velden renden, en nog verder terug, lang voor de oorlog, toen ze op huwelijksreis naar Mallorca waren gegaan en een week lang als een echte dame en een echte heer hadden geleefd, door de straten hadden gewandeld en in een restaurantje met geblokte tafelkleden hadden gegeten, en hoe knap hij in die tijd was, dat hij wel een filmster leek. De hele nacht lag Felisa García wakker met de gedachte dat de goede herinneringen bedolven raken onder de kwalen van de ouderdom, totdat het eerste ochtendlicht haar uit bed haalde en haar weer aan haar dagelijkse bezigheden zette.

De kantinehouder, op zijn beurt, beleefde dat kortstondige weerzien met zijn vrouw op zijn eigen manier. Hij viel onmiddellijk in slaap en droomde luid snurkend dat hij Millán Astray was en op een bruin paard over een slagveld bezaaid met lijken reed. Toen hij de volgende ochtend wakker werd, in opperbeste stemming zowel door het wapenfeit van zijn nog niet uitgebluste mannelijkheid als door de echo's uit het legioen die gedurende de nacht over hem hadden gewaakt, sprong hij haastig uit bed. Bijna zonder de tijd te nemen om zijn broek dicht te knopen, ging hij dat stiekem gauw vieren met een flinke slok wijn.

Een paar weken geleden heeft Lluent ons op een van onze boot-tochtjes meegenomen naar de vuurtoren. Het was op de terug-keer van een tocht langs de zuidkust, een stuk waar ik niet van houd omdat de klippen daar loodrecht, als gigantische wanden, in het water staan en de zee ertegenaan beukt met de vasthou-dendheid en de neerslachtigheid van een gekooid dier. Ik heb altijd geweigerd te gaan zwemmen in dat water dat zich naar de diepte lijkt te storten, dat je aansteekt met zijn wanhoop en je tegelijkertijd roept met stemmen die in je borst nagalmen, dat water dat donker en doorschijnend is als op open zee. Als we daar varen grijp ik me vast aan de mast en blijf midden op de boot staan, zo ver mogelijk van de zee af.

Daarom vond ik het die dag zo leuk dat, toen we om een klip van gitzwarte rotsen heen waren gevaren, de baai rechts van ons lag en de zee meteen van kleur veranderde, groen en doorzich-tig werd. Maar in plaats van naar de haven te sturen bleef Lluent langs de kust varen, totdat we bij de aanlegplaats kwamen waar de schuiten uit Mallorca de brandstof voor de vuurtoren lossen. Hij legde aan de kleine steiger aan en stelde voor de trappen, die helemaal tot boven aan de rotswand lopen, te beklimmen.

Mama zei dat ze het een geweldig idee vond, maar ik wist dat nog niet zo zeker. Mijn keel werd dichtgeknepen toen ik naar boven keek. Soms, niet altijd, word ik heel duizelig en dan raakt mijn hele lichaam verlamd, en die primitieve trappen, waarvan sommige stukken de ene kant op gingen en andere stukken in tegengestelde richting, zonder voor een bepaalde weg te kiezen, leken helemaal tot aan de wolken te willen gaan. Later merkte ik dat het allemaal wel meeviel, want Lluent gaf me zijn eeltige hand en toen was het net alsof een stevige tak me voorttrok en ervoor zorgde dat ik veilig was. Mama, die voor ons liep, draaide zich af en toe om en moest lachen om mijn angstige gezicht. En toen ze eindelijk de onderkant van de vuurtoren bereikt had, gaf ze een gilletje van verrassing en gebaarde met haar handen dat we snel moesten komen.

Het kanon stond er nog niet en er waren geen soldaten. Je kon vanaf die plek de hele baai zien, met het dorp tegen de helling en daarboven, indrukwekkend en vervallen, de muren van het kasteel. Ik durfde maar niet tot de rand van het platform te gaan en bleef met mijn rug tegen de oneffen muur van de vuurtoren gekleefd staan. Ik vond het heel irritant dat ik mezelf niet net als mama in de hand had, maar mijn benen weigerden me te gehoorzamen.

"We zijn er nog niet", zei Lluent, terwijl hij een grote verroeste sleutel uit zijn zak haalde.

Hij maakte de deur van de toren open en nodigde ons uit om binnen te komen. Ik was stomverbaasd toen ik zag dat daar een bed stond met daarop een matras waar het stro bij een van de punten naar buiten kwam zetten, en er was ook een houtfornuis als bij ons thuis en een tafel met twee stoelen die precies hetzelfde waren als de stoelen die kapitein Constantino in zijn kantoor had staan. En er was één raam, met tralies ervoor. Ik vond het een beetje eng toen ik ontdekte dat ik door dat raam geen enkel stukje land kon zien, alleen maar lucht en zee.

"Ik heb hier een tijd gewoond", zei Lluent. "Kom, dan gaan we naar boven."

Achter een houten deur liepen traptreden in een spiraal omhoog. We kwamen ten slotte uit in een glazen kamertje dat zo klein was dat we er amper met zijn drieën in pasten. In het midden bevond zich het olievat en stonden de lenzen, als enorme flessenbodems. Een balkon, met een balustrade die me buitengewoon gammel leek, liep helemaal rondom de buitenkant. Lluent haalde een sluitbalk weg en toen streek er een frisse wind langs onze gezichten. De visser en mama gingen naar buiten en leunden argeloos met hun ellebogen op de balustrade. Ik bleef achter hen staan, terwijl mijn hart bonsde als een gek.

"Mijn hemel", zei mama toen ze het dorp vandaar zag, "wat leven we in een klein wereldje."

"Daar is hij groot", antwoordde Lluent, met zijn kin wijzend naar de zee die zich links van hen uitstrekte. "Dat is het leven ook. Het is heel groot, het leven."

De visser zweeg, maar als hij doorgepraat zou hebben had ik hem toch niet kunnen horen. Tevergeefs probeerde ik naar hen toe te lopen. Het leek alsof mijn voeten met de grond versmolten waren en ik was niet in staat mijn vuisten, die zich zonder dat ik het wilde aan de deurpost vastklemden, te openen. Ik wist beangstigend zeker dat als ik losliet, de wind me zou meenemen of het balkon zou instorten. Ik was woedend, zo woedend dat mijn maag zich omkeerde, maar mijn hart bonsde heel hard en hield me tegen, belette me ook maar één stap te verzetten. Boos op mezelf besloot ik toen maar niet naar buiten te gaan. Lluent had zich omgedraaid en keek me aan zonder te begrijpen wat er met me aan de hand was. Hij leek op te gaan in zijn eigen gedachten. Mijn moeder keek naar hem met een lome glimlach rond haar lippen.

"Het is heel groot, het leven", herhaalde Lluent. "Het enige waar het uiteindelijk om gaat is dat we ons bij onze dood niet hoeven te schamen voor wat we hebben gedaan, en dat is niet eenvoudig. Mij zal dat niet lukken."

"Je moet jezelf dingen kunnen vergeven, Lluent. Soms doen we onszelf onrecht aan, maar later komen we wel weer tot onszelf. Dat overkomt iedereen."

Ik begreep niet dat ze daar zo rustig leunend op die gammele balustrade stonden te praten. Ze waren niet bang voor de diepte, die maakte geen deel van hen uit. Gelukkig hief Lluent zijn hoofd en sperde hij zijn neusgaten wijdopen, alsof hij een geur rook die van heel ver kwam.

"Laten we gaan", zei hij, "want de kapitein wordt vast zenuwachtig."

Ik voelde me zo vernederd door mijn hoogtevrees dat ik met trillende kaken naar de boot afdaalde. Op de terugtocht naar de haven kwam ik tot het inzicht dat ik mijn angsten moest leren beheersen als ik niet langer een kind wilde zijn. Want dat ben ik namelijk niet meer. Ik ben niet meer degene die op dit eiland aankwam. Die Camila is nu voor mij een vreemde, of nee, geen vreemde maar een vriendin die ik al heel lang niet heb gezien en van wie ik me afvraag hoe ze nu zal zijn, hoe ik dus eigenlijk zelf ben. Daarom zal ik vandaag nog beginnen me tegen mijn angst te verzetten. Andrés wacht in de kantine op me om te gaan zwemmen. Ik zal hem vragen me mee te nemen naar een plek waar het water heel diep is. Ik zal rustig zwemmen en mezelf niet kwellen met de gedachte dat mijn voeten heel ver van de bodem af zijn. Ik zal ook niet denken aan kwallen en aan alles wat er misschien onder me is. Ik zal alleen maar genieten en niet zenuwachtig worden, omdat ik zal weten dat zwemmen de enige manier is die we hebben om als vogels te vliegen.

Het was het uur van de siësta. In de lucht had zich een roerloze loomte genesteld, de kalme hitte van het heetst van de dag die het ademhalen bemoeilijkt en iedere activiteit onmogelijk maakt. Niemand op het eiland trotseerde de zon, zelfs niet in het legerkamp, dat er vanaf het plein gezien als een verlaten kazerne bij lag. In het noorden, hoog op de steile rots, zinderden de muren van het kasteel alsof aan de voet ervan onzichtbare vuren brandden. Het bevoorradingsschip was een tijdje geleden naar Palma vertrokken en het geluid van de wegvarende motor leek een diepe stilte na te laten. Op het plein zat Andrés nog steeds in de laadbak van de vrachtwagen, zich afvragend waar al die stilte vandaan kwam. Zelfs de vijgenboom, die normaal gesproken bij een zuchtje wind al ging ruisen, was veranderd in een boom van steen. Benito Buroy en kapitein Constantino Martínez hadden zitten praten onder de takken, die zwaar neerhingen en boven hun hoofden dreigden te zullen breken. Maar de twee mannen hadden zich nu teruggetrokken in hun kamers in de commandopost.

Camila was thuis en zat op een stoel in de schaduw op de veranda. Naast haar was haar moeder op een deken op de grond in slaap gevallen. Het meisje las een van de weinige boeken die ze in hun ballingschap hadden meegenomen, een roman die zich afspeelde in de negentiende eeuw en ging over de lotgevallen van een slavenhandelaar genaamd Pedro Blanco. Op dat moment voer Camila op een zee vol haaien voor de kust van

Sierra Leone. Het verhaal schokte haar geweten en prikkelde haar geest zodat ze, zich niet bewust van de warmte, voortdurend van houding veranderde. Haar voeten waren als wingerdranken om de poten van haar stoel gegleden, terwijl haar vrije hand in een trage beweging over de rietvezels heen en weer ging.

Een geluid in de verte haalde haar uit haar fantasiewereld. Ze hief haar hoofd en spitste haar oren in een poging te raden wat dat gedempte geluid was dat haar met tussenpozen bereikte. Even dacht ze dat ze in werkelijkheid niets gehoord had, maar het geluid kwam krachtiger terug en zwol even later aan tot een aanhoudend gerommel dat de lucht openscheurde. Camila stond op, legde haar boek op de stoel en liep naar het eind van de veranda. Toen zag ze een vliegtuig met een spoor van zwarte rook achter zich aan boven de bergen uitkomen en over de baai heen vliegen. Ze wierp een blik op haar moeder, die rustig door sliep, en draaide zich om naar het plein. Daar in de verte liep Felisa García, wiegend met haar stevige heupen en wapperend met een waaier.

De kantinehoudster, die ter verkoeling in de deuropening van de bar had gestaan, hoorde het vliegtuig pas toen het al praktisch boven haar was en ze bracht haar handen naar haar hoofd omdat ze dacht dat haar huis ging instorten. Ze begreep dat ze zich vergiste toen ze de stem van Paco hoorde, die zijn nek zo energiek had uitgerekt dat hij bijna van zijn stoel viel.

"Goddomme! Het is een Messerschmitt! En hij staat in brand!"

Felisa deed een paar stappen naar voren, deels om te zien of dat echt de oorzaak van het donderende lawaai was en deels om zich tegen een eventuele instorting te beschermen. Toen zag ze het vliegtuig, dat steeds meer hoogte verloor. Het vloog over de baai naar open zee en verdween achter het silhouet van het kasteel. De vrouw, wier hart ineenkromp bij het drama dat stond te gebeuren, verwachtte dat het geronk van de motor elk moment onderbroken zou worden door een gigantische explosie. Maar het geronk hield aan, wat Felisa de tijd gaf om te reageren. Ze holde naar de militaire commandopost om alarm te slaan. Er verscheen niemand bij de deur van het gebouw, maar de kantinehoudster zag op de galerij Benito Buroy die zijn hand als een zonneklep boven zijn ogen hield. Met haar waaier probeerde ze zijn aandacht te trekken.

"Waarschuw de kapitein!" riep ze. "Doe iets, sukkel!"

Benito Buroy lette niet op haar en hoorde haar geroep niet. Hij had het vliegtuig in een flits in de deuropening voorbij zien komen toen hij toesnelde om te kijken wat er aan de hand was, maar tegen de tijd dat hij het balkon bereikt had was het toestel al achter de helling van het kasteel verdwenen. Buroy veronderstelde dat het aan het keren was om te proberen een landing te maken in de kleine vallei die aan een kant van het kampement lag, en hij verwachtte hem zo weer te zien verschijnen. Inderdaad kwam het toestel even later weer terug, maar nu zo laag dat de rookpluim over het kalme water in de baai streek.

"Hij gaat het niet halen", mompelde Benito Buroy.

Vrijwel meteen daarop raakte het vliegtuig met zijn staart het water. Het kwam met een klap naar beneden, waarbij het een vleugel verloor die in zijn eentje een korte onsamenhangende vlucht maakte, en boorde zijn neus in zee, waardoor het in bijna verticale positie belandde. Toen kwam het heel zachtjes weer horizontaal te liggen, om zijn eigen as heen draaiend en met de vleugel die er nog aan zat naar de hemel wijzend. Zo bleef het midden in de baai drijven. Benito Buroy floot even en keek naar beneden, naar het plein dat kapitein Constantino Martínez met de onnadenkende tred van iemand die net wakker is kwam opstormen, onderwijl zijn uniformjasje dichtknopend en allerlei kreten slakend.

De militair probeerde in het wilde weg orders te geven, zonder te weten wat er aan de hand was. Een soldaat die achter hem aan kwam wees hem op het vliegtuig dat onbeweeglijk in zee lag, maar Felisa García, die dreigend met haar waaier zwaaiend kwam aanlopen, maakte hem pas goed wakker. De piloot moest onmiddellijk te hulp gesneld worden en de enige die dat doen kon was Lluent. De visser, die na een lange nacht werken een paar uur eerder uit Colonia de Sant Jordi was teruggekeerd, lag thuis te slapen. De kapitein stuurde de soldaat erheen om hem wakker te maken en ging zelf de trossen losgooien. Toen hij dat zonder erbij na te denken gedaan had, kon hij echter niet meer in de boot stappen omdat deze, bevrijd van zijn touwen, heel langzaam van de kade wegdreef als een stuk vee dat geen haast had om te gaan grazen. De militair, die weliswaar de hoogste gezaghebber op het eiland maar een echte landrot was, keek ernaar zonder zoiets absurds te begrijpen. Op dat moment arriveerde de soldaat gevolgd door Lluent.

"Breng die boot hier", beval hij zijn ondergeschikte.

De jongen aarzelde, niet wetend hoe hij moest gehoorzamen.

"Spring dan, verdomme!" legde de kapitein uit.

De soldaat kneep zijn neus dicht en wierp zich, na een aanloopje te hebben genomen, in het water. Aangezien hij niet kon zwemmen begon hij met zijn armen wild in het rond te maaien, maar hij had het geluk met een van zijn handen de zijkant van de boot te raken. Hij greep zich er zo gretig aan vast dat je zou denken dat hij hem wilde laten omslaan. Even later keek Lluent, die geen enkel gevoel voor humor had als het dingen van de zee betrof, de kapitein aan alsof hij van plan was hem de strot door te snijden, terwijl hij het vaartuig vasthield zodat de militair aan boord kon stappen. De soldaat bleef doornat in de houding op de kade staan.

"Vooruit, schiet op", zei kapitein Constantino Martínez. "Er staat iemand op het punt te verdrinken."

Lluent, die het vliegtuig gezien noch gehoord had, kon zich moeilijk voorstellen waar al die haast voor nodig was, maar hij had nog nooit in zijn leven om uitleg gevraagd en wilde daar op dat moment ook niet mee beginnen. Dus sprong hij in de boot, zette zich aan de riemen en begon te roeien.

"Daarheen, daarheen", gaf de kapitein aan, vaag naar voren wijzend.

De militair was op de boeg gaan zitten. Terwijl hij met beide handen de bovenkant van de voorsteven vasthield, spiedde hij bezorgd naar de vleugel van het vliegtuig die uit het water stak.

"Dat ding kan elk moment zinken. Ik hoop dat de piloot eruit heeft kunnen springen."

Lluent roeide stevig door, maar hij nam niet de moeite zich om te draaien om te zien wie ze gingen redden. Hij liet zijn blik over de huizen gaan die ze steeds verder achter zich lieten, opge-stapeld tegen de steile berg te midden van braakliggende terras-sen, de daken ingezakt alsof het rotsblokken had geregend. In een van die huizen – het huis dat het hoogst lag – ontdekte hij het gespannen silhouet van Camila.

Het meisje stond op de veranda en gebruikte haar handen bij wijze van verrekijker. Ze had gezien hoe het vliegtuig met zijn propeller door het water maaide voordat het toestel tot stilstand was gekomen. Even was het doodstil blijven liggen. Toen was de ruit van de cockpit, die net boven het water uit kwam, opengegaan en er was een man uitgeklommen die van het toestel weg begon te zwemmen. De boot van Lluent kwam langzaam naar hem toe geroeid. Toen de piloot besefte dat ze hem kwamen oppikken, hief hij zijn arm op en zwom niet langer in de rich-ting van de kust. Tegen die tijd was de cockpit van het vliegtuig al onder water verdwenen en maakte de staart zich los van het water, waarbij hij bij wijze van afscheid een hakenkruis toonde. Camila zag hoe de boot bij de piloot ging liggen en hoe kapitein Constantino Martínez hem aan boord hielp. Toen ging ze naar haar moeder en schudde haar zachtjes door elkaar om haar wakker te maken.

"Mammie, er is hiervóór een vliegtuig neergestort. Ik ga naar het plein."

Leonor Dot richtte zich op haar ellebogen op, maar Camila was al weggehold. De vrouw ging staan en keek naar de baai. Ze zag niets ongewoons, alleen de boot van Lluent die de kade naderde, schommelend op de kalme zee van de siësta. Ze sloeg haar blik naar de hemel op om met tegenzin de positie van de zon te bepalen. Ze vond niets zo vervelend als zwetend wakker worden. Ze ging naar binnen en waste haar gezicht onder de kraan. Daarna kamde ze haar haar en bekeek zichzelf ondertus-sen in het spiegeltje dat boven de wasbak hing. Ze tuitte haar lippen om te zien of ze gebarsten waren, bevochtigde ze met haar tong, hield haar eigen blik even vast in het kwik en draai-de zich ten slotte af met het vreemde gevoel dat ze zich losmaak-te van zichzelf. Haar rok rechttrekkend liep ze de weg op en ging achter haar dochter aan.

Bij de deur van de kantine kwam ze Felisa García tegen.

"Wat is er aan de hand?" vroeg ze.

"Hoezo wat is er aan de hand? Waar kom jij vandaan? ... Het is verschrikkelijk, Leonor. Er is een vliegtuig vol met bommen neergestort. We zijn met zijn allen bijna de lucht in gevlogen."

Op de kade stonden een paar soldaten. Paco en Camila stonden bij hen. De kantinehouder hielp Lluent de boot vast te leggen, terwijl het meisje een eindje verderop ging staan om naar de piloot van het verongelukte vliegtuig te kijken. Het was een lange, blonde man, die aan wal sprong en met grote verslagenheid de plek opnam waar hij terecht was gekomen. Hij zei iets in het Duits tegen kapitein Constantino Martínez, maar deze haalde zijn schouders op en riep een van de soldaten.

"Laat sergeant Ridruejo met een paar mannen de kluizenaar gaan halen. We hebben een tolk nodig ... Vooruit ... schiet op ... ze hadden al onderweg moeten zijn."

Paco, die het allemaal scherp in de gaten hield, meende dat het niet zo moeilijk zou zijn elkaar te begrijpen. Per slot van rekening, zo dacht hij, kwamen het Duits en het Spaans allebei voort uit het Latijn, net als alle talen op deze wereld. Bovendien was het Spaans op zichzelf een heel begrijpelijke taal, zoals iedereen met een beetje verstand kon getuigen. Dus posteerde de kantinehouder zich voor de piloot, die verbijsterd naar zijn vooruitstekende buik keek, naar de gouden ketting die in de dikke bos haar op zijn borst verstrikt zat en ten slotte naar zijn hoofd, dat werd bekroond door een paar dunne piekharen.

"U hebt geluk gehad!" zei Paco keihard, om beter begrepen te worden. "Het was een daverende klap! Jammer van uw toestel! Maar het belangrijkste is dat u veilig op Cabrera bent!"

Na deze welkomstwoorden sloeg hij hem een paar keer vriendelijk op zijn schouders. Toen hij zag dat zijn handen nat waren geworden, veegde hij ze snel af aan zijn broek. De piloot bleef hem even aandachtig aankijken, met een volstrekt ernstige en absoluut niet vriendelijke uitdrukking op zijn gezicht. Zonder ook maar enigszins zijn best te doen zoals Paco, bracht hij een paar totaal onbegrijpelijke woorden uit: *"Ich wäre Ihnen dank-*

bar, wenn Sie mir diesen Idioten vom Halse schafften und mir erlauben würden mich umzuziehen."

Hij moest iets zinnigs hebben gezegd, want zonder dat hij er iets van begrepen had kwam de kapitein onmiddellijk in actie. Hij wees naar het gebouw vanwaar Benito Buroy hen over de galerij heen hangend gadesloeg.

"Loop met me mee naar de commandopost. U zult een droog pak aan moeten ... en u zult de autoriteiten op de hoogte moeten stellen."

Even later bracht Constantino Martínez, staande bij de wandtelefoon, het hoofdkwartier in Palma op de hoogte van het voorval. De piloot, die met ontbloot bovenlijf en een handdoek om zijn middel aan het bureau zat, nam genietend een slok sherry. Toen het telefoongesprek beëindigd was, nam de militair plaats in zijn leunstoel. Hij keek naar het slachtoffer en voelde zich onwillekeurig een beetje minderwaardig naast die grote blonde man. Hij vond dat een bijzonder hinderlijke situatie, maar de Duitser, die inmiddels was bekomen van de schrik en zich begon te ontspannen, scheen het niet te merken. Met een flauwe glimlach hief hij zijn glas.

"Köstlich! ... Ich bedanke mich für Ihre Gastfreundschaft und für die Schnelligkeit mit der Sie mir zur Hilfe gekommen sind."

De kapitein veronderstelde terecht dat zijn gast de drank prees. Hij gooide zich naar achteren en liet zijn stoel kraken. Hij wist niet waar hij zijn handen moest laten en kruiste ze dus maar op zijn buik. Hij voelde zich zo ongemakkelijk dat hij besloot iets te zeggen, ook al was hij zich ervan bewust dat de ander hem niet zou begrijpen.

"Het is wijn uit Málaga, een typisch Spaanse wijn ... Ook in Spanje hebben we goede dingen, neem dat maar van mij aan."

De Duitser glimlachte opnieuw en boog zijn hoofd licht in een gebaar van dankbaarheid. Het was duidelijk een elegante man, misschien een rijke kerel die voor zijn plezier oorlogsmedailles verzamelde. Kapitein Constantino Martínez voelde zich lomp vergeleken bij hem, lomp en armzalig. Hij was ervan overtuigd dat de man een beeldschone vrouw had en een groot huis waar blonde kinderen met blozende wangen rondrenden. En misschien had hij ook wel een minnares in Berlijn, een heel donkere, exotische nachtclubdanseres die de vunze verlangens vervulde die iedere man koestert. Ja, daar was geen twijfel over mogelijk. Het leven van die Duitser ging over rozen, terwijl hij-zelf aan het verkommeren was op Cabrera in afwachting van een waardiger bestemming. Dat idee maakte hem razend.

"Ze hadden het toch goed zoals het was?" bracht hij uit, alleen maar om zich minder gekleineerd door die man te voelen die uiteindelijk in zijn handen was. "Ach, Heer, waar zullen we nu weer in verzeild raken?"

"*Danke! Danke!*" herhaalde de ander.

En op dat moment, net toen hij zijn glas hief en het leeg wilde drinken, ontdekte de Duitse piloot het stralende gezicht van Camila aan de andere kant van het raam. Het meisje maakte een sprongetje toen ze zag dat ze betrapt was en holde naar de kantine. Leonor Dot stond aan de bar met een kop cichorei in haar handen. Felisa García, die aan de andere kant van het marmeren blad stond, zag Camila als een wervelwind binnenstormen. Ze wilde iets zeggen, maar het meisje was haar voor en riep hij-gend: "Hij is heel knap! Hij lijkt wel een prins!"

De kantinehoudster trok haar wenkbrauwen op en richtte zich hoofdschuddend tot Leonor Dot.

"Als je het mij vraagt, ontbreekt het deze jongedame aan gezelschap."

"Met mij, Benito. Met Otto, of wat er van hem over is."

Een soldaat was naar de kantine gekomen om Benito Buroy te zeggen dat er telefoon voor hem was. Deze ging naar de com-mandopost in de mening dat het de commissaris was. Kapitein Constantino Martínez en de Duitse vliegenier zaten sherry te drinken in het kantoor en keken elkaar aan zonder te weten wat ze moesten zeggen. De militair gebaarde naar Buroy dat hij de hoorn, die aan de muur bungelde, snel moest opnemen. Hij gehoorzaamde in de verwachting het geschreeuw van de politie-man te zullen horen, maar in plaats daarvan klonk er een zacht gejammer. Otto Burmanns stem trilde en had een vreemde klank. Het leek alsof hij met een kussen voor zijn gezicht praatte.

"Hoe ben je aan dit nummer gekomen?" vroeg Benito Buroy.

"Ik weet niet wat je allemaal aan het doen bent, maar ik heb er zo genoeg van. Je bent een misbaksel. Een dezer dagen spring ik uit het raam. Ik zweer het je bij alles wat me heilig is, ik spring uit het raam en dat was het dan."

Benito Buroy sloot zijn ogen. In de afgelopen twee weken was hij eraan gewend geraakt zonder Otto Burmann te leven en hij begon hem al als een vreemde te zien. Terug in Palma zou hij een flat en ander werk moeten zoeken, van omgeving moeten veranderen. Dit in het steeds onwaarschijnlijker geval dat de commissaris hem niet weer in de gevangenis van Burgos zou opsluiten en hem zou toestaan zijn leven te hervatten.

"Ik heb het heel druk", zei hij, waarbij hij probeerde geen intimiteit in zijn stem te laten doorklinken. En hij deed zijn eigen afstandelijkheid meteen weer teniet door eraan toe te voegen: "Wat wil je, verdomme?"

Aan de andere kant van de lijn klonk weer gejammer. Van alle dingen die hij niet was en die toch zijn manier van leven vormden, voelde Otto Burmann zich het prettigst in de rol van in de steek gelaten dier.

"Het was verschrikkelijk, Benito. De commissaris is hier geweest met een aantal agenten. Die man is door de duivel bezeten. Eerst heeft hij me voor van alles en nog wat uitgemaakt, voor flikker en ik weet al niet wat, je hebt echt geen idee. Vervolgens zijn ze in de bar tekeergegaan, ze hebben flessen op de grond gegooid en stoelen en tafels tegen de muren kapotgeslagen. Hij heeft gezegd dat de bar verzegeld blijft omdat het hier een aanslag is op de goede zeden, en dat als jij komende woensdag niet terugkomt hij je persoonlijk zal gaan halen … Maar dat was het ergste niet, Benito."

"Is er dan nog meer?"

"Ze hebben me geslagen. Mijn neus zit vol watten, omdat het bloeden maar niet stopt. Ik durf niet eens in de spiegel te kijken. Ik moet er verschrikkelijk uitzien, en dat is allemaal jouw schuld, ik ben het zo zat."

Benito Buroy klakte met zijn tong en keek bezorgd naar de grond. Het was absurd om te hopen dat ze hem zouden vergeven dat hij Markus Vogel niet had gedood. Nooit zou hij zijn vroegere leven weer kunnen oppakken.

"Het spijt me, Otto. Ik heb problemen gehad. En de commissaris is een klootzak, dat weet je."

"Dat kan wel wezen, maar hij komt hier vanwege jou. Vanwege jou en die zaakjes waar jullie mee bezig zijn, ik moet er niet aan denken wat jullie allemaal uitspoken. Want een normaal mens als ik begrijpt al dat stoere gedoe en al die slechtheid niet. Jullie zijn slecht, en jij bent net zo slecht als hij, dat weet ik zeker. Ik vraag me af wat iemand die niets anders doet dan klappen uitdelen en andere mensen beledigen, gelukkig maakt. Wat maakt jou gelukkig, Benito?"

Otto Burmann wachtte niet lang op een antwoord, omdat hij wist dat dat toch nooit zou komen.

"Ik wil dat je weet dat het mij gelukkig maakte bij jou te zijn", ging hij verder. "Zo simpel zijn de dingen voor een fatsoenlijk mens ... Maar het kan me allemaal niet meer schelen, je kunt niet tegen elke prijs doorleven. Ze hebben mijn zaak verwoest, ik zie er beestachtig uit met die gezwollen neus en ik voel me zo vernederd dat ik verdomme in één klap overal een eind aan maak."

Benito Buroy bedacht dat hij wel heel slecht door het leven moest gaan als Otto Burmann, de meest wanhopige persoon die hij kende, zich vergeleken bij hem een normaal en fatsoenlijk mens vond. En het ergste was dat hij daar niet alleen niets tegen in kon brengen, maar het er nog mee eens was ook. Hij had ondraaglijk het land aan zichzelf. Maar wat deed het er allemaal toe. Het was een kwestie van dagen en dan zou hij dood zijn of weer in de gevangenis zitten. Hij bedacht dat hij Otto Burmann ervan moest overtuigen dat hij het beste naar Duitsland terug kon gaan. Maar niet op dat moment.

"Doe geen domme dingen, ik smeek het je. Aanstaande woensdag ben ik weer in Palma. Dan zal ik voor je koken. Alles wordt weer net als vroeger, maak je geen zorgen. En de bar zullen we weer opknappen, die had toch een flinke opknapbeurt nodig."

Er viel een lange stilte. Benito Buroy voelde zich onrustig.

"Otto?"

"Sorry, ik moest even bloed wegvegen … Zei je dat je ging koken? Maar jij hebt nog nooit een pan vastgepakt … Jij weet niet eens hoe leuk het is om te koken voor de mensen van wie je houdt."

Sergeant Ridruejo kwam met Markus Vogel aanzetten toen het al donker begon te worden. De kluizenaar wist dat hij zich niet voor de soldaten kon verbergen, want er waren er genoeg om het hele eiland af te stropen en hem binnen een paar uur te vinden. Toen hij stemmen hoorde, was hij dan ook zijn grot uit gekomen in de mening dat het moment was aangebroken om zijn lot onder ogen te zien. De sergeant had hem niet willen vertellen waarom hij naar de commandopost moest komen en dat leek hem een heel slecht teken. Waarschijnlijk had Benito Buroy hen gestuurd, en als dat zo was, als de commandant van het detachement onder één hoedje speelde met de man die hem moest vermoorden, kon Markus Vogel zichzelf als verloren beschouwen. Tot dan toe hadden de militairen zich tegenover hem dan misschien niet hartelijk betoond, ze hadden in elk geval geen belangstelling voor hem gehad en hem met rust gelaten. Dat was het beste wat hem kon overkomen. Dat de Spanjaarden hem daarheen hadden verbannen was uiteindelijk een onverwacht geschenk gebleken. Hij had genoeg van het leven dat hij leidde. Toen ze hem vier maanden geleden hadden aangehouden, wist hij niet meer wie hij eigenlijk was of waar hij mee bezig was toen hij het Palace Hotel in Madrid uit kwam in gezelschap van een met sieraden behangen vrouw die wat dan ook kon zijn. Hij liep al heel lang verloren rond, met als enig doel buiten schot van beide kampen te blijven. In die tijd kon hij in de hoofdstad onmogelijk de slaap vatten, terwijl hij op Cabrera perfect sliep. Als hij daar door een wonder levend vandaan zou komen, zou hij zich voorgoed op een van die eilanden vestigen. Hij zou riet planten bij het raam van zijn slaapkamer, en hij zou een waterbassin in de tuin hebben en een hoge muur die hem van de buitenwereld scheidde. De buitenwereld in de breedste zin van het woord. En hij zou nooit meer naar Duitsland terugkeren.

Dat waren de gedachten van Markus Vogel toen sergeant Ridruejo en hij aankwamen bij het gebouw van de militaire commandopost. De kapitein, die in zijn kantoor zat te wachten, kwam overeind toen hij hen zag binnenkomen.

"Dank je, Ridruejo, je kunt je terugtrekken … En u moet ik om een gunst vragen. Een Duitse piloot is met zijn vliegtuig bij dit eiland neergestort. Gelukkig is hij ongedeerd, maar ik heb nu een tolk nodig … Hij zit in de kantine op ons te wachten. Ik stel voor dat we samen met hem het avondeten gebruiken."

"Ik zal u met alle genoegen helpen", antwoordde Markus Vogel, die tot zijn opluchting ontdekte dat zijn angst ongegrond was. De militair speelde niet onder één hoedje met Buroy. Maar hij had hem wel gedwongen zich in het hol van de leeuw te begeven, al was hij zich daar niet van bewust. Benito Buroy zou blij zijn hem in het dorp te zien.

De piloot zat met een glas wijn in de hand op de galerij. Hij had een ongeduldige uitdrukking op zijn gezicht en dat was niet verwonderlijk, want Paco stond wijdbeens naast hem en leuterde waarschijnlijk al een tijd gezellig tegen hem aan. Aan de gemoedelijke toon waarop de kantinehouder met hem omging, was duidelijk te merken dat hij hem inmiddels als een goede vriend beschouwde.

"Kijk!" riep hij. "Daar komen ze! Dan kunt u eindelijk een stevige soep naar binnen werken! Vandaag is die van bruine bonen! Brui … ne … bo … nen!"

Kapitein Contstantino Martínez bleef voor hen staan. Omdat hij niet goed wist wat hij doen moest, stak hij zijn handen naar de twee Duitsers uit om ze aan elkaar voor te stellen. Nadat de piloot van zijn zitplaats was opgestaan, begroetten ze elkaar kort. Toen wachtten ze verder af. Natuurlijk had Paco zijn mond allang weer opengedaan voordat de kapitein zich zelfs maar gerealiseerd had dat er van hem verwacht werd als gastheer op te treden.

"Het is een aardige vent! Het lijkt wel alsof hij met een aardappel in zijn mond praat, maar hij is heel aardig. Het is goed gezelschap!"

"U hoeft niet zo te schreeuwen", gaf Markus Vogel hem te verstaan. "Wij begrijpen u toch wel en het zal hem niet veel helpen."

"Maar hij … hij heeft alles begrepen wat ik zei. Hij heet Herman… Komt u binnen, dan zal ik een tafel voor u gereedmaken."

Toen Markus Vogel de kantine binnenkwam, zag hij Benito Buroy aan een tafel achterin zitten. Hij nam met zijn rug naar hem toe plaats, en de drie mannen gingen eten. Kapitein Constantino Martínez voelde zich zeer ongemakkelijk, want in plaats van zijn taak te vervullen raakte de tolk in een lang gesprek met de piloot gewikkeld zonder ook maar één zin in het Spaans te vertalen. Soms verhieven ze hun stem alsof ze het oneens waren en dan draaide de kapitein, die met zijn gezicht naar de muur zat, zich met een hulpeloze blik om naar de overige gasten in de bar. Maar niemand kon iets voor hem doen, en zo verliep de maaltijd met de twee mannen gewikkeld in wat een goed beargumenteerde discussie leek en de rest van de aanwezigen zwijgend en met gespitste oren luisterend naar iets wat ze niet konden begrijpen.

Ten slotte, nog voor hij zijn soep op had, stond Markus Vogel op.

"Het spijt me, kapitein. Ik geloof dat deze heer en ik over vrijwel elk onderwerp van mening verschillen. Het spreken van dezelfde taal maakt de communicatie soms alleen maar moeilijker … Hij is luitenant Hermann Schmidt, van de Luftwaffe. De Engelsen hebben hem geraakt. Hij verzoekt onmiddellijk gerepatrieerd te worden op grond van de door onze beide landen getekende akkoorden. Ook vraagt hij of de luchtvaart-attaché van het Duitse consulaat op Mallorca zich over zijn vliegtuig mag ontfermen."

"Dat is niet mogelijk. Het vliegtuig dient in bewaring te blijven en dat is voorlopig nog een heel karwei."

"Ik geef u alleen maar zijn wensen door. En dan zou ik nu, met uw permissie, graag aan een andere tafel gaan zitten."

De kapitein keek hem verschrikt aan, alsof Markus Vogel hem wilde achterlaten op een feest waar hij niemand kende. Zijn militaire trots hielp hem echter zich meteen te vermannen.

"U kunt gaan en staan waar u wilt, als u het eiland maar niet verlaat", antwoordde hij geërgerd.

Zijn weinig bereidwillige tolk liep naar de tafel waaraan Leonor Dot en Camila zaten. Zij waren al klaar met eten.

"Als jullie zin hebben, daag ik jullie uit voor een potje domino."

Camila's gezicht begon te stralen van blijdschap, maar meteen hield ze zich in.

"Dan hebben we nog iemand nodig", antwoordde ze, terwijl ze met geveinsde tegenzin opstond. "Ik ga kijken of Lluent wil meedoen."

Het meisje liep naar de bar, waar de visser een glas brandewijn stond te drinken. Ondertussen nam de kluizenaar plaats bij Leonor Dot, die hem met een glimlach verwelkomde. Buiten klonk een zware windvlaag en vervolgens galmde de zware stem van kapitein Constantino Martínez door de bar. Ook hij scheen besloten te hebben zich luidkeels verstaanbaar te maken.

"U zult geduld moeten hebben! Begrijpt u? Ge... duld!"

Het voornaamste verschil tussen domheid en intelligentie is dat intelligentie niet besmettelijk is, dacht Markus Vogel. Deze gedachte moest van zijn gezicht zijn af te lezen, want Leonor Dot begon zo spontaan te lachen als ze lang niet meer gedaan had.

Hij moest zich erbij neerleggen dat hij een week moest wachten in dat van god verlaten oord waar je niet eens met de plaatselijke bewoners kon converseren. Niet dat hij daar nu veel zin in had, want hij had weinig belangstelling voor die mensen en wilde maar één ding en dat was terug naar Berlijn. Dan zou hij zich zo snel mogelijk weer bij het leger melden en kon hij misschien wel bij de verovering van Engeland zijn. Sinds hij om politieke redenen met zijn ouders had gebroken, was Hermann Schmidt een man zonder familie en wijdde hij zich uitsluitend aan zijn militaire carrière. Hij zag zichzelf als een rechtschapen persoon met duidelijke ideeën. Hij meende oprecht dat het mogelijk was een nieuw arisch Duitsland te vormen, machtig zoals het altijd had moeten blijven en vrij van sjacheraars en gedegenereerde types. En dat hij daarvoor streed was geen kwestie van zuiver altruïsme of vaderlandslievendheid. Het behoorde tot zijn plannen ooit vrouw en kinderen te hebben, maar dat wilde hij pas als hij de wereld waarin ze moesten leven goed had ingericht. Aan niets had Hermann Schmidt zo'n hekel als aan wanorde en willekeur, en dat waren nu juist de kenmerken van de wereld waarin hij geboren was. Zijn jeugd had plaatsgevonden aan de zijde van een vader met een slap karakter, die zijn bedrijf in elektrische onderdelen te gronde had laten gaan terwijl hijzelf naar muziek van Schubert of Mahler luisterde, en een moeder die altijd over haar toeren was en geen lawaai en geen licht kon verdragen. Maar hij was anders. Van jongs af aan wilde hij graag beslissingen nemen, en hoe drastischer die beslissingen waren hoe beter. Hij vond het een geruststellende gedachte dat hij elk probleem voorgoed kon oplossen. Zijn stelregel luidde: problemen dienen zodanig te worden opgelost dat ze zich niet opnieuw voordoen. Iedere andere houding was niets anders dan hypocrisie of laksheid vermomd als eeuwige strijd, zoals de flauwe pogingen van zijn vader om de chronische crisis in zijn bedrijf te bestrijden of de vermoeide gelaatsuitdrukking van zijn moeder bij het ondernemen van iedere activiteit. Eén keer, in zijn puberteit, had hij een geweldige ruzie met haar gehad. Ze leed aan geen enkele ziekte maar was al twee dagen haar bed niet uit gekomen. Hij had gezegd dat het met zulke vrouwen altijd slecht zou blijven gaan in Duitsland. "Ik heb geen idee hoe jij wilt leven", had zijn moeder geantwoord zonder haar hoofd van het kussen op te heffen, zonder de moeite te nemen hem aan te kijken, "en het interesseert me ook niet. Ik word al moe als ik erover na moet denken." Twintig jaar na dit voorval was Hermann Schmidt geen slecht mens geworden, maar hij had wel een overdreven opvatting gekregen over de offers die hij bereid was zelf te brengen en die hij anderen wilde opleggen. Vooral dat laatste, want het stond buiten kijf dat hij deel uitmaakte van de uitverkorenen die de wereld zouden bevolken die zijn moeder te vermoeiend vond om zich voor te stellen.

Gezien de weinige alternatieven die zijn verblijf op Cabrera hem bood, besloot hij die ochtend een wandeling door de bergen te maken. De hitte op het eiland was ondraaglijk en de vegetatie zo schaars dat hij er droefgeestig van werd, maar hij was niet van plan onder de pergola te gaan zitten dommelen zoals iedereen daar deed. Hij liep de weg naar het kasteel op om de resten van de muren te bekijken. Toen hij bij de ruïne aankwam, plakte zijn overhemd aan zijn lichaam van het zweet en waren zijn mouwen doorweekt, omdat hij daarmee voortdurend zijn voorhoofd had afgewist. Boven op een toren die nog overeind stond zag hij twee soldaten staan praten, zonder enige aandacht te schenken aan de wijde horizon die voor hen lag. Ze hadden hem ook niet opgemerkt, ondanks het feit dat hij geen moment geprobeerd had zijn aanwezigheid te verbergen. Hun stemmen bereikten hem met een lichte galm, alsof de mannen in een afgesloten ruimte stonden te praten.

Er was geen bebouwing aan de andere kant van de baai, slechts een oude gehavende vuurtoren die bij dag niet in staat leek enig licht te verspreiden. Onder aan de klif die de half verwoeste muren van het kasteel droeg, was de zee zo doorzichtig dat de rotsen en de algen op de bodem duidelijk zichtbaar waren. Hermann Schmidt zocht met zijn blik het silhouet van zijn vliegtuig, maar hij kon het niet vinden. Daar zou het blijven, weggezonken in het water, totdat zijn landgenoten het kwamen ophalen. Alles op dat eiland leek geworteld in een voorbije tijd die nooit meer terug zou komen en waar vrijwel niets van over was, afgezien van wat er was achtergelaten door degenen die daar ongewild waren beland en die, net zoals hij zou doen wanneer die verdomde boot hem kwam halen, zodra ze de kans hadden gekregen hun weg hadden vervolgd.

Toen hij zich had omgedraaid om naar het plein terug te gaan, ontdekte hij het kleine kerkhof aan de andere kant van de helling. Ook zag hij het silhouet van Andrés, verscholen achter de scheefgewaaide stam van een zavelboom. Toen hij merkte dat de piloot in zijn richting keek, dook de zoon van de kantinehoudster met zijn hoofd weg, waarbij zijn rug zichtbaar bleef.

Hermann Schmidt liep langs de muren van het kasteel in de richting van de begraafplaats. Vlak in de buurt bleef hij staan bij een plek waar de aarde onlangs was omgewoeld. Dat was ongetwijfeld een graf. Hoewel er niets op stond, had iemand er een bos inmiddels verwelkte bloemen op gelegd. De Duitser zou makkelijk over de muur heen hebben kunnen kijken om het hele kerkhof te overzien, maar hij duwde het hek open en liep een eindje het terrein op, zich verbazend over de deplorabele staat waarin het verkeerde. Het leek onbegrijpelijk nonchalant te zijn omgeploegd. Overal groeide wilde peterselie vermengd met ander onkruid. Sommige van de primitieve, uit steen gehouwen gedenkplaten en kruizen waren op de grond gevallen of tegen de muur gezet. Het zou onmogelijk zijn de graven te identificeren. Uit de dorre stukken grond staken lange, witte botten, versplinterd als hout dat heel lang in zee heeft gedreven.

Hermann Schmidt verliet het kerkhof en liep naar het terrein erachter. Toen hij uit het zicht was, maakte Andrés van de gelegenheid gebruik om naar het hek te gaan. Hij leunde met zijn rug tegen de stenen muur. Heel voorzichtig, worstelend om zijn gejaagde ademhaling te bedaren, liep hij naar de hoek waar de Duitser was verdwenen. Hij bleef doodstil staan om te luisteren of een geluid de aanwezigheid van de man verried. De stilte was zo intens dat hij de vogels en de zee niet hoorde, alleen maar zijn eigen gehijg. Heel langzaam stak hij zijn hoofd om de hoek. Maar voordat hij de tijd had om iets te zien, voelde hij een klap in zijn nek alsof er een steen uit de muur was komen zetten. Het was de hand van de piloot die hem vastgreep en hem op zijn knieën dwong. Hoog boven hem klonk een keiharde, woedende stem. Ongetwijfeld uitte deze een dreigement, maar Andrés begreep niet wat er gezegd werd.

Hij liet een dierlijk geloei horen. Vanuit zijn ooghoeken had hij gezien dat de ander een stok in zijn hand had. De mond van de jongen vulde zich met speeksel, met een borrelend kwijl dat hij tevergeefs probeerde uit te spuwen. Vermengd met maagzuur bleef die bruisende massa aan zijn lippen kleven. Hij jammerde opnieuw, terwijl de man door bleef schreeuwen en hem met de stok bleef bedreigen. Toen braakte hij met een hevige kokhalsbeweging een gelige massa uit, en meteen voelde hij zich beter, voelde hij zich licht als een veer, vrij van angst en rustiger.

Een verregaande onverschilligheid benevelde zijn geest.

De hand die hem bij zijn nek vasthield liet los. De Duitser had een kreet van walging geslaakt. Andrés was op handen en voeten blijven zitten, met zijn blik naar de met braaksel bedekte grond gericht. Hij bekeek zijn bevuilde duimen. Hermann Schmidt begreep niet dat de jongen, nu hij hem had vrijgelaten, niet wegrende. Maar Andrés was niet in staat te reageren. Hij dacht dat hij de rest van zijn leven afgeranseld zou worden en zat doodsbang en gelaten op de eerste klap te wachten.

De piloot kon het niet langer aanzien. Hij tilde zijn voet op, gaf met de onderkant van zijn laars een duw tegen Andrés' zij en liet hem op zijn kant rollen. Toen reageerde de zoon van de kantinehoudster wel. Hij tastte met zijn handen zoekend naar de laars die hem had omgeduwd en kwam overeind met een angst die zijn armen elektriseerde. Hij keek om zich heen met de krampachtig starende blik van een blinde en begon de helling af te rennen naar de zee.

Met de stok nog in zijn hand zag Hermann Schmidt hoe hij struikelend en uitglijdend over stenen weghollde. Dat alles vond hij niet prettig, dat was geen goed voorteken. Hij voelde zich ineens diep terneergeslagen. Hij gooide de stok weg en zocht steun tegen de muren, alsof zijn krachten het begaven.

Benito Buroy begon aan het oppervlakkige leven te wennen. Hij sleet zijn dagen met als enig aandachtspunt het strikken van zijn veters, en met als enige zorg – die hij van zich af probeerde te zetten om zich niet door fatalisme te laten meeslepen – de wetenschap dat hij aan de laatste dagen van zijn verblijf op het eiland bezig was. Want als er één ding duidelijk was na de brute inval van de commissaris in zijn bar in Palma, dan was het dat deze geen uitstel meer zou dulden. Hoewel zijn verblijf op Cabrera hem zo ver van Otto verwijderd had dat hij zich niet eens meer kon voorstellen hoe deze met zijn felgekleurde schort een van zijn gerechten bereidde of met de buurvrouw aan het ruziën was, wilde hij ook niet dat door zijn toedoen Otto nog meer kwaad zou worden aangedaan. Niets kon Buroy ervoor behoeden dat hij op de volgende boot naar Palma terug zou keren. Maar die dag was pas over een volle week, met zijn uren die stillagen als dode alen.

Soms lichtte hij zijn matras op en keek gedurende een moment dat eindeloos leek te duren naar het pistool. Op zijn knieën, met zijn vingers begraven in de matras, werd hij overvallen door herinneringen waarvan hij dacht dat ze voorgoed waren uitgewist. Dan sloot hij zijn ogen en zag zichzelf juichend van vreugde in het wilde weg schieten op schaduwen die midden in de nacht door een bos bij Teruel voor hem wegvluchtten. Hij zag zichzelf een bar in de buitenwijken van Barcelona binnengaan, naar een tafel lopen waaraan canasta werd gespeeld en een schot afvuren op het voorhoofd van een oude man die hij herkend had aan de wijnvlek op zijn wang. Hij zag zichzelf een vrouw met geweld uit haar huis halen en haar tegen de muur op de overloop van het trappenhuis vastzetten, haar ademhaling aangepast aan de zijne, haar trillen van paniek dat zich vermengde met de geur van haar haar, terwijl er binnen kreten en schoten klonken. Hij zag zichzelf in alles wat hij geweest was zonder zichzelf te herkennen, alsof zijn geheugen verwisseld was met dat van iemand anders.

Op die manier liet hij de dagen verstrijken, die op het doodstille Cabrera eeuwig en vluchtig tegelijk werden. Hier kon hij zich de luxe permitteren zich bezig te houden met zaken waaraan hij geen herinnering zou bewaren, te geloven dat hij niet die man was die zijn verleden niet kon vergeten. Hij stopte nu al zijn energie in het oplossen van problemen die hij onder normale omstandigheden onbelangrijk zou hebben gevonden. De kwestie van zijn kleding, bijvoorbeeld, was nu onbeduidend noch banaal, want hij was naar het eiland gekomen met één stel schone kleren en hij zat daar nu al twee weken. Kapitein Constantino Martínez had hem de wasruimte van het kampement aangeboden, maar die had hij maar één keer, een paar dagen na zijn aankomst, gebruikt. Het troebele water in het wasbekken werd zelden ververst en was hem geweldig tegen gaan staan. Later ontdekte hij dat hij zijn vuile kleren veel beter aan de takken van de vijgenboom te luchten kon hangen. Dat deed hij 's nachts, als het plein gedompeld was in een stilte die slechts verbroken werd door het onvaste geneurie van Lluent, en voordat het licht werd stond hij dan op om ze daar weer weg te halen. Door een of andere merkwaardige tovenarij werden zijn kleren door de vijgenboom gestreken en gingen ze lekker ruiken, want bij iedere beweging gaven ze een frisse, plantaardige geur af. In zijn naar plantensappen geurende kleren was hij nog een paar keer met Lluent meegegaan om vaten in de golven te gooien. Benito Buroy vond het een leuk idee dat hij de monsters van de geschiedenis voedde vanaf dat verloren eiland, vanuit het niets, vanuit zijn nieuwe bestaan van middelmatig man zonder herinneringen.

Het vervelende was dat hij begon te genieten van dat zinloze leven. Hij was zelfs de maaltijden gaan waarderen. Felisa García bekeek hem niet langer als een indringer, vooral dankzij het voorval met de bloemen. Op die ochtend dat ze naar het kerkhof waren gegaan had Benito Buroy het voor het eerst sinds heel lang, misschien doordat hij afstand van zichzelf had genomen, gewaagd een moreel oordeel uit te spreken. Sindsdien bekeek de kantinehoudster hem met de blik van iemand die een ongewone beweging in een lege kamer ontdekt. Ze deed niet hartelijk tegen hem, uiteraard niet, maar ze ging voor hem staan en nam hem aandachtig, met ingespannen blik op, alsof Benito Buroy heel ver weg was en het haar moeite kostte hem te ontwaren. Het resultaat, hoe kon het ook anders, was dat de porties van zijn maaltijden groter werden en er lekkere stukjes vlees in zijn soep zaten. Benito Buroy bezweek toen voor de hem ongekende neiging te denken dat het helemaal niet zo vervelend was om met andere mensen op goede voet te staan. Hij groette nu in het voorbijgaan en vertoonde een halve glimlach als er iemand naar hem keek, alsof hij onder zijn matras geen pistool verborg waarmee hij een man zou hebben gedood als hij hem had weten op te sporen. Maar één ding was zeker en dat was dat iedereen daar een oorlog verloren had, hetzij dat hij veel in de oorlog verloren had of er weinig profijt van had gehad, wat niets anders is dan twee verschillende kanten van een en dezelfde nederlaag, en Benito Buroy begon zich op zijn gemak te voelen met die mislukkelingen, hij begon zich thuis te voelen.

Misschien iets te overmoedig had hij die avond een stap durven zetten waarover de anderen en ook hijzelf stomverbaasd waren. Hij had in de kantine zitten eten, in zijn eentje aan zijn gewone tafel. Leonor Dot en haar dochter zaten bij het raam. Plotseling was kapitein Constantino Martínez in gezelschap van de Duitse vliegenier binnengekomen, gevolgd door Markus Vogel. Daar, pal voor zijn neus, stond de man die hij maar niet kon vinden. Maar ze bevonden zich op neutraal terrein en de kluizenaar wist dat. Hij liep ogenschijnlijk rustig tussen de tafels door en nam zelfs de vrijheid hem met een hoofdbeweging te groeten, voordat hij hem de rug toekeerde en ging zitten. De drie mannen aten gezamenlijk, waarbij de Duitsers in gespannen beraad waren. Ze spraken in hun eigen taal, maar het was duidelijk dat ze het niet met elkaar eens waren. Zichtbaar ongemakkelijk omdat hij niet verstond wat ze zeiden, speelde de kapitein met zijn glas en mompelde op dreigende toon: "Er zal toch iets met al deze mensen moeten gebeuren, er zal toch iets moeten gebeuren." Hij zei het slechts om gehoord te worden en zijn gezag niet te laten aantasten, want hij wist niet hoe hij zich uit deze benarde situatie moest redden. Dat deed Markus Vogel voor hem door onverwachts op te staan. Hij bracht de kapitein de wensen van de piloot over en vroeg toestemming zich terug te trekken. Toen hij die had gekregen liep hij, na een ontwijkende blik op Benito Buroy te hebben geworpen, naar de tafel van Leonor Dot en haar dochter en stelde hun voor een spelletje domino te spelen. Verschanst achter zijn onverbiddelijke eenzaamheid zag Buroy hoe het meisje naar de bar liep om Lluent te vragen met hen mee te doen, zodat ze twee aan twee konden spelen. Maar de visser keek haar met waterige ogen aan, stamelde een onsamenhangende zin en stak een hand met trillende vingers uit om haar een schouderklopje te geven. Die avond had hij meer gedronken dan anders, en vergeten bordeelgeuren versuften zijn geest.

Zonder erbij na te denken stond Benito Buroy op en liep naar de tafel van de teleurgestelde dominospelers.

"Ik wil de vierde man wel zijn", stelde hij voor, "als jullie daar geen bezwaar tegen hebben."

Markus Vogel keek hem verbaasd aan, maar knikte. Leonor Dot reageerde echter heel gespannen, als iemand die weet dat er allerlei macabere dingen gaan gebeuren en die niets kan doen om ze te voorkomen. Ze woelde tussen de stenen alsof ze iets kwijt was en daar verwoed naar zocht. Sinds die vrouw hem tijdens zijn gesprek met Markus Vogel verrast had, vermoedde hij dat ze wist dat hij naar Cabrera was gekomen om de Duitser te vermoorden. Hij liet zich daardoor niet afschrikken.

"Mag ik?" vroeg hij nogmaals, terwijl hij de rugleuning van de lege stoel vastpakte.

Camila, die na haar vruchteloze poging weer was gaan zitten, trok een geweldig gelaten gezicht.

"Goed", antwoordde ze, "maar ik ga met Markus."

Benito Buroy ging zitten op de plek die hem toekwam, tegenover Leonor Dot. Hij probeerde haar blik te vangen. De vrouw was opgehouden met stenen schudden. Met een lok over haar voorhoofd gevallen, pakte ze met dwangmatige gebaren haar stenen en trok ze met haar vingertoppen naar zich toe alsof het gloeiende kooltjes waren. Ook Buroy voorzag zich van stenen en constateerde dat hij dubbel zes had. Gedreven door het instinct om zich aan te passen dat zijn nieuwe, onbeduidende leven beheerste, begon hij tegen zijn spelpartner te praten.

"We redden het wel, maakt u zich geen zorgen", zei hij.

Toen Leonor Dot dat hoorde, sloeg ze eindelijk haar blik op en ontmoette de zijne. Een paar seconden lang kruisten hun blikken elkaar, die van Benito Buroy vriendelijk, de hare geïntrigeerd, totdat hij de eerste steen op tafel legde.

"Hè, verdomme!" riep het meisje. "Ik heb geen zessen."

"Camila ..." zei haar moeder vermanend, zonder haar stem te verheffen.

"Maar het is niet eerlijk."

"Dat zijn zoveel dingen niet ... Zeg dat je past en zeur niet."

Leonor Dot en Benito Buroy verloren drie spelletjes achtereen, maar zij was er met haar hoofd niet bij en ook hij was met zijn gedachten steeds verder van het spel afgedwaald. De wonderbaarlijke verschijning van Markus Vogel, het feit dat hij nu naast hem zat, deed langzaam maar zeker in hem de stakker weer tot leven komen die hij eigenlijk was, de lafaard die zich achter in een loopgraaf had uitgekleed, altijd tot alles bereid om niet een nog hogere prijs voor zijn nederlaag te hoeven betalen. Naarmate de avond vorderde begreep hij dat hij zijn lafheid moest aanvaarden, dat niets hem zou kunnen tegenhouden een kans te benutten om zichzelf te redden, hoe klein die kans ook was, en al helemaal niet als die kans uit de hemel kwam vallen. Er was geen reden om iets anders te denken. Hij verliet als eerste de kantine en liep naar de commandopost, vastbesloten zijn plicht te vervullen. Hij zou Markus Vogel niet nog een keer binnen handbereik krijgen. Ook kon de angst voor zijn herinneringen, de mogelijkheid dat hij zich daarin niet zou herkennen, hem niet weerhouden. Hij kon zich bijna zijn hele leven al nergens in herkennen, en zijn redding was belangrijker dan een kwaad geweten. Zijn redding, en ook de plicht om zichzelf te blijven, want noch de commissaris, noch Otto Burmann, noch ieder ander die hem kende zou hem toestaan een ander mens te worden, een gewoon mens zonder wonden in zijn geheugen.

Hij ging naar zijn kamer en haalde het pistool onder de matras vandaan. Uit pure routine haalde hij het magazijn eruit en controleerde de kogels voordat hij hem onder zijn riem stopte. Toen ging hij naar buiten. Na een korte aarzeling liep hij om het gebouw van de commandopost heen en zocht een plek om zich in de beschutting van de afgraving te installeren. Hij nam plaats op een rotsblok en leunde met zijn rug tegen de stam van een pijnboom. Vanaf die plek kon hij de deur van de kantine in de gaten houden zonder dat zijn aanwezigheid werd opgemerkt. Vroeg of laat zou Markus Vogel de kantine uit moeten komen om naar zijn schuilplaats terug te gaan, en dat zou zijn enige kans zijn om hem te volgen naar een plek waar geen getuigen waren.

Er ging een hele tijd voorbij zonder dat er iemand op het plein verscheen. Uit de kantine kwam het geluid van stemmen. Het licht dat door de deuropening naar buiten viel, loste op in het ondoordringbare zwart zonder iets anders te verlichten dan de stenige grond. Benito Buroy probeerde niet te denken, maar de angst om in slaap te sukkelen belette hem weg te dromen. Het was even nadat hij Lluent wankelend en neuriënd naar buiten had zien komen, dat hij zich ervan bewust werd dat hij Leonor Dot maar wat op de mouw had gespeld. Telkens weer dreunde die zin door zijn hoofd waarmee hij haar aan het begin van het spel had willen geruststellen, "We redden het wel, maakt u zich geen zorgen", en hij zag haar blik weer voor zich, ongelovig maar afwachtend. Maar omdat woorden glibberig zijn als vissen wist hij zelf niet meer of hij met die opmerking uitsluitend op het spel had gedoeld of dat hij Leonor Dot op bedekte wijze had duidelijk willen maken dat ze vertrouwen moest hebben, of dat hij alleen maar wat meer bij haar in de smaak wilde vallen om aan het spel te kunnen beginnen. In elk geval was het goed mogelijk dat hij zo stom was geweest tegen Leonor Dot te insinueren dat hij niet zou doen waarvoor hij gekomen was. Zo leek de vrouw het te hebben opgevat. En dat gebeurde nu net op de avond waarop hij Markus Vogel ging vermoorden, want dit was zijn laatste kans en zijn eeuwige tijd op het eiland was op.

Volgende week zit je in Palma, hield hij zichzelf voor, dat is het enige waaraan je moet denken.

Het wachten duurde eindeloos. Leonor Dot en Camila verlieten pas laat de kantine en gingen hand in hand op weg naar huis. Even later trokken de soldaten die iedere avond kwamen kaarten zich terug. Paco verscheen in de deuropening en rekte zich met verwezen blik uit. Een paar minuten later begonnen de lichten uit te gaan. Benito Buroy slaakte een kreet van woede. Hij verliet zijn schuilplaats en liep met grote passen het plein over. Toen hij de kantine binnenging, trof hij daar Felisa García, die met de handen in de zij de trap naar haar woning op liep. Verder was er niemand in de bar.

"Wat doet u hier?" vroeg de kantinehoudster. "Ziet u niet dat we gesloten zijn?"

Buroy gaf geen antwoord. Hij keek even de trap omhoog en ging toen weer naar buiten. De rest van de nacht zwierf hij in de omgeving rond, wanhopig bij de gedachte dat Markus Vogel de duisternis zou kunnen benutten om te ontsnappen. Hij installeerde zich ten slotte op een hoge plek vanwaar hij het hele gebouw kon overzien. Toen het licht werd en hij tot op het bot verkleumd was, hoorde hij geluiden in de kantine. Even later ging hij opnieuw de bar binnen, waar Felisa García cichorei voor de dienstdoende soldaten aan het maken was. Zij kwamen daar altijd als eersten, als hun wacht voorbij was.

"Slaapt u dan nooit?" begroette de vrouw hem.

"Ik heb iets warms nodig", mompelde hij, terwijl hij zich op een stoel liet vallen.

Hij zou bereid zijn geweest zo lang als nodig te blijven wachten, maar hij wist dat het geen zin had. De vorige avond, wachtend achter het gebouw van de commandopost, was hij een overdreven optimist geweest toen hij dacht dat Leonor Dot misschien wel vertrouwen in hem was gaan stellen. Er had geen valse verwachting in haar blik gelegen toen hij haar gerust had willen stellen, maar een mengeling van argwaan en weerloosheid. Zij noch iemand anders zou ooit hebben geloofd dat Benito Buroy anders kon zijn dan hij was, en ook niet dat hij vrij was in de keuze van zijn daden. Iedereen daar had een lange oorlog achter de rug en was gewend zich tegen anderen te beschermen.

Markus Vogel was verdwenen.

Mama vond het niet leuk dat ik gisteren met Hermann was. Ik begin te denken dat ze een beetje verbitterd aan het worden is. Ze is steeds ongerust en ziet gevaren waar ze niet zijn. Laatst ging ze zelfs handenwringend door het raam staan kijken, zoals van die oude vrouwtjes die al zo lang slecht nieuws verwachten dat ze er bijna op hopen. Vroeger mocht ik van haar overal in mijn eentje heen, maar nu wil ze voortdurend weten waar ik ben en moet ik Andrés als schildknaap meenemen als ik ga zwemmen, terwijl hij me dan zo hinderlijk gaat bespieden. Als ik zonder het haar te zeggen naar Felisa toe ga, verschijnt ze binnen de kortste keren in de kantine en vraagt dan heel opgewonden: "Waar is mijn dochter, waar is mijn dochter?", alsof ik ver weg zou kunnen zijn, terwijl je hier nergens heen kunt. Het is mijn eigen schuld, omdat ik ruzie met haar heb gemaakt en heb gezegd dat ik Hermann de knapste man van de wereld vind. Hij heeft blauwgroene ogen die lijken op de zee op het heetst van de dag, en grote bleke handen, de handen van een pianist. Ik herken mensen aan hun ogen en aan hun handen. Felisa, bijvoorbeeld, kijkt je aan alsof ze vermoedt dat je iets heel erg stouts van plan bent, maar eigenlijk is ze vol vertrouwen. Haar vochtige, dikke roze handen verraden haar. Eigenlijk kijkt ze je zo aan omdat ze denkt dat zij degene is die jouw rotzooi zal moeten oplossen. Lluent kijkt je aan zonder je te zien, maar hij zoekt je met zijn ruwe vingers en pas dan, als hij je aanraakt, weet hij zeker dat je geen hallucinatie of luchtspiegeling bent. Benito is anders. Hij kijkt je aan zonder dat het hem kan schelen of je er wel of niet bent, maar zijn kleine enge handen, als van een porseleinen pop, spelen altijd ergens mee, alsof alleen al het simpele feit dat hij jou ziet maakt dat hij niet meer rustig kan zijn. Papa kan niet slecht geweest zijn, want hij keek altijd heel vriendelijk en pakte de dingen voorzichtig vast. Hij was een beresterke man en als hij boos werd schrok je echt, maar juist daaraan kon je duidelijk zien dat hij anderen geen kwaad probeerde te doen en niets stuk probeerde te maken, dat hij ervoor had gekozen al die kracht te benutten om de mensen van wie hij hield te beschermen. Hermann heeft hetzelfde. Soms, als hij helemaal opgaat in zijn eigen gedachten, trekt hij weleens een ongelukkig of verbaasd gezicht, maar dat is vast normaal bij een soldaat die zo ver van huis net een heel ernstig ongeluk heeft gehad. Ik word zelf vaak knorrig wanneer ik bedenk dat ik nooit van Cabrera af zal kunnen, en dan verander ik in een akelig iemand.

En verder verdwijnen in mijn gezelschap zijn onprettige herinneringen of wat het ook maar is waardoor hij het niet naar zijn zin heeft. Als hij me ziet, klaart zijn gezicht op en begroet hij me met een diepe hoofdknik, alsof ik een voorname dame ben die net op een feest is aangekomen. Hermann is de enige die nooit geprobeerd heeft me klopjes op mijn hoofd te geven, wat iets is wat ik haat. Goed, Andrés ook niet, maar die telt niet mee en kan dat ook maar beter niet proberen, want die is zo ruw dat mijn schedel zou verzakken.

Misschien is mama wel een beetje jaloers op mij, ik weet het niet. Maar die manie van haar om me in de gaten te houden is heel raar. Het lijkt alsof ze het vervelend vindt als ik alleen wil zijn of met mensen omga zonder dat zij erbij is. Soms behandelt ze me twee of drie dagen lang als een vreemde, maar dan omhelst ze me ineens weer en ruikt aan mijn haar en begint te huilen. Ik geloof dat ze heel erg heeft geleden onder dat met papa en dat ze niet weet wat ze wil, dat ze niets meer leuk vindt. Ze wil voorkomen dat ik hetzelfde moet doormaken als wat zij allemaal heeft doorgemaakt, daarom zit ze natuurlijk zo over me in. Maar het resultaat is dat ze me zelfs geen adem laat halen.

Gisteren nog gedroeg ze zich zo stom dat het lang zal duren voor ik het haar kan vergeven. Ik was naar de kantine gegaan en kwam daar Hermann tegen, die in zijn eentje aan een tafel zat. Iedereen op Cabrera ontloopt hem, omdat hij geen Spaans spreekt en ze zich niet op hun gemak voelen met hem. Ik wel. Praten is niet zo belangrijk en dat blijkt wel uit het feit dat Hermann me zoals altijd begroette met die glimlach waar mijn hart heel snel van gaat kloppen, en ik reageerde daarop met een révérence, want we waren alleen en ik hoefde niet bang te zijn dat anderen het zagen. Toen maakte hij een gebaar dat ik bij hem moest komen, trok zijn ene been onder tafel uit en klopte op zijn knie. Ik ging daarop zitten terwijl ik probeerde niet te laten merken dat ik een beetje trilde, maar niet heel erg, en toen keken we elkaar aan alsof we eigenlijk al een hele tijd hadden zitten praten en elkaar heel goed kenden. Ik geloof dat er mensen zijn bij wie je na één keer al het gevoel hebt dat je ze je hele leven al kent.

Hermann bracht zijn hand naar zijn jack en haalde er een portefeuille uit die hij open op tafel legde. Het was een portefeuille van versleten zwart hagedissenleer, die hij waarschijnlijk al een hele tijd had. Hij haalde er twee foto's uit. Toen hij me de eerste liet zien, tikte hij er even met het topje van zijn wijsvinger op. Er stond een heel keurige jongen op, in een broek met een borststuk en met een speelgoedvliegtuig in zijn hand. Hij had diepliggende ogen en zijn lippen krulden naar buiten alsof hij het geluid van een motor nadeed. "Hermann", zei Hermann en begon te lachen. Hij vond het grappig om zichzelf nu zo veel jaren later als jongetje te zien. Daarna legde hij die foto terzijde en toonde me de andere. Die was van een groot huis met een begroeide gevel. Bij de deur stonden een man en een vrouw.

Hoewel ze niet op een speciale manier keken en hun gezichten nogal saai waren, kreeg je de indruk dat het een belangrijk moment voor hen was. "Jakob, Maria", zei Hermann. En hij zei er nog een paar lieve woorden achteraan die ik niet begreep, maar dat was niet erg want hij had zijn hand op mijn schouder gelegd en het was alsof daar een warm lief dier lag, een dier dat elk moment langs mijn hals zou kunnen strijken en me kippenvel zou kunnen bezorgen. Ik wilde dat dolgraag, dat het dier een beetje zou bewegen en ik zijn warmte in mijn hals zou voelen, maar op dat moment werd alles verpest.

"Camila", donderde de stem van Felisa. "Kom onmiddellijk hier!"

Toen ik me omdraaide zag ik haar in de keukendeur staan, maar ik had geen tijd om iets te zeggen want Felisa stond al naast me en greep me bij mijn arm. Het ging zo snel dat ik zelfs niet kon klagen dat ze me pijn deed. Ze sleurde me naar het plein en begon mama keihard te roepen, die onmiddellijk met een rood aangelopen gezicht en de blik van een krankzinnige kwam aangesneld. Ik begreep er niets van. Felisa fluisterde iets in haar oor en liet pas mijn arm los toen mama hem vast had, alsof ze bang waren dat ik wilde ontsnappen. Maar niets daarvan. Ik was te erg geschrokken om ook maar een woord te kunnen uitbrengen.

"Ben je niet wijs? Ben je helemaal niet wijs?" gilde mama terwijl we naar huis liepen. En ze bleef maar gillen: "Ben je helemaal niet wijs?"

Toen we thuiskwamen, kalmeerde ze een beetje. Je kon zien dat ze haar best deed haar gedachten te ordenen. Ik moest op het bed gaan zitten, terwijl zij handenwringend rondjes door de kamer liep en ten slotte op haar knieën voor mij op de grond ging zitten. Ze pakte mijn hoofd en kuste mijn voorhoofd. Toen legde ze me met ingehouden stem en een geforceerd lachje uit dat ik geen kind meer was, dat ik een heel aantrekkelijk meisje aan het worden was en dat ik voorzichtig moest zijn met bepaalde mannen. Ik kon niet helpen dat ik een verveeld gezicht trok, zo van dat ik dat nou wel wist, waardoor mama nog zenuwachtiger werd. Maar ze hield zich opnieuw in en keek me met opeengeklemde lippen medelijdend aan. Mama had gelijk en ik dacht er net zo over, maar wat betreft Hermann zat ze ernaast. Iemand die je met zeegroene ogen aankijkt en de handen van een pianist heeft, kan niet slecht zijn.

Felisa García kon niet slapen sinds de dag waarop ze kapitein Constantino Martínez gevraagd had haar zoon te dwingen uit Madrid terug te komen om hier de baan van kolenbrander te vervullen. Zodra ze het licht uitdeed en haar ogen sloot, begon haar kwade geweten als een enorme bloembol in haar hoofd te ontspruiten. De reden daarvan was niet dat ze zich met het leven van haar zoon bemoeid had, want dat vond ze doodnormaal, maar dat ze zo weinig aandacht had besteed aan de gefusilleerde kolenbrander. Niemand had de moeite genomen het graf van Pascual te bezoeken, en zijn geest zwierf nu ongetwijfeld door de bergen en vervloekte zijn gevoelloze buren. En vooral haar, Felisa García, die samen met hem was opgegroeid en onmiddellijk haar voordeel met zijn dood had willen doen. De kantinehoudster was ervan overtuigd dat haar gebeden voor de ziel van de man niets zouden helpen als ze niet de moed had zijn lichaam te eren. Ze opende haar ogen in de duisternis van de slaapkamer en zag Pascual tussen de balken van het plafond zweven, met zijn haren verward door een wind die slechts voor hem woei, terwijl hij woedend tegen haar praatte en met een beschuldigende vinger naar haar wees. Hoewel ze niet kon horen wat hij zei, wist ze zeker dat hij haar uitschold omdat ze zo gevoelloos was.

Na twee slapeloze nachten besloot ze in te grijpen. Als ze het niet voor zichzelf deed, dan moest ze het voor Pascual doen, want wat hier gebeurde was echt een groot onrecht. Vanaf het krieken van de dag wachtte ze tot Andrés in de keuken zou verschijnen. Toen hij dat eindelijk deed, liet ze hem snel een glas melk drinken, gaf hem een mand en stuurde hem de bergen in om alle bloemen te plukken die hij maar kon vinden. De jongen, die een passie voor rare karweitjes had, keerde terug als een allegorie van de lente. Felisa García kon zo'n groot boeket maken dat ze beide armen nodig had om het vast te houden.

Met dat boeket ging ze naar de bar, waar al haar klanten aanwezig waren want het was het uur van het ontbijt.

"Andrés en ik gaan bloemen naar het graf van Pascual brengen", verkondigde Felisa García vanachter haar camouflage van bloemblaadjes. "Het zou mooi zijn als wij niet de enigen waren, dan zou de ceremonie indrukwekkender worden ... Paco, jij gaat ook mee!"

Haar man kwam met een gezicht vol onbegrip achter de bar vandaan terwijl Leonor Dot, met een gebiedende blik naar Camila, naast Felisa ging staan. Lluent, die net terug was uit Colonia de Sant Jordi en voor het slapengaan nog een glas brandewijn dronk, aarzelde even maar sloot zich ten slotte aan bij het initiatief, na van zijn stoel te zijn opgestaan en de kracht in zijn benen te hebben getest met een paar vrijwel onzichtbare kniebuigingen.

Tot ieders verbazing dronk Benito Buroy in één teug zijn kop leeg en voegde zich bij hen. Hij deed het als iemand die in een rij gaat staan waar hij niemand kent, hoewel hij met zijn houding duidelijk maakte dat hij van plan was met hen mee te gaan naar het kerkhof. Felisa García keek hem aan op een manier die er geen twijfel over liet bestaan dat hij zich wat haar betreft bemoeide met een zaak die hem niet aanging, maar toen hij haar aanbood de bos bloemen te dragen overhandigde ze hem die, terwijl ze eerdere pogingen van Leonor Dot om ze van haar over te nemen van de hand had gewezen. Zo verlieten ze de bar, in een stoet die bij elkaar was gebracht door het vastberaden optreden van de kantinehoudster.

Kapitein Constantino Martínez had de pech hen voor de militaire commandopost tegen te komen. Enigszins verbluft door die optocht die het pad naar het kasteel insloeg bleef hij hen staan nakijken, totdat zijn militaire geest ineens begon te vermoeden dat hier weleens sprake zou kunnen zijn van een subversieve daad, zo niet van een waar volksoproer. Hij haalde hen met snelle stap in en versperde hun de weg.

"Waar zijn jullie van plan naartoe te gaan?" zei hij. "Wat heeft dit te betekenen?"

Felisa García liep alweer verder, terwijl ze met één hand haar rok greep en met de andere druk gebaarde.

"We gaan afscheid nemen van Pascual. Ga uit de weg, Constantino."

De militair gehoorzaamde terstond, maar hij was diep geschokt.

"Hij was een rooie, een moordenaar! Weten jullie hoeveel mensen hij vermoord heeft? Weten jullie dat?"

Hij zweeg even, want hij had zich net gerealiseerd dat hij het zelf ook niet wist.

"Een heleboel! En hij wilde niet eens biechten! Hij verdient je respect niet, Felisa!"

De kantinehoudster, die zich al een paar meter hoger dan de kapitein bevond, draaide zich om en keek hem ongelooflijk vermoeid aan.

"Ik wil hem alleen maar wat bloemen brengen om vredig te kunnen slapen … Ik geloof niet dat dat nu zo erg is."

En op dat moment begonnen ze tot ieders verbazing te spreken, de bloemen. Benito Buroy, die de bos vasthield alsof hij een boom omarmde, waagde het zijn mening te geven en dat was werkelijk heel bijzonder.

"Rechtvaardigheid is wraak", zei hij, "en die is op zichzelf al voldoende. Het is niet christelijk om een man te blijven vernederen die zijn straf al heeft gehad."

Er viel een stilte, niet alleen doordat men stomverbaasd was hem te horen spreken, maar ook omdat iedereen diep moest nadenken over zijn woorden. Felisa García nam zich voor om, zodra ze weer thuis was, te proberen die filosofische zin op te schrijven en hem later met haar lerares te bespreken. Misschien zou ze hem onder haar leiding in al zijn diepzinnigheid kunnen begrijpen.

"U hebt gelijk!" concludeerde ze voorlopig. "En u zou ook mee moeten komen, Constantino!"

"Ik?" zei de militair verbaasd. En hij liet er afwijzend op volgen: "Net vandaag, nu we de kanonnen gaan installeren?"

"Een gezagdrager zou heel passend zijn bij de ceremonie …" mengde Leonor Dot zich in het gesprek.

"Bovendien zal niemand ons kunnen zien", zei Camila, die aan de hand van haar moeder liep. "Hier ziet niemand wat we doen."

"Dat heb ik in de gaten, jongedame, want ik ben degene die de leiding heeft op dit eiland …" Kapitein Constantino Martínez leek een excuus te hebben gevonden om Felisa García tevreden te stellen zonder zijn eigen mening over de voormalige kolenbrander te hoeven herroepen. "Per slot van rekening zal toch iemand enige orde moeten aanbrengen in deze zottigheid. Laten we maar eens kijken wat het inhoudt."

De hemel was die ochtend bedekt met loodgrijze wolken, waar het wit van de meeuwen in de hoogte scherp tegen afstak. Camila volgde hun vlucht met haar blik. Zo nu en dan struikelde ze en dan greep ze zich stevig vast aan de hand van haar moeder. Ze liepen zwijgend omhoog naar het kerkhof. Buiten het terrein, een paar meter van het hek vandaan, gaf een heuveltje van omgewoelde aarde de plek aan waar de kolenbrander was begraven. Ze gingen rond het graf staan en keken allemaal naar Felisa García. Het hart van de arme vrouw kromp samen toen ze zag onder wat voor omstandigheden het ongelukkige leven van Pascual was geëindigd, en bovendien had ze niet verwacht iets te moeten zeggen. Met gekwelde blik zocht ze de kapitein, maar die gaf met een handgebaar te kennen dat hij al voldoende deed door hen toe te staan daar te zijn. Toen slikte ze even, verloste Benito Buroy van de bos bloemen en gaf deze aan Andrés.

"Kom, jongen, leg ze daar neer."

De jongen legde de bloemen heel voorzichtig op het heuveltje. Alsof hij daarmee het anonieme graf een gezicht had gegeven waaraan je de gefusilleerde kon herkennen, verzachtte de uitdrukking op het gezicht van Felisa García zich. Ze keek strak naar de bos bloemen en schraapte haar keel voordat ze begon te praten.

"Ik weet niet wat je gedaan hebt, Pascual", zei ze, "maar wat het ook geweest mag zijn, jij was niet tot zoiets in staat. Dat weet ik wel, ik die samen met jou de geiten van mijn vader hoedde … Het is mogelijk dat wij allemaal, net als jij, vroeg of laat dingen moeten doen die niet bij ons passen. Soms denk ik dat het leven te lang is voor onze beperkte geest, maar misschien moeten we gewoon heel diep vallen om ons in het hiernamaals weer op te kunnen richten. Laten we hopen dat de Heer je genadig is … Dat is alles. Rust in vrede, Pascual, en doe geen domme dingen meer, amen."

Alleen Lluent maakte samen met haar een kruisteken. Andrés deed hen na, maar bij iedere beweging van zijn hand moest hij hard nadenken, alsof hij een ingewikkeld raadsel oploste. Zijn gezicht begon te stralen en hij herhaalde het gebaar nu sneller.

"Wel, dat was het dan", zei kapitein Constantino Martínez. "Ik ga, want ik heb een hele hoop te doen … En jullie mogen hier ook niet blijven. Vooruit, doorlopen."

Iedereen begon naar het plein terug te lopen. Andrés, die een beetje achterbleef, was gedurende de hele wandeling als een bezetene steeds sneller kruisjes aan het slaan. Weer terug in de kantine, toen Felisa García zich opsloot in haar domein, ging de jongen haar achterna en herhaalde het gebaar nogmaals opdat zij het zou zien. Ze barstte daarop in een gelach uit dat meer weg had van een smeekbede. Felisa García pakte zijn hoofd en drukte het tegen haar enorme borsten. Hoewel zijn moeder het hem toen hij klein was iedere avond had proberen te leren, was Andrés nooit eerder in staat geweest het kruis op zijn lichaam helemaal af te maken.

Het rommelhok was in het verleden varkenskot geweest en ademde vanbinnen nog steeds de sfeer uit van opgesloten leven. De aarde op de grond scheidde een penetrante geur af, zoet en scherp tegelijk, en de binnenkant van de muren vertoonde resten van vochtplekken die zelfs de zomerhitte niet had kunnen drogen. Aan het plafond, tussen de stokken waaraan de worsten hingen, zwaaiden overgebleven flarden van spinnenwebben zachtjes heen en weer. Alles raakte daar beschimmeld, maar het was de favoriete plek van Paco omdat zijn vrouw er nooit kwam. Daar bewaarde hij zijn flessen wijn, verstopt achter de landbouwwerktuigen en stukken gereedschap die hij nooit gebruikte. Dit was zijn heiligdom.

Hoewel hij al jaren geen hamer of hak ter hand had genomen,

ging Paco het kot nooit binnen voordat hij in zijn handen had gewreven en zijn broek had opgehesen met het energieke gebaar van iemand die zwaar werk gaat leveren. Dat deed hij die ochtend dus ook, in de weliswaar vage overtuiging dat hij Felisa nu voor eens en altijd moest laten zien wie er de baas was in huis. Hij wierp een blik op de rotzooi die stond opgestapeld tegen de muren om in al dat materiaal, als een dichter in zijn verzen, te zoeken naar inspiratie om een van de duizend dingen te doen die er moesten gebeuren. Maar zijn wilskracht liet het onmiddellijk afweten tegen de overmacht van de routine, en hij liep naar een hoek waarvan hij wist dat er een paar nog niet ontkurkte flessen lagen. En op dat moment zag hij pal voor zijn neus een nieuw pak onder een dekzeil liggen.

Als hij een spook had gezien, zou hij niet meer panisch hebben gereageerd. Hij maakte een sprong, bracht gespannen zijn hand naar de ketting om zijn nek en bleef strak naar zijn ontdekking staan kijken. Iemand was het hok binnen geweest toen hij er niet was. Dat kon weleens heel erg zijn. Het eerste moment vreesde hij voor zijn wijnvoorraden, maar algauw constateerde hij dat die niet geplunderd waren. Paco, die nooit bang was geweest voor redundantie omdat hij niet wist wat het was, kwam tot de conclusie dat het indringen puur om het indringen moest zijn geweest en dat de schuldige niemand anders dan Felisa kon zijn. Toen pas kwam hij op het idee onder het dekzeil te kijken. Dat deed hij met de zieke geest van iemand die meent dat zijn geheimen ontdekt zijn en er dan toe overgaat die van een ander te onthullen. En ook in de hoop, dat moet erbij worden gezegd, dat zijn vrouw daar in haar gezegende onnozelheid een nieuwe lading wijn of likeur verstopt had.

Wat hij zag deed zijn mond openzakken van verbazing. Er stond een grote doos met lange slingers van Spaanse vlaggetjes, genoeg om de weinige straten van Cabrera een dak van vaderlandsliefde te geven. In een andere doos ontdekte hij pakken met serpentines en confetti. En in een derde doos een Philipsgrammofoon met gestroomlijnde vormen, samen met een stuk of tien platen van Estrellita Castro, Carlos Gardel, Tino Rossi en het Orquesta Típica Morando.

De kantinehouder had al een hele tijd het vermoeden dat zijn vrouw bepaalde aspecten van haar leven voor hem verborg, maar hij had nooit gedacht dat het zo ver zou gaan. Hij liet het zeil weer vallen, terwijl het door hem heen ging dat het allemaal kwam door die dagen die ze op Mallorca had doorgebracht bij haar zus. Maar hij wist het wel, hij wist wel dat een vrouw niet in haar eentje door de wereld moest struinen. Waar zag je nou dat een echtgenoot thuisbleef terwijl zijn vrouw reisjes maakte en serviesgoed en lampen en andere luxevoorwerpen kocht? Van welk geld had ze dat allemaal gekocht? Met dat van haar zwager natuurlijk, een hoerenloper die meer van de vrouwtjes hield dan een kind van snoepjes. En die haar dan later olie stuurde, en witbrood … Waarom stuurde hij haar cadeaus als hij niet … als hij niet …? Verblind door jaloezie stelde hij zich voor hoe Felisa met die rijke vent danste, hoe hij haar oneerbare dingen in het oor fluisterde en haar aan het lachen maakte. Hij stelde zich voor hoe ze de hele nacht doordanste, als een klein meisje dat in de armen van die kerel het leven ontdekte, en hij zag haar bij het ochtendgloren, doodmoe, terwijl ze een hand op zijn borst legde, ik kan niet meer, ik kan mijn benen niet meer bewegen, en hem van zijn zakdoek beroofde om de tranen van het lachen weg te vegen, en bijna bezwijmde, bezwijmde in zijn armen. Hij stelde zich voor hoe ze zich aan de revers van zijn jasje vastgreep, hij onvermoeibaar terwijl zij hem naar de deur van de danszaal probeerde te krijgen, laten we gaan, het is bijna licht, mijn zus zal ons vermoorden, en die onvermoeibare patser die alles voor haar kocht, de vlaggetjes die de zaal versierden, de grammofoon, de muziek, de hele nacht voor jou, ik wil dat die van jou is, en Felisa wegzwijmelend omdat nooit iemand haar een hele nacht met al zijn inhoud had gegeven.

"Hoer!" schreeuwde de kantinehouder, tot in het diepst van zijn trots gekwetst.

Hij stoof als een wervelwind naar buiten, rende laaiend van woede de bar door en de keuken in. Felisa García, die een paar uien in haar hand had, zag hem pas toen hij al boven op haar was en ze voelde amper de dreun waarmee ze tegen de grond werd gesmeten. Het oor dat de klap had opgevangen begon te suizen, zodat ze de woorden van haar man als in een droom hoorde.

"Ik heb al die dozen gezien. Nu weet ik wat je in Mallorca hebt gedaan!"

Terwijl ze bleef liggen waar ze lag, stopte Felisa García een vinger in haar oor om het gesuis te laten stoppen, maar het nam alleen maar toe. Die hele kant van haar gezicht brandde alsof er kokende olie op was gevallen.

"Die zijn voor Camila's feestje", zei ze, "dinsdag is ze jarig."

En terwijl ze overeind probeerde te komen en een stekende pijn in haar heup voelde, voegde ze eraan toe: "Ik wist niet dat je zo'n stakker was."

Benito Buroy liep van het kerkhof naar beneden en had zin om verder te wandelen. Door zich aan te sluiten bij de ceremonie ter nagedachtenis van de kolenbrander had hij zichzelf in een ongemakkelijke positie geplaatst, want ze keken nu allemaal naar hem om toenadering te zoeken, maar ze wisten niet hoe ze dat moesten doen of wat ze tegen hem moesten zeggen. Daarom krioelden ze om hem heen, zodat hij de eerste stap kon zetten. Benito Buroys gebrek aan belangstelling voor anderen en zijn behoefte om alleen te zijn staken daardoor weer de kop op. Hij had een geweldige hekel aan dat gemeenschapsgevoel, dat hechte groepsgevoel, en daar aan de voet van de vijgenboom ging Felisa García door met wat ze de hele wandeling naar beneden ook al had gedaan, hem vanuit haar ooghoeken observeren en zich afvragen of hij gewoon voor de lol was meegegaan of omdat hij echt wilde integreren. Het gevaarlijkst was echter het meisje, dat elk moment in zijn armen kon springen om hem welkom te heten in die gemeenschap van mislukkelingen waarin hij zich zo prettig begon te voelen.

"Ik ga kijken naar het gedoe met die kanonnen", zei hij met zachte stem.

De kapitein was zojuist in de vrachtwagen vertrokken, die voor het gebouw van de commandopost op hem had staan wachten. Gehuld in de stofwolk die het voertuig had opgeworpen sloeg Benito Buroy de weg in naar het kampement. Hij had geen haast. Hij had zich voorgenomen die ochtend buiten het dorp door te brengen. Hij zou tegen het middaguur terugkeren om zijn bevoorrechte plek aan de tafel in de hoek weer in te nemen.

In het kamp heerste een ongebruikelijke bedrijvigheid. Groepjes soldaten stapelden kisten op onder de vlaggenmast met het wapperende vaandel, en sergeant Ridruejo vertrok met een patrouille in de richting van de vuurtoren. Aangezien de weg bij de barakken ophield, stond de vrachtwagen nu op het exercitieplein geparkeerd. Twee uitgehongerde ezels, op trillende poten en met lange voortplantingsapparaten, waren beladen met de zware onderdelen van de kanonnen. Benito Buroy vroeg de sergeant of hij zich bij de colonne mocht aansluiten. Even later liepen ze langs de baai tot aan de eerste uitlopers van de rotspartij waarop zich de vuurtoren verhief.

"Gaan ze het volhouden?" vroeg Benito Buroy aan de sergeant, toen hij zag dat de ezels weigerden aan de klim te beginnen en de soldaten aan de teugels moesten trekken en hun achterwerk moesten afranselen.

"Ze zijn eraan gewend, wat niet wil zeggen dat ze het naar hun zin hebben", was het laconieke antwoord van de militair.

De helling was veel steiler dan die van het kasteel. Op tal van stukken hadden ze treden in de rotsen moeten uithakken, maar die waren zo onregelmatig dat het onmogelijk was onder het klimmen in een ritme te komen. De wolken, die even daarvoor de hemel nog bedekten, losten nu op als rook die door de wind wordt meegenomen, en de zon brandde. Benito Buroy begon te zweten. Gelukkig kon hij zo nu en dan even blijven staan, als een van de ezels treuzelde of uitgleed over de keien en de soldaten eerst wegstoven uit angst om mee te worden gesleurd in zijn val maar het dier vervolgens hielpen weer op zijn eigen poten te vertrouwen. Toen ze boven op de berg aankwamen, waren de dieren zo uitgeput dat hun huid nat van het zweet was. Kapitein Constantino Martínez, die daar al een hele tijd was, ontving zijn mannen met een zuur gezicht.

"En het water?" vroeg hij. "Waar is het water?"

De soldaten, die al begonnen waren de ezels van hun last te bevrijden, keken elkaar aan.

"Welk water?" vroeg sergeant Ridruejo.

"Voor de beesten! Willen jullie soms dat ze creperen?"

Benito Buroy had de schaduw van de vuurtoren opgezocht en keek vanaf deze voor hem onbekende plek naar de baai. Aan de overkant stonden de muren van het fort nog wankel als een kaartenhuis overeind. Verder naar beneden, in een bocht die werd gemarkeerd door het silhouet van de kade, lag het dorp in al zijn nietigheid.

"Dan geven jullie ze nu het water uit de waterkruik!" klonk de stem van de kapitein. "En jij daar, jij gaat een grote mandfles halen! Vooruit, en snel! … Waar is de artillerist? Waar is die gebleven?"

De soldaten hadden de affuit al geïnstalleerd en even later werd het kanon erop bevestigd. Het was een klein wapen, te bescheiden om op overtuigende wijze de horizon te bedreigen die zich daarvoor onafzienbaar uitstrekte. Maar kapitein Constantino Martínez was trots dat het gelukt was het zo goed zichtbaar op te stellen. Hij liep naar Benito Buroy toe en sloeg zijn armen over elkaar, terwijl hij zijn blik voldaan over de kalme zee liet glijden.

"Laat ze nu maar komen, als ze willen. Dan zullen ze eens zien hoe we ze ontvangen."

Benito Buroy werd in de verte een piepklein zeiltje gewaar. Dat moest een vissersboot zijn. Verder was er op het wijde wateroppervlak niets te zien, maar als een dronkeman die tegen een onverschillige menigte tekeer wil gaan richtte de kapitein er uitdagend zijn blik op. De artillerist vroeg permissie om het wapen te proberen, om te voorkomen dat er iets niet in orde zou zijn en het zou haperen als ze het werkelijk nodig hadden.

"Dat is goed", stemde de kapitein toe, "maar richt niet op het dorp, want dan zul je nog een inwoner doden. Richt die kant op, naar open zee."

Ze gingen een eindje uit de buurt staan, terwijl de soldaat aan het prutsen was. Maar eindelijk bulderde het kanon en probeerde iedereen, met zijn handen boven zijn ogen, de plek te zien waar het projectiel neerkwam. Maar daar slaagde niemand in.

"Potverdomme!" zei kapitein Constantino Martínez een beetje onthutst, na heimelijk een vluchtige blik op de rotsen onder hen te hebben geworpen, "dat ding schiet heel ver. Vindt u niet, Buroy?"

Kapitein Constantino Martínez ging in het gezelschap van de Duitse vliegenier naar de kade. Lluent, die zijn tuig in gereedheid bracht om te gaan vissen, zag hen aankomen en was op het ergste voorbereid. Eigenaar zijn van de enige boot op het eiland had bepaalde nadelen, en het grootste daarvan was de diensten die hij het leger moest verlenen. Soms lieten ze hem patrouilles naar plekken brengen waar je over land niet kon komen, om te kijken of er niet werd gesmokkeld en de vijand het eiland niet binnendrong. Dan vonden ze alleen maar teerballen en boomstammen die daar door de storm terecht waren gekomen. Maar met de smoes dat ze de opdracht hadden het gebied strikt te bewaken, dwongen de soldaten hem daar uren te blijven, om maar geen andere dingen te hoeven doen. Ook was er de kwestie van de dieselolie voor de onderzeeërs, die hem tijd en rugpijn kostte. "U begrijpt wel dat we onze vrienden op onopvallende wijze moeten helpen", had de kapitein gezegd, "een Spaans koopvaardijschip kan niet ten overstaan van de hele wereld naar hen toe varen." Toen Lluent hen die ochtend over de kade aan zag komen lopen, was hij bang dat hij de vliegenier naar Palma moest brengen, waardoor hij twee werkdagen zou verliezen. Toch zou dat niet de opdracht zijn.

"Goedemorgen", zei de militair. "Naar ik begrepen meen te hebben wil meneer Hermann graag de resten van zijn vliegtuig lokaliseren, om ze als het moment daar is weg te kunnen slepen. Dat is geen gek idee, en ik dacht dat u hem misschien zou kunnen vergezellen. Neem dan wat boeien mee om de ligging van het vliegtuig te markeren."

Zonder verdere uitleg draaide hij zich om en liet de twee mannen alleen achter. Aangezien Lluent zonder op te kijken of iets te zeggen doorging met het in orde maken van zijn visgerei, sprong Hermann Schmidt maar in de boot en ging op de voorsteven zitten. Het was dezelfde plek als waar Leonor Dot zich altijd installeerde wanneer hij haar meenam om een tochtje te maken en ze uiteindelijk allebei zaten te huilen, zij omdat ze bedroefd was en de visser aangestoken door haar tranen. Maar met die piloot was het een heel ander geval. Lluent hield niet van mannen die altijd, waar ze ook waren, zelfs op plaatsen die ze helemaal niet kenden, deden alsof ze de situatie beheersten, die altijd een superieure, goedgeorganiseerde manier van leven met zich meebrachten, een zo perfecte manier van leven dat ze die overal konden toepassen en iedereen konden opleggen. En dat was nu precies de manier waarop de piloot zich gedroeg, altijd een beetje onbehaaglijk maar ook ontspannen en arrogant, als een generaal die midden op een veldtocht zich gedwongen ziet plaats te nemen op een krukje dat bestemd is voor de manschappen. Nee, Lluent vond het beslist geen prettige man.

Ze konden het vliegtuig makkelijk vinden, omdat de visser zich de plek herinnerde waar het was neergestort. Moeilijker was het om de vleugel te lokaliseren die door de klap op het water was afgebroken. Die lag een heel eind verderop, op een bed van algen die hem deels onzichtbaar maakten. Ze legden de boeien neer en Lluent wilde al naar de haven terugvaren, toen de vliegenier een pistool uit de zak van zijn uniformjasje haalde. Hij zei iets met een koele glimlach en wees met de loop van het wapen naar de ingang van de baai. Hij deed het niet dreigend, maar wel autoritair. Lluent bedacht dat hij hem uiteindelijk toch naar Palma zou moeten brengen. Hij wist niet dat zijn passagier nooit zou hebben geloofd dat je met dat scheepje Mallorca kon bereiken.

Eenmaal op open zee wees de piloot naar de rotskust en gebaarde dat hij daar langs moest varen. Hij strekte zijn armen en schoot op een rots, waar de scherven vanaf sprongen. Lluent schrok hevig toen hij de knal hoorde, maar de Duitser gaf hem een knipoog en maakte het zich gemakkelijk op de voorsteven. Een tijdje was hij op de bomen op de kust aan het mikken, maar algauw kreeg hij er genoeg van en bleef lekker met zijn gezicht in de zon zachtjes een liedje zitten zingen. Toen hij op een goed moment weer eens naar de kust keek, ontdekte hij een geit op de rand van een klif. Hij ging gauw staan, hief zijn wapen en toen klonk er een schot, vrijwel onmiddellijk gevolgd door een vreugdekreet van de Duitser. De geit, die in haar zij was geraakt, maakte een sprong, verloor haar evenwicht en viel de diepte in. Ze stortte in zee en verdween onder water, maar na een paar seconden kwam ze weer bovendrijven en begon wanhopig te zwemmen. Lluent zag tussen het schuim dat het dier met haar poot maakte, hoe ze haar snuit boven water probeerde te houden. Hij manoeuvreerde in de richting van het dier maar de Duitser, die weer achterover op het dek was gaan liggen, gebaarde luchtig dat hij door moest varen. Lluent voelde dat zijn bloed kookte. Zonder erover na te denken wat hij deed, greep hij een roeiriem en hief die dreigend boven zijn hoofd. De vliegenier begon te lachen.

Hij lachte nog steeds toen de visser de boot keerde om naar het eiland terug te gaan.

Camila zat aan de keukentafel en keek lachend naar het geredder van Felisa García. Alsof een wolk haar verstand omhulde, was de vrouw die ochtend alles kwijt wat ze in haar handen had gehad. "Waar zit ik toch met mijn hoofd", zei ze terwijl ze maar op en neer bleef drentelen, "waar zit ik met mijn hoofd." Het meisje droeg een nieuwe, kersrode katoenen jurk die haar moeder had gemaakt van de resten van de stof waarvan Felisa tafelkleedjes voor de kantine had genaaid. "Wat? Vinden jullie ze niet mooi?" vroeg de vrouw aan haar verraste clientèle op de dag dat ze die voor het eerst had neergelegd. "Voorzichtig eten, want ik wil geen vlekken! Anders krijg ik nog spijt!" Camila vond het een beetje gênant dat ze kleren in de kleur van de tafels droeg, maar ze begon eraan te wennen een geheel te vormen met de stoffen die haar dagelijks leven omkleedden. Leonor Dot had ook nog een jurk gemaakt van het witte gaas voor de gordijnen die nu voor de ramen van hun huis hingen en, met het oog op de naderende kou die zich in sommige nachten al aankondigde, ook een wijde jas met capuchon uit een oude legerdeken. Bovendien kon Camila weinig anders dan die kledingstukken dragen. De kleren die ze bij zich had toen ze op Cabrera aankwam waren vaal en belachelijk veel te klein geworden.

In zijn gewone hoekje zat Andrés stil te knikken, terwijl hij nu eens naar Camila dan weer naar zijn moeder keek. Hij droeg een versleten hemd zonder mouwen en een broek die zo oud was dat hij op de knieën en rond de zakken glansde als satijn. Andrés was blij, omdat Camila had besloten te gaan zwemmen en omdat zijn moeder, die zich die ochtend een beetje vreemd gedroeg, een lunch voor hen klaarmaakte waarvan het water hem in de mond liep: broodjes met spek gewikkeld in krantenpapier en een paar appels die ze een moment eerder nog in haar handen had gehad en nu nergens meer kon vinden, terwijl Andrés ze verborgen tussen een kist aardappels en de grote stoofpan zag liggen. Toen Felisa García, na zichzelf herhaaldelijk om haar stomme hoofd vervloekt te hebben, de appels eindelijk gevonden had en ze in de mand gooide, liet Andrés een intens tevreden gegrom horen en begon heftig met zijn hoofd te schudden.

"Waarom hink je?" vroeg Camila aan de kantinehoudster. "Heb je je pijn gedaan?"

"Ik ben gevallen", antwoordde Felisa. "Kom, ga nu maar, want jullie moeten voor het middageten weer thuis zijn."

"Toen ik klein was, ben ik ook een keer gevallen", ging Camila verder, terwijl ze naar Andrés toe liep en hem bij de arm pakte om hem te dwingen op te staan. "Ik heb toen een hele tijd gehinkt, wel twee dagen of nog langer. En toen ik weer genezen was hinkte ik nog steeds, omdat ik niet meer wist hoe ik moest lopen. Door die val moet ik nu nog steeds, als ik onder het lopen ga nadenken wat ik doe, stoppen met lopen omdat ik niet meer weet hoe dat moet. Bij sommige dingen kun je maar beter niet nadenken hoe je ze doet."

"Je bent een wijsneus, jij." Felisa García steunde op het marmeren aanrechtblad om haar pijnlijke heup te ontlasten. "Vooruit, weg jullie allebei, want jullie leiden me af en ik moet het middageten klaarmaken."

Ze liepen het plein op, Camila met haar rode jurk en Andrés met de mand. De knaap, die zich had voorbereid op een lange wandeling, verborg zijn hoofd tussen zijn schouders en wilde achter het meisje aan lopen, maar zij bleef na een paar stappen staan. Ze draaide zich om naar Andrés en keek hem met samengeknepen ogen aan, alsof ze iets wilde ontdekken wat hij in zijn geest verborgen hield. Andrés probeerde te doen alsof hij het niet zag. Hij vond het niet prettig als ze door hem heen keken.

"Vandaag mag jij kiezen waar we heen gaan", zei Camila. "Ik wil dat je me naar een plek brengt waar het water heel diep is."

Andrés was niet blij met dat verzoek. Hij begreep het niet. Hij voelde dat er iets akeligs in de diepte zat, iets vreemds, net zo vreemd als het gedrag van zijn moeder wanneer ze huilde en dat van Camila nu ze hem vroeg een diepe plek uit te kiezen om te gaan zwemmen. Soms werd Andrés bang door wat anderen dachten. Hij werd altijd heel gespannen als anderen de kluts kwijt waren of andere dingen dan anders deden, dingen die hij niet kon begrijpen maar die hij duister vond. Hij werd bijvoorbeeld panisch als hij zag dat zijn vader onder de wingerd in zijn eentje zat te praten, zachtjes met zichzelf aan het discussiëren was en als hij dan eindelijk naar bed ging tegen deuren opbotste en mompelde dat het leven zo rot was. Hij vond het verschrikkelijk dat hij niet wist wat zijn vader zo'n pijn deed, of dat zijn moeder voortdurend verdwaasd rondliep terwijl ze haar gezicht met haar schort afdroogde, of dat Camila naar hem keek met ogen die veranderd waren in twee onderzoekende spleetjes. Dan dacht Andrés dat de mensen een kwaadaardige dwerg in zich hadden die hen soms dwong zich merkwaardig te gedragen. De jongen vond het niet prettig als je door de mensen heen kon kijken en zo kon hij er ook niet tegen dat ze door hem heen keken, want hij was er zeker van dat hijzelf ook zo'n dwerg had. En soms kon hij hem zelfs voelen, een bult ter grootte van een rat die door zijn darmen trok.

Hij zette de mand op zijn rug en begon over het pad langs de kliffen te lopen. Achter het strandje waar ze gewoonlijk heen gingen lag nog een ander, dat moeilijk te bereiken was. Je moest daarnaartoe voorzichtig afdalen en er was geen strand, alleen een kleine strook zand bij de ingang van een grot. De holte in de rotsen was als je er binnenging heel ruim, maar dan vernauwde hij zich en verdween met echo's van golven diep in het eiland. Andrés vond die plek doodeng. Hij besefte echter wel dat dat was wat Camila wilde, een beetje griezelen, en hoewel hij het niet begreep en er niet achter stond, wist hij wel hoe hij daarvoor kon zorgen. Het meisje liep naast hem en praatte aan een stuk door. Ze vertelde dat haar moeder een beetje jaloers op haar was maar dat ze dat wel begreep, dat dat kwam doordat haar moeder veel geleden had in haar leven, en dat ze later als ze groot was onderwijzeres zou worden in Barcelona, dat die stad zo groot was dat hij nooit op dat kleine eiland zou hebben gepast, en dat ze over twee dagen jarig zou zijn, dertien jaar zou worden. Andrés wist dat, want zijn moeder had hem een paar dagen eerder bij de hand gepakt en hem meegenomen naar het rommelhok, waar ze de benodigdheden voor een groot feest verstopt had. Daar, bij al die dozen, had ze hem verteld dat hij de slingers op het plein zou moeten ophangen, maar dat het heel voorzichtig moest gebeuren omdat Camila het niet mocht merken. De jongen zat nu met zoveel ongeduld op dat moment te wachten dat zijn hart, wanneer hij eraan dacht wat er zou gaan gebeuren, heel snel begon te kloppen en hij naar adem moest happen.

Eindelijk kwamen ze bij de plek waar ze aan de afdaling naar het strandje moesten beginnen. Camila keek met grote ogen naar de zeetong die tussen de steile rotsen landinwaarts liep. Het water was er zo donkerblauw dat je niet kon zien wat er zich op de bodem bevond. De golven gingen er tekeer door winden die er niet waren, ze sloegen tegen de rotsen en trokken zich dan zo ver terug dat deze weer bloot kwamen te liggen. Door de ligging van het strandje werd het water er nooit helemaal rustig, waardoor de plek het onherbergzame karakter van een onbewoond eiland kreeg. Camila slikte even terwijl ze Andrés gadesloeg, die aan de afdaling was begonnen en zijn hand naar haar uitstak om haar hulp te bieden. Ze had spijt dat ze niet naar hun gewone strandje had willen gaan, maar ze was te trots om terug te krabbelen. Ze sloeg de hulp van de jongen af, hield haar rok bijeen en zette trillend haar voet op de eerste rots. Met minder inspanning dan verwacht bevonden ze zich even later op de kleine strook zand. Andrés ging aan één kant zitten, met de mand tussen zijn benen. Hij begon zijn hoofd te krabben en hield zijn blik strak op de grond gericht. Diep onder de indruk van die plek liep Camila een paar stappen de grot in. De zee drong er binnen en vormde er een kalm meer waar in het midden, als een altaar, een rots uit stak. Daarachter ging het gewelf schuin naar beneden en liep diep onder de bergen weg. Camila draaide zich om en keek vanuit de grot naar het strandje. Ze had het gevoel dat ze zich in een gigantische mond bevond die elk moment een kop bouillon kon opslorpen die haar naar de ingewanden van de aarde zou meesleuren. Bij die gedachte begon haar hart sneller te kloppen, en met grote haast verborgen achter lawaaierige vrolijkheid ging ze naar buiten.

"Dit is de beste schuilplaats van de wereld! Ik ga zwemmen!"

Andrés, die zich niet had bewogen, gromde wat en schudde met zijn hoofd. Hij sloeg zijn blik pas op toen hij merkte dat het meisje haar rode jurk uittrok, hem voorzichtig buiten het bereik van het water uitspreidde en haar horloge erop legde. Camila droeg een zwempak met een rokje en stroken op de schouders. Dat badpak was zoals alles uit Palma gekomen. Felisa García had het haar een paar weken eerder cadeau gegeven, met de woorden dat ze nu een grote meid was en dat ze niet meer in haar onderbroek kon gaan zwemmen. Toen ze haar kleren had uitgetrokken en haar lichaam alleen nog maar bedekt was door dat kledingstuk, leek het te slinken als dat van slakken wanneer je ze met een stokje uit hun huisjes haalde. Andrés vond het verbazingwekkend dat het meisje zo weerloos nog hetzelfde was.

Camila wierp een blik op hem toen ze naar de waterkant liep. Ze voelde zich een beetje onrustig, maar ze zou nooit hebben toegegeven dat het gezelschap van Andrés haar zekerheid gaf. Ze liep naar het eind van de strook zand en zag dat het water totaal ondoorzichtig was en zich onbegrijpelijk compact, als een diep donkerblauwe gelei, bewoog. Maar het was kalm water, dat wist ze, hetzelfde water als altijd maar wat dieper en daardoor onpeilbaar, net als de ziel. Ze sloeg een kruisje om zich tegen kwallen en haar eigen innerlijke onrust te beschermen. Toen nam ze, zonder dat ze de tijd had om zich te kunnen bedenken, een hap lucht en liet zich voorover vallen.

De vorige avond was Paco zo dronken naar bed gegaan dat hij niet in staat was geweest zich uit te kleden. Felisa, die haar nachtjapon uit Mallorca weer had aangetrokken, liet hem liggen zoals hij op het bed was neergevallen. De hele nacht lag hij te snurken, waarbij hij zich omdraaide met het gereutel van een geslacht dier en de penetrante geur van zijn zweet door de hele kamer verspreidde. Bij het krieken van de dag stond Felisa op om in de kantine aan de slag te gaan en een paar uur later, toen het ontbijt al was uitgeserveerd, trof ze haar man alweer zittend onder de wingerd aan, met een fles wijn op tafel en het trieste geknikkebol van de dronkenschap. Strijkend over haar pijnlijke heup keek ze hem wanhopig aan. Maar Paco, die haar aanwezigheid had opgemerkt en haar een zijdelingse blik had toegeworpen, leek de kracht niet te hebben om de confrontatie met haar aan te gaan.

"Als er iets goed gaat, doe jij er altijd alles aan om het te verpesten", zei Felisa García bijna vriendelijk. "Dat is altijd zo geweest, al sinds we getrouwd zijn. Er is geen grotere vijand dan die je in huis hebt … Weet je wat ik denk? Dat je de moed niet hebt om te leven, dat je een dezer dagen dood in een hoekje zult worden aangetroffen, gestorven uit afkeer van jezelf."

"Laat me met rust", hakkelde de kantinehouder.

Alsof er een beest in zijn enkel had gebeten trok hij ineens met enorme kracht zijn benen op, waardoor hij met tafel en al achterover viel. De fles die op de tafel had gestaan viel aan scherven op de grond, na eerst tegen zijn borst te zijn geslagen. Felisa deed verschrikt een stap achteruit. Geweldig onhandig duwde Paco de tafel van zich af, tuimelde op zijn zij en stond wankelend, met bloeddoorlopen ogen, op. Felisa García wilde al hard weghollen, maar haar man maakte geen aanstalten haar kant op te komen. Hij trok de ketting van zijn nek en smeet hem in de richting van de vijgenboom.

"Laat me godverdomme met rust!" schreeuwde hij zonder zijn blik op Felisa te vestigen, want hoewel ze voor hem stond kon hij haar niet vinden. "Laat me toch! Ik heb je niet nodig. Sodemieter op, vuile slet!"

Toen liep hij het plein op. Na enig aarzelen koos hij het pad dat naar de bergen liep. Felisa García zag hoe hij zich zwalkend verwijderde. "Goed zo, ga maar", mompelde ze voor zich uit. Hijgend van inspanning zette ze de tafel overeind en ging vervolgens de ketting oprapen. Haar hart brak maar ze kon dit niet langer verdragen, ze kon niet langer aanzien hoe haar man met de dag verder wegzakte, en ze wilde niet door hem meegesleept worden maar ook niet in haar eentje worden gered. Wat Felisa García wilde was een ander leven leiden, misschien wel een ander mens zijn, of ergens anders wonen of nooit geboren zijn. Het was allemaal zo onmogelijk dat haar keel zich met tranen vulde en ze daar ter plekke in snikken uitbarstte, open en bloot, omdat er niemand te zien was en ze zich die luxe dus kon permitteren. Toen al haar verdriet naar buiten was gekomen en het schort waarmee ze haar gezicht had afgedroogd drijfnat was, haalde ze diep adem en maakte zich op om haar bezigheden te hervatten. Voor Felisa García was wanhoop slechts een adempauze waaraan ze zich nu en dan overgaf en die haar vanbinnen schoonwaste.

Die ochtend ging ze doen wat ze altijd deed als ze weer zichzelf was nadat ze door de ontoegankelijke wereld van de verlangens had gedwaald. Felisa García keerde tot de werkelijkheid terug als iemand die zijn handen heeft gewassen. Ze zei dan "Ach, Heer", en sloot zich op in de keuken om aardappels te schillen en zich af te vragen wat ze straks zou koken, want dat had ze nog niet besloten. En vele uren later, bij het naar bed gaan, zou ze tegen zichzelf zeggen dat het allemaal zo erg niet was, dat ze per slot van rekening een huis had, het huis waarin ze haar kinderen had groot kunnen brengen en haar ouders oud waren geworden en zich met God hadden herenigd, dat ze over voldoende eten beschikte om haar gezin te voeden en over voldoende aanwijzingen dat anderen haar nodig hadden. Eigenlijk was er geen reden om zich ongelukkig te voelen, zou ze dan denken, en als in het donker van de slaapkamer de tranen toch weer kwamen zou ze die laten stromen, omdat ook daar niemand haar zien kon, en dan zou ze zeggen "Felisa, je bent slap, daar is niks aan te doen", totdat ze min of meer in slaap zou zijn.

En zo mompelde ze die ochtend "Ach, Heer", met de gouden

ketting tegen haar borst gedrukt, en ging naar huis terug om in de keuken de diepere zin van de dingen te zoeken. Een stoofschotel ... begon ze te filosoferen terwijl ze haar handen afveegde aan het schort vol tranen, bestond er iets belangrijkers dan een stoofschotel? Boven de pan waarin ze stond te roeren om het gerecht niet te laten aanbranden bedacht de kantinehoudster dat er zonder twijfel heel belangrijke kwesties waren, zelfs verschrikkelijke kwesties die voorgoed het leven van de mensen tekenden, maar dat niets zo onmisbaar was als een stoofschotel. "Per slot van rekening moeten alle mensen eten", redeneerde ze, "en wanneer ze eten laten ze veel duidelijker zien hoe ze zijn dan wanneer ze denken. Wanneer ze eten kun je je niet in hen vergissen." Dat was de kern van de zaak. Als de mensen na al hun drukke bezigheden gingen zitten eten en pas dan weer een beetje zichzelf werden, een beetje zichzelf in een gewone, ontspannen situatie, als iemand die eindelijk is waar hij moet zijn, waarom bleven ze dan zoveel belang hechten aan al die verschrikkelijke dingen die ze daarbuiten begingen in naam van ideeën of sympathieën die ze zelf al vergeten waren? Waarom moesten ze zo nodig alles in gevaar brengen als ze uiteindelijk maar één ding wilden en dat was gaan zitten eten?

Felisa García roerde nog wat in de pan, liet hem op het vuur staan en begon broodjes klaar te maken voor Camila en Andrés, die zouden gaan zwemmen. Toen de kinderen weg waren, ging ze haar schrijfgerei halen, een opschrijfboekje met vetvlekken op de kaft en een afgekloven potlood dat veel weg had van een takje. Ze ging aan tafel zitten en was een hele tijd met schrijfoefeningen bezig.

Rond het middaguur had ze alles helemaal klaar. Ze had de nieuwe kleden op de tafels in de bar gelegd en de pan vulde de keuken met een onmisbare geur. Haar kleine rijk was gereed om in zijn normale toestand terug te keren. Maar lang voor de anderen verscheen Leonor Dot, vol zorgen die bij de kantinehoudster, die in beslag genomen werd door haar eigen zaken, niet waren opgekomen.

"Heb jij ze gezien?" vroeg ze zodra ze binnen was. "Zijn ze nog niet terug?"

Toen schoot het Felisa García weer te binnen dat Camila en Andrés waren gaan zwemmen. Ze keek om zich heen alsof ze hen daar zocht, want die ochtend was ze eraan gewend dat ze alles wat ze had aangeraakt weer kwijt was. Toen richtte ze zich met een schuldige uitdrukking op haar gezicht tot haar vriendin.

"Ik heb broodjes met spek voor ze gemaakt. Misschien hebben ze de tijd vergeten. Jongeren denken alleen aan ons als ze honger hebben."

"Camila weet dat ze om één uur hier moet zijn, dat is de enige voorwaarde die ik stel … en het is nu bijna twee uur."

Felisa, die haar handen aan haar schort had afgeveegd en het vervolgens begon te wringen alsof ze een kip de nek om wilde draaien, keek naar de lege kantine.

"Misschien is ze haar horloge verloren", opperde ze. "Je zou niet moeten toestaan dat ze daarmee gaat zwemmen."

Even later verscheen Lluent, die zijn boot net had afgemeerd. Hij had langs de kust gevaren om zijn fuiken na te kijken, maar hij had geen jeugdige zwemmers gezien. Nadat hij was gaan zitten en even over zijn pijnlijke dijen had gewreven, verklaarde de visser dat hij naar het zuiden was gegaan, dus de andere kant uit dan waar Camila en Andrés altijd heen gingen. Weer wat later kwam Benito Buroy binnen. Hij haalde zijn schouders op toen hij ondervraagd werd, maakte een ontkennend gebaar met zijn kin en ging aan zijn tafeltje achterin zitten. De laatste die binnenkwam was de Duitse vliegenier. Omdat hij niet met de eilandbewoners kon communiceren, had Hermann Schmidt zich overgegeven aan een intense haat tegen de mensheid die hij verdreef met lange wandelingen, en hij kwam alleen nog maar in de kantine om te eten. Over drie dagen zou de boot komen die hem daarvandaan zou halen, en dat was het enige wat hem interesseerde.

"Ze zijn nog nooit zo laat geweest", zei Leonor Dot met gebroken stem. "Dat wil zeggen dat hun iets overkomen is, er moet hun iets overkomen zijn."

Ze ging in de deuropening staan om naar het plein te kijken, sloeg haar armen over elkaar en barstte in snikken uit, waarbij ze haar gezicht met één hand bedekte. Felisa García probeerde de hand voor haar gezicht weg te trekken, maar Leonor stribbelde tegen.

"Neem me niet kwalijk …", zei ze. "Soms verlies ik mijn kalmte. Ik zou het niet kunnen verdragen als mijn dochtertje iets overkwam. Er is al te veel gebeurd …"

De kantinehoudster uitte een krachtterm, ging naar buiten en liep naar de militaire commandopost. Even later kwam ze terug, de kapitein aan zijn arm met zich mee trekkend, terwijl de vrachtwagen zijn rustige plek in de schaduw verliet en in de richting van het kampement reed.

"Ziezo!" zei ze, alsof alles was opgelost. "Constantino heeft een patrouille erop uitgestuurd om ze te gaan zoeken. Zeg haar dat dan, Constantino … Binnen de kortste keren zullen ze hen aan hun oren hierheen sleuren. En dan zal ik die idioot van een Andrés eens wat laten horen! Reken maar dat hij wat zal horen!"

De kapitein keek ietwat bedremmeld naar Leonor Dot, die rode ogen had en haar lippen zo hard op elkaar klemde dat ze ervan trilden.

"Maakt u zich geen zorgen", zei hij.

Na deze armzalige opmerking leek het hem wenselijk met een sterker argument te komen. En eraan denkend hoe hij zelf continu de horizon afspeurde op zoek naar het vijandelijk eskader dat Cabrera zou verwoesten en hen allen over de kling zou jagen, te beginnen met hemzelf, probeerde hij de vrouw op dezelfde manier gerust te stellen als waarop hij zichzelf geruststelde. Hij blies zijn borst op en zei met veel aplomb: "De tragedies die men niet verwacht zijn de enige die uiteindelijk plaatsvinden. Ik kan het weten, want ik ben militair."

De soldaten waren nu al bijna drie uur geleden vertrokken om de verdwenen jongeren te gaan zoeken en hoewel er nog geen bericht van hen was, was kapitein Constantino Martínez net in de bar geweest om Leonor Dot en Felisa García nogmaals te zeggem dat ze zich geen zorgen moesten maken, dat hij alles onder controle had. Daarna had hij zich weer opgesloten in zijn kantoor en was gaan zitten wachten, zoals ook beide vrouwen dat deden, aan een van de tafels met nieuwe kleedjes. Ze keken elkaar aan zonder te weten wat ze moesten doen.

Even tevoren had Leonor Dot Lluent gesmeekt haar mee te nemen in zijn boot, maar de visser had geweigerd en haar verzekerd dat de lucht er dreigend uitzag, dat de zee donker en woelig was en dat ze onder die omstandigheden niet dicht onder de kust zouden kunnen varen. En hij had gelijk. De naderende schemering maakte het water woelig, zelfs in de baai stond een deining alsof het onder het wateroppervlak flink tekeerging. Het leek alsof zich onder de golven een storm opbouwde, maar dat kon Leonor Dot allemaal niets schelen. Helemaal buiten zichzelf had ze met haar vuisten op Lluent in getimmerd en geschreeuwd dat hij een laffe ouwe dronkelap was, net zolang totdat ze de visser zo ver had gekregen dat hij de waarschuwingen van de lucht voor het eerst in zijn leven genegeerd had en in zijn boot was gestapt, maar hij had haar niet mee willen nemen. En niet veel later was hij doornat en met gevoelloze armen teruggekomen. "Als de zee je niet toelaat, is het onmogelijk", was zijn wanhopige commentaar geweest toen hij de boot weer aan de steiger had vastgelegd. Sindsdien liep hij als een gekooid dier over de kade.

Slechts één man zou de twee jongeren kunnen vinden, en dat deed hij toevallig ook. Na al die maanden van kluizenaarschap kende Markus Vogel het hele eiland op zijn duimpje. Vaak ging hij door de totaal verlaten landschappen wandelen of vanaf een berg het leven op het plein gadeslaan. Hoewel hij er niet vaak kwam, en de dreiging van Benito Buroy het hem nu helemaal belette, waren er dagen waarop hij de behoefte voelde de anderen te bespieden om zich wat minder alleen te voelen. En dit was zo'n dag. Terwijl Leonor Dot en Felisa García aan een tafel in de kantine zaten te wachten, liep hij door de bergen in de richting van het dorp. Na een tijdje kwam hij bij het begin van het pad dat Camila en Andrés uren eerder hadden genomen, boven aan de steile helling die zich achter het kerkhof in de golven stortte. Daar bleef hij naar de kustlijn staan kijken. Door het beuken van de zee waren kleine inhammen gevormd tussen de rotsarmen die de erosie hadden doorstaan. In één daarvan, niet ver van hem vandaan, ontdekte hij een militaire patrouille. De soldaten speurden tussen de spleten alsof ze zee-egels zochten. Markus Vogel kende die plek goed, want daar ging Camila altijd zwemmen. Eén keer had hij het meisje vanaf de rotsen bespied. Hij vond het een mooi gezicht haar met gespreide armen te zien drijven, gewichtloos op dat bed van water, doodstil en toch één en al leven midden in het verlaten landschap.

Hij hief zijn blik omhoog. Er had een donderslag in zijn maag nagetrild en de lucht begon snel te betrekken. Markus Vogel veranderde van gedachten en besloot naar zijn grot terug te gaan voordat hij door de regen verrast zou worden, maar het was al te laat. Er vielen grote, trage druppels die als zware bellen op de rotsen uiteenspatten. De kluizenaar wist dat dit de voorbode was van de storm die even later zou losbarsten. Hij begreep dat het al te laat was om naar zijn hol te gaan, maar hij kende een plek waar hij kon schuilen. Daar dichtbij was een strandje met een grote grot.

Hij liep langs de rand van de steile kust terug, totdat hij bij een rotspunt kwam waarop sint-janskruid met gele bloemetjes groeide. Op die plek was een breuk in de aarde, die in de loop van de eeuwen was veranderd in een duizelingwekkende trap. Net toen hij erheen wilde lopen, zag hij in de diepte Camila roerloos op haar zij op de kleine strook zand liggen.

De kluizenaar moest zich tot kalmte dwingen om aan de afdaling te kunnen beginnen. Zijn hart ging zo hevig tekeer dat hij het gevoel had dat hij zijn evenwicht zou verliezen, maar toch liep hij behoedzaam naar beneden, zichzelf steeds voorhoudend dat het belangrijkste was dat hij daar zou komen, dat hij overeind moest blijven om Camila te redden. Af en toe bleef hij staan, keek naar beneden en riep de naam van het meisje, maar ze bleef roerloos liggen. Toen hij het strandje bereikt had, deed hij een paar stappen in hetzelfde trage tempo als waarmee hij was afgedaald, alsof hij ook daar te pletter kon vallen. Wat hij in werkelijkheid deed was het moment uitstellen waarop Camila in zijn armen zou liggen. Hij was bang voor de kilte van haar lichaam.

Het meisje lag met haar rug naar hem toe. Ze was naakt, met

haar ineengedoken lichaam overgeleverd aan de golven die vredig over het zand spoelden na tegen de omringende rotsen te hebben gebeukt. Het witte schuim speelde met haar haar, dat zich als een waaier in een onzichtbare hand spreidde en sloot. Een paar slierten algen, intens groen van kleur maar wel doorzichtig, hadden zich tussen haar voeten verstrengeld. Het leek alsof de zee haar daar had neergelegd na haar eerst door zijn verborgen diepte te hebben laten dwalen.

Markus Vogel herstelde zich van de aanblik en raakte Camila's schouder aan. Die voelde even kil als hij gevreesd had, maar in plaats van dat dit hem verlamde kreeg hij voldoende tegenwoordigheid van geest terug om het lichaam van het meisje om te keren, even naar haar bleke gezicht te kijken en zijn oor tegen haar borst te leggen. Hij wist niet of het zijn eigen hart was wat in zijn hoofd bonsde. Hij hief zijn hoofd op van Camila's bovenlichaam, haalde een paar keer diep adem en probeerde het opnieuw. Toen hoorde hij heel duidelijk dat er twee harten in hem klopten.

Dat maakte een eind aan zijn terughoudendheid. Hij pakte het meisje bij haar oksels, klemde haar tegen zijn borst en terwijl hij op haar billen en benen klopte om het zand en de algen te verwijderen, begon hij om hulp te roepen. Maar de soldaten bevonden zich heel ver daarvandaan en Markus Vogel was alleen met de ruwe zee, in de aanhoudende, trage regen. Niemand zou hem te hulp komen. Hij keek zoekend om zich heen naar iets om Camila mee te bedekken, en op dat moment ontdekte hij Andrés op een rots bij de ingang van de grot. Hij zat dwangmatig met zijn hoofd te schudden, met wezenloze blik en zijn handen om zijn knieën geknerld.

"Help me!" schreeuwde Markus Vogel.

Zijn stem leek Andrés uit zijn trance te halen, maar dat was nog veel erger voor de jongen. Hij sprong overeind, keek de Duitser met van paniek uitpuilende ogen aan en begon als een berggeit tegen de rotswand op te klauteren. Markus Vogel zag hem hoog op de overhangende rotsmassa verdwijnen. Daar stond hij nu alleen, met Camila in zijn armen. Hij ondersteunde haar hoofd bij de nek, alsof ze een pasgeboren baby was, en kuste haar op haar voorhoofd. Toen wreef hij haar rug. Terwijl hij haar slappe lichaam op zijn schouder hees, maakte hij zich op om daar waar de zoon van de kantinehoudster dat had gedaan omhoog te klimmen.

Hermann zit altijd maar vanuit de schaduw van de pergola naar me te kijken. Hij is Duits, net als Markus, maar verder hebben ze niets met elkaar gemeen. Hoewel alleen Markus hem kan verstaan, lijken ze uit twee totaal verschillende werelden te komen. Hier vindt niemand behalve ik Hermann aardig. Zelfs Benito, die de vervelendste man van de hele wereld is, vindt hem niet aardig. Benito is nu wat toeschietelijker en lacht soms zelfs als hij mama en mij tegenkomt, om ons duidelijk te maken dat hij niet aan hun kant maar aan de onze staat. Kapitein Constantino vindt Hermann ook niet aardig. Hij klaagt dat het vliegtuig is neergestort net een paar uur nadat het bevoorradingsschip naar Mallorca vertrokken was. De kapitein kan niet uitstaan dat door dit toeval de Duitser een volle week bij ons zal moeten blijven, voordat ze hem eindelijk naar zijn land terug kunnen laten gaan. Want volgens mama is voor Hermann hier zijn hetzelfde als nergens zijn, omdat ons land neutraal is in de oorlog. In elk geval wordt hij in beslag genomen door dingen die niet van hier zijn en is hij razend geïrriteerd dat hij op dit eiland moet zijn, dat voor hem een soort voorportaal van de hel is. En dat is logisch, want hij is een man die zich verantwoordelijk voelt voor de zaken die van hem afhangen. Dat kun je zo aan zijn intense, altijd zorgelijke ogen zien.

Ik probeer naar hem te kijken als hij in gedachten verzonken lijkt, maar het is moeilijk want hij let op alles wat ik doe. Met een droevige glimlach rond zijn mond volgt hij me met zijn blik, alsof hij niets anders te doen heeft dan mij voorbij zien komen. Ik word daar zo ongemakkelijk van dat ik me soms, als ik wegloop, plotseling omdraai om hem erop te betrappen dat hij naar me zit te kijken. Maar in plaats van dat hij zich dan schaamt, tovert Hermann weer een glimlach op zijn gezicht en dat maakt hem nog weemoediger en weerlozer. Mama zegt dat ik niet in de buurt van die man mag komen, dat hij even gevaarlijk is als een haai. Maar ik weet zeker dat dat niet waar is. Ik krijg medelijden als ik hem daar zie zitten, zonder iets te doen, met al die lege uren voor zich, lang als een heel leven. Ik voel dan hetzelfde medelijden als met papa wanneer die in Barcelona thuiskwam en in de zitkamer ging zitten en zijn gezicht in zijn handen verborg, omdat alles wat hij bezat hem werd afgenomen. Het is namelijk zo dat mannen als papa, die de beste was, en ook andere die net als Hermann hier heel ver vandaan komen, veel medelijden opwekken als ze verliezen wat ze zijn.

Verblind door woede en wanhoop gaan ze dan dingen doen die niemand kan begrijpen. Vanochtend wilde Hermann dat Lluent hem in zijn boot meenam om langs de kust van het eiland te varen. Vanuit de boot heeft hij met zijn pistool geschoten op alles wat hij maar zag, op rotspunten, op boomstammen en op een paar geiten die binnen het bereik van zijn pistool kwamen. Een van de geiten is getroffen door een kogel naar beneden gestort en in zee gevallen. Ik geloof dat Hermann zich alleen maar wilde afreageren, dat hij het niet expres heeft gedaan. Maar zodra Lluent zijn voet op de stenen van de kade had gezet, is hij rechtstreeks naar het kantoor van kapitein Constantino gegaan. Het geschreeuw van de visser was op het plein te horen. Hij was zo boos dat de kapitein, die zijn karakter wel kent, ongetwijfeld dacht dat het helemaal verkeerd zou aflopen. Hoewel je kon zien dat hij er heel weinig zin in had, is hij naar de kantine gegaan om de Duitse vliegenier met gebaren duidelijk te maken dat zijn wapen in beslag werd genomen. Hermann weigerde het af te geven, maar hij werd gedwongen. Uiteindelijk heeft hij het toch op tafel gelegd, waarbij hij een paar zinnen mompelde die niet best klonken, ook als je ze niet kon begrijpen. Hij leek heel boos.

Constantino wist niet hoe hij moest reageren. Hij heeft toen het pistool maar gepakt, is de kantine uit gegaan en heeft zich weer opgesloten in zijn kantoor. Er bleef een gevoel van enorme haat, als bij een wapenstilstand, in de lucht hangen. Dat is ook zo'n probleem van mannen, dat ze geen punt achter de dingen kunnen zetten. Als papa thuiskwam en naar mijn kamer kwam om me goedenacht te wensen, kon zelfs hij er afgemat en onvoldaan uitzien, alsof de dag niet genoeg uren had of hijzelf, al had hij zijn uiterste best gedaan, niets van wat hij werkelijk belangrijk vond tot een goed einde had gebracht. Hij bleef dan in de kamer zitten, zonder de slaap te kunnen vatten. Mama maakte een kop thee en zei "Maak je geen zorgen, het komt allemaal in orde". Maar niets kwam in orde, omdat mannen steeds maar oplossingen zoeken en daardoor altijd onrustig zijn. Ik weet zeker dat kapitein Constantino en Benito en Hermann en Paco en Lluent op dit moment allemaal lopen te piekeren over allerlei zaken en dat die hen beletten iedere avond een hoofdstuk af te sluiten en de volgende ochtend een nieuw te beginnen, zoals ik doe wanneer ik in dit dagboek schrijf. Je zou haast denken dat ze zich allemaal op elkaar willen wreken en daardoor altijd gespannen wachten op het moment waarop ze dat kunnen doen.

Om die reden worden ze soms gek en doden ongewild een geit, of doen dingen die nog moeilijker te begrijpen zijn.

De arts van het kampement kwam de veranda op terwijl hij zijn handen afdroogde aan een keukendoek. Leonor Dot en Felisa bleven binnen, bij het bed waarin Camila lag, terwijl de mannen in de trage regen die de komst van de herfst aankondigde op de diagnose wachtten. Zelfs Benito Buroy, die nog nooit daar thuis was geweest, was aanwezig, een beetje van de anderen afgezonderd om buiten het lamplicht te blijven. Ze hadden zich allemaal naar de arts toegekeerd, maar deze liep, nog steeds zijn handen aan de doek afvegend, naar het einde van de tegelvloer en liet zijn blik door het nachtelijk duister dwalen.

"Hier heb ik niet voor gestudeerd", zei hij zonder zich naar hen om te draaien. "Mijn vak is kogels verwijderen en gebroken botten spalken. Ik ben militair en ik zorg voor mannen die vechten. Ik weet hoe ik die moet behandelen als ze gewond zijn. Maar ik ben niet voorbereid op een ander soort wonden."

Kapitein Constantino Martínez spreidde zijn armen ten teken van ongeduld. Hij ging naar de arts toe en pakte hem bij de elleboog.

"Kom, beste man, vertel ons hoe het met haar is."

"Ze is licht onderkoeld, maar met een beetje warmte zal dat wel weer overgaan. Het is een meisje met een sterk gestel."

Toen keek de arts de kapitein weer aan.

"Dat is het ergste niet … Ze is verkracht. Gelukkig is ze niet uitgescheurd en niet in levensgevaar, maar ze is zeer aangeslagen, dat is logisch. Ze reageert niet. Ze is bij kennis, geloof ik. Maar ze praat niet en verroert zich niet. U vraagt me hoe het met haar is en ik weet niet wat ik daarop moet antwoorden. Ik heb al gezegd dat mijn vak kogels verwijderen uit een schouder of uit een kuit is … Ik heb haar een kalmerend middel gegeven, ik weet niet of dat het beste was."

Er viel een diepe stilte. De kapitein keek hem aan alsof hij hem niet goed begreep, en Markus Vogel, die tegen de muur geleund stond, had zijn handen voor zijn gezicht geslagen. Toen klonk ineens, slepend en traag als een warme windvlaag, de stem van Lluent.

"Ik wil alleen weten wie het gedaan heeft."

"Hoe moet ik dat weten. Het meisje doet geen mond open en de vrouwen willen haar niet opjagen … Ze hebben gelijk, ze kan beter eerst tot rust komen. We zullen moeten wachten tot ze hersteld is."

Er bleven hardnekkig wat regendruppels vallen, maar het was niet koud en de mannen voelden de regen niet. Binnen in huis klonk de stem van Felisa García, die bad of vloekte. De nacht was zo donker geworden dat het leek alsof ze zich op de bodem van een diepe put bevonden of op het diepst van de zee. Benito Buroy, die een eindje van de anderen af stond, deed een paar stappen naar voren. Het leek alsof hij uit de duisternis opdoemde.

"Hier kunnen we niks doen", zei hij. "Ik ga slapen."

Hij nam niet eens de moeite naar Markus Vogel te kijken. Hij liep het enige vertrek van het huis door en begon in de richting van het plein te lopen. Even later hoorde hij voetstappen achter zich. Het was de dokter.

"Wacht", zei de dokter, die het in het donker op een onvast drafje had gezet. "Nu we hier toch zijn, kunnen we even in de kantine stoppen, dan haal ik de hechtingen uit uw vinger. De wond is nu zeker dicht."

Terwijl zij zich verwijderden, wist kapitein Constantino Martínez op de veranda niet hoe hij de situatie moest aanpakken. Hij wierp een blik op de kluizenaar, die zich langs de muur naar beneden had laten zakken en nu op de grond zat. Het enorme lichaam van de Duitser leek wel een zak die naast de deur was achtergelaten. De militair trok de panden van zijn uniformjasje recht en schudde met zijn schouders in een poging het droog te krijgen. Benito Buroy had gelijk. Hier konden ze niks doen. Het was ook voor hem het moment om zich terug te trekken en het aan de vrouwen over te laten zich over het meisje te ontfermen. Per slot van rekening was het een probleem van strikt vrouwelijke aard. Bovendien dreigde door dit alles zijn maag weer op te gaan spelen. En dat terwijl hij nog niet gegeten had, wat een slechte zaak was. Hij kuchte geforceerd om zijn keel te schrapen. Toen pas richtte hij zich tot Lluent om afscheid van hem te nemen. Diens houding beangstigde hem een beetje. Onbeweeglijk en zwijgzaam als altijd bleef de visser strak voor zich uit staren. Het leek alsof hij op het punt stond een stommiteit te begaan. De kapitein wist dat het ook tot zijn ontelbare taken behoorde ervoor te zorgen dat men zijn zelfbeheersing niet verloor.

"Rustig nou maar", zei hij, en daarbij gaf hij zijn stem de verstandige klank van iemand die veel erger dingen heeft meegemaakt. "We moeten het hoofd koel houden tot we de schuldige hebben gevonden. Voorlopig kunnen we slechts bidden dat dit niet weer gebeurt."

"Bidden?" mompelde de visser zonder hem aan te kijken. "Bidden tot wie?"

"Niet zo zwartgallig, man, en sla geen godslasterlijke taal uit. Kom, dan laten we de dames hun werk doen en gaan we naar de kantine. Dan gaan we iets eten en een borrel drinken, en dan zult u zien dat we het over twee dagen allemaal vergeten zijn."

Er brak een kille, klamme dag aan, maar de lucht was onbewolkt. Slechts in de verte hingen een paar rafelige wolken, daar waar de zon aan de horizon opkwam en zijn vuurrode licht versplinterde. Felisa García, die de hele nacht was opgebleven, maakte cichorei voor Lluent die zat te bibberen in een van de stoelen van de kantine, met glazige ogen en stijf geworden kaken en handen. Terwijl ze de gloeiende kolen oprakelde om het water sneller te laten koken, vroeg de vrouw zich af wat de visser had gedaan voordat hij daar bij het eerste ochtendlicht trillend en uitgeput was verschenen. Vast en zeker niets anders dan zitten neuriën voor de deur van zijn huis, opgaand in zijn eigen wereld van vergeten of niet-bestaande stemmen, terwijl de regen het ondraaglijke vuur van zijn emoties doofde. Felisa García wist dat Lluent het leven op een even intense als vage manier beleefde. Niets was hem helemaal eigen en niets was hem helemaal vreemd. En hoewel hij geen religieus mens was, had hij een opvatting van de wereldorde die te vaak niet over-eenkwam met wat er in de wereld gebeurde. Daardoor werden zijn gedachten vaak obsessief en vraten hem vanbinnen op.

Het was een merkwaardige en onaangename nacht geweest. Toen ze heel laat van Leonor Dot was thuisgekomen, had de kantinehoudster haar man badend in zijn eigen braaksel aange-troffen. Het bed van Andrés was echter nog onbeslapen, met het kussen opgeschud en het laken opengeslagen zoals zij het 's och-tends had achtergelaten om het uur waarop hij zijn nachtmer-ries weer moest trotseren aangenamer voor hem te maken. De jongen had zich niet meer vertoond nadat hij Markus Vogel met het slappe lichaam van Camila in zijn armen op het strand had achtergelaten.

Felisa García had de nacht zittend aan de keukentafel doorge-bracht, in angstige spanning hoe het met haar zoon zou zijn en haar man vervloekend dat hij haar op zulke ellendige momen-ten alleen liet. Terwijl ze, met haar dikke handen over elkaar, haar blik traag liet dwalen van de planken naar het fornuis, van-daar naar het portret van Pius XII en weer terug naar de plan-ken vol zwartgeblakerde pannen, vettige bussen en potten die roken naar bederf, viel de vrouw in de valstrikken van het den-ken. Het trage verglijden van de uren had een bijna gekmaken-de onzekerheid in haar wakker gemaakt. Ze kon het niet van zich afzetten en bleef maar piekeren over het feit dat Andrés alleen verdween als hij in zijn trots gekwetst was of zich ergens schuldig over voelde. Maar de vorige dag had niemand naar tegen haar zoon gedaan. Integendeel, Felisa herinnerde zich dat de jongen heel blij was geweest bij het vooruitzicht van een dag aan het strand. Dus als het schuldgevoel was wat hem vele uren en verschrikkingen later had gedwongen hard weg te hollen toen de Duitser hem om hulp vroeg, kon dat alleen beteken dat hij degene geweest was die het meisje had overweldigd. De kantinehoudster, die haar eigen redeneringen altijd volgde zonder vals te spelen of stappen over te slaan, kreeg een wee gevoel in haar maag toen ze tot de volgende conclusie kwam: Andrés was degene die Camila had verkracht.

Er was plotseling geen lucht meer in de kamer en met haar handen op haar borst hapte Felisa ontzet naar adem. Ze voelde de dringende behoefte iemand te roepen maar ze wist niet wie, en ze wist ook niet of ze wel het recht had om hulp te vragen. Op dat moment hoorde ze het geluid van de kantinedeur en toen ze haar blik opsloeg, trof ze die van Pius XII, die haar vanaf zijn kalender gadesloeg. De ogen van de paus keken niet langer vreedzaam op haar neer maar verweten haar dat ze een pervers kind had gebaard, dat ze een slappe vrouw was en dat ze daar bleef zitten zonder iets te doen, terwijl ze toch niet gelukkig was met al dat kwaad dat ze had ontketend. Felisa García schudde haar hoofd, stond op en ging kijken wie er binnenkwam, terwijl ze heel zachtjes prevelde: "Ik mag niet instorten, dat mag ik niet doen. Ik moet Andrés zien te vinden en hem aan de autoriteiten overleveren."

Lluent kwam wankelend aangelopen. Nog nooit, zelfs niet na zijn ergste nachten op zee, was hij in zo'n bedroevende staat in de kantine verschenen. Hij ging op een stoel zitten en had niet de kracht de kantinehoudster terug te groeten. Ondanks het vroege uur ging Felisa García snel een kop goed hete cichorei voor hem maken. Terwijl ze het vuur oprakelde vroeg ze zich af wat hij zou hebben gedaan dat hij zo aangeslagen was, en toen kwam er een verlammende gedachte in haar op. De visser was een man van woeste ingevingen, dat wist ze maar al te goed, en het was verrassend hem zo ontdaan te zien. Misschien, waarom niet, kwam die ontreddering wel voort uit schuldgevoel. Schuldgevoel dat misschien veroorzaakt werd doordat hij geen weerstand had kunnen bieden aan de verleiding zich meester te maken van Camila's onschuld, en daarmee ook van de geuren uit zijn verbeelding, en van de onhoorbare stemmen, en van een verleden dat hij zich in nevelen zou herinneren en van een toekomst die eenvoudigweg niet bestond. Vrijwel alles in het leven doet men om een verheven en onbereikbaar idee zo goed en zo kwaad als het gaat uit te voeren, dacht Felisa García. Waarom zou Lluent niet hebben toegegeven aan die waan waartoe uiteindelijk bijna alle mensen veroordeeld zijn? Als het nu eens de visser was geweest die het meisje had verkracht, en niet haar zoon?

Ze schonk een volle kop in, ging ermee naar de kantine en zette hem voor de man neer, die nog steeds tussen zijn benen door naar de grond zat te kijken. De kantinehoudster ging tegenover hem zitten en leunde met haar ellebogen op tafel.

"Wat heb je gedaan, Lluent?" waagde ze het te vragen, zich vaag bewust van het feit dat die vraag haar ook de kans bood zich van haar eigen schuldgevoelens te bevrijden.

Het antwoord kwam binnen een seconde. De visser had er ongetwijfeld al over nagedacht.

"Ik ga de zee op en word oud", stamelde hij met gebroken stem. "Dat is wat ik doe. Iedere dag ga ik de zee op en word ik iets ouder. En soms vraag ik me af waarom."

Felisa García was niet zo blind dat ze zich aan een illusie zou vastklampen.

"Drink dit", zei ze, terwijl ze weer opstond. "Dat zal je goeddoen."

Ze ging naar de keuken terug. Weer alleen leunde ze met haar rug tegen de muur en begon heftig te snikken, zo heftig dat haar buik ervan schudde. Het kon Lluent zijn geweest die het meisje had verkracht, wie zou het zeggen, maar het kon ook een soldaat uit het kampement zijn geweest of zelfs haar eigen man, die de hele dag dronken over het eiland had gewaggeld. Het kon iedereen zijn geweest, zelfs Markus Vogel, die tenslotte degene was die haar naar het dorp had gebracht. Bij mannen wist je het nooit. Maar zij wist dat haar zoon een ernstig probleem in zijn hoofd had en dat ze hem al vaak ergens masturberend had aangetroffen, soms in het bijzijn van anderen, en dat Leonor hem had betrapt toen hij Camila in haar slaap beloerde en dat zij, Felisa García, degene was die een jongen gebaard had die niet wist dat er dingen zijn die je niet mag doen, al word je nog zo aangetrokken door een schoonheid die nooit de jouwe zal zijn. Zo stonden de zaken, waarom zou ze zichzelf voor de gek houden. Andrés had Camila verkracht en zij diende de schade zo goed mogelijk te herstellen. Ze was bereid daar onmiddellijk mee te beginnen. Ongeluk kun je alleen te boven komen door wilskracht te tonen en offers te brengen, zo hield Felisa García zichzelf voor.

Ze maakte zich los van de muur en merkte dat haar benen haar nog droegen en dat ze haar evenwicht niet verloor. Ze wreef vastberaden in haar handen. Ze moest het middageten klaarmaken en bedenken wat ze daarna zou doen. Zo diende je te werk te gaan, opdat het leven gewoon doorging en Camila goede bouillon zou krijgen, dat in de eerste plaats. En hoe verdrietig of hoe druk bezig de anderen ook waren, zij zouden ook willen eten. Daarna, als dit ze allemaal had opgelost, zou ze zich met Andrés bezighouden. Ze wist al waar ze hem kon vinden.

Met een zucht pakte ze de grootste pan. Toen ze zich omdraaide om hem met water te vullen stuitte ze opnieuw op Pius XII, die nog steeds afkeurend naar haar keek. Maar Felisa García was alweer in beweging gekomen en was niet in de stemming voor grapjes.

"En jij ... jij kunt de pot op", zei ze.

Toen Felisa op de deur klopte, stond Leonor bij het raam en hield het gordijn opzij om naar de zee te kijken. Ze draaide zich om en zag de kantinehoudster met een dampende schaal en een boerenbrood onder haar arm binnenkomen. De vrouw wierp een vluchtige blik op het bed waarin Camila, tot haar nek onder de deken, doodstil in foetushouding lag. Toen zette ze wat ze bij zich had op het marmeren aanrechtblad en kruiste haar vingers voor haar buik. Leonor had zich weer afgewend naar het raam.

"De kapitein is hier geweest", zei ze met trillende stem. "Hij kwam me vertellen dat hij zijn mannen heeft ondervraagd en dat geen van hen het heeft kunnen zijn. Alleen de dokter is gisteren lang genoeg weggeweest om naar het strandje te kunnen gaan en daarom heeft hij hem uit voorzorg gearresteerd … Die man is zo dom … Ik vind het zo treurig … zo treurig voor ons allemaal …"

Aan Leonors schouders kon je zien dat ze was gaan huilen. Felisa García liep naar haar toe om haar te troosten maar plotseling bleef ze staan, met haar blik op haar eigen voeten gericht. Ze voelde zich te vies om die vrouw te omhelzen en ze kon ook niet doen alsof de verhouding tussen hen beiden nog hetzelfde was als voorheen. Het moment was aangebroken om haar verantwoordelijkheid te nemen.

"Ik heb bouillon voor Camila meegenomen. Je moet proberen haar een beetje te laten eten. Ze heeft het nodig."

Ze zweeg even en probeerde zichzelf moed in te spreken. Toen ging ze verder: "Leonor, ik weet niet of ik je nog in de ogen kan kijken."

De ander draaide zich om en nam haar verbijsterd op. De donkere kringen onder haar ogen waren nat van de tranen.

"Waarom zeg je dat?"

"Het is Andrés geweest, mijn zoon. Hij is nog steeds niet thuisgekomen, maar ik weet waar hij is, op de plek die de kinderen het dal van de stemmen noemen. Ik ga nu het middageten opdienen. Daarna ga ik hem zoeken en zal ik de kapitein vragen hem te arresteren … Ik wil dat je weet dat jij pech hebt gehad in het leven, maar ik ook."

"Wie zegt dat het Andrés is geweest? Wie zegt dat?"

Leonor Dot had zich losgemaakt van het raam en was naar de kantinehoudster toe gelopen. Na haar even te hebben aangekeken had deze haar blik naar de grond geslagen.

"Ik weet dat, omdat ik zijn moeder ben. Ik heb de hele nacht zitten nadenken … Het is een goede jongen, maar hij is ziek en kan zichzelf niet beheersen. Hij is het geweest."

Met een vermoeid gebaar pakte Leonor een stoel bij de rugleuning om hem naar zich toe te trekken en ging erop zitten. Ze zette haar elleboog op tafel, leunde met haar voorhoofd op haar hand en keek de kantinehoudster aan.

"In Barcelona had mijn man veel problemen met infiltranten van de andere kant," zei ze. "Er waren aanklachten, er was verraad ... dat soort dingen. Eén keer heeft hij verhinderd dat ze iemand fusilleerden omdat hij informatie had doorgespeeld aan de vijand. Het was een priester die bekendstond om zijn reactionaire ideeën, maar men had niets tegen hem kunnen bewijzen. Ricardo zei tegen zijn mannen dat hij niet zomaar een schuldige wilde maar de schuldige van het bewuste delict, en hij beval de man vrij te laten ... Ik weet niet of ik duidelijk ben."

"Je bent altijd heel duidelijk", verzekerde Felisa García haar, "maar mijn zoon heeft het gedaan. Ik weet het zeker ... Zorg ervoor dat ze een beetje bouillon neemt, alsjeblieft, voor mijn plezier."

Ze verliet het huis zonder verder nog iets te zeggen. Toen ze weer alleen was, ging Leonor Dot naar de pan en tilde het deksel op. Een dampende selderijgeur verspreidde zich door de kamer. Leonors maag begon te knorren. Ze keek naar Camila. Het meisje had zich nog steeds niet bewogen en lag ineengedoken met haar gezicht naar de muur. Haar moeder schepte een kom voor haar in. Ze liep ermee naar het bed en ging voorzichtig bij haar zitten. Toen streek ze met haar hand zachtjes over haar haar.

"Drink maar, liefje. Dit heeft Felisa voor je gebracht."

Camila reageerde niet.

"Je moet iets eten. Je moet het proberen."

Ze legde een hand op haar voorhoofd en voelde dat het gloeiend was. De legerarts had al gewaarschuwd dat dit kon gebeuren en een bakje met honing achtergelaten. Leonor warmde wat melk op en loste daarin een paar lepels honing op. Toen ging ze weer naar het bed. Ze liet Camila's hoofd tegen haar borst rusten en bracht het glas naar haar mond.

"Drink dit. Je moet vechten, liefje. Drink dit."

Camila gehoorzaamde moeizaam, zonder haar ogen te openen. Beetje bij beetje dronk ze de melk terwijl Leonor bedacht dat ze die middag, zodra ze haar met iemand kon achterlaten, naar de kapitein zou gaan en hem zou smeken of hij de arts wilde vrijlaten zodat die nog een keer kon komen.

Zodra haar moeder haar hoofd losliet, ging het meisje weer in haar houding naar de muur toe liggen. Leonor stond op en keek wanhopig naar haar.

"Ik zou zonder jou niet kunnen leven, Camila", zei ze. "Je moet sterk zijn, want er zijn een heleboel mensen die van je houden."

Ze liep weg van het bed, pakte de kop bouillon en ging naar de veranda. Ze wilde drinken, maar haar keel werd dichtgeknepen en ze kon haar mond niet openen.

Felisa García had altijd haar woord gehouden. Zodra ze die middag klaar was met het afruimen van het middageten, gooide ze haar schort op de keukentafel en verliet de kantine. Even later zagen de dienstdoende soldaten in het kampement haar met de armen in de zij voorbijlopen in de richting van het binnenland. Felisa García had voldoende energie om haar zoon in alle dalen van de wereld te gaan zoeken, maar ze had er geen rekening mee gehouden dat haar benen zo'n pijn zouden doen. Het kostte haar grote inspanning om de laatste helling, vanwaar je kon uitkijken over het dal van de stemmen, te beklimmen. Geleund tegen een pijnboom, met haar voeten zo opgezwollen dat ze bijna uit haar sandalen barstten, vervloekte ze zichzelf omdat ze zo dik en zo oud was, en ondertussen speurde ze het kreupelhout af op zoek naar Andrés. Omdat ze hem niet zag en de jongen toch niet zou reageren als ze hem riep, begon ze af te dalen, vastbesloten die plek decimeter voor decimeter uit te kammen.

Even later vond ze haar zoon, zittend op een met mos bedekte rots. Hoewel hij haar aanwezigheid ongetwijfeld had opgemerkt, want Felisa denderde als een olifant over de bodem van het dal, bewoog Andrés geen spier. Zijn moeder ging snuivend voor hem staan, hief haar hand en gaf hem zo'n daverende oorvijg dat de vogels uit de bomen opvlogen.

"Er zijn geen woorden voor wat jij hebt gedaan! Daar zijn geen woorden voor, dat is onvergeeflijk! Ik schaam me dat ik jou ter wereld heb gebracht!"

Zonder verder iets te zeggen greep ze de jongen bij de kraag van zijn bloes en sleurde hem naar het dorp terug. Andrés liet zich meevoeren. Soms jammerde hij een beetje en bracht hij zijn hand naar zijn pijnlijke wang, maar hij bood geen weerstand. Toen ze op het plein kwamen, begon de zon net onder te gaan. Felisa García stevende resoluut op de commandopost af. Halverwege bleef ze echter even staan om na te denken. Toen nam ze een ander besluit. Met haar zoon nog steeds vast bij zijn nekvel begon ze de weg naar het huis van Leonor Dot op te lopen. Ze ging binnen zonder te kloppen en duwde de jongen naar het bed van Camila.

"Kijk maar naar haar!" riep ze. "Ik wil dat je haar ziet, voordat ze je opsluiten! Ik wil dat je ziet wat je hebt gedaan!"

Met zijn hoofd weggedoken tussen zijn schouders draaide Andrés zich angstig om naar zijn moeder. Toen liep hij naar het bed, knielde bij het hoofdeind en barstte in een lange, lugubere klaagzang uit, als van honden wanneer ze janken om de dood. Toen draaide Camila zich om, deed haar ogen halfopen en glimlachte flauw.

"Ik wist dat je zou komen", zei het meisje.

Na een moment aarzelen legde Andrés zijn vuile handen om haar gezicht. Camila reageerde met een magere, spierwitte arm die ze met een uitgeput gebaar ophief en om zijn rug legde. De twee vrouwen keken elkaar verbijsterd aan. Leonor was de eerste die reageerde.

"Hij is het niet geweest", zei ze. "Je mag hem geen pijn meer doen."

Paco had zijn hoofd om de deur van Andrés' kamer gestoken maar durfde niet echt naar binnen te gaan. Hij was de hele vorige dag in zijn bed blijven liggen. Laat in de middag, toen hij de geur van braaksel niet langer kon verdragen en Felisa nog steeds niet terug was, was hij maar opgestaan om zelf de lakens te verwisselen. Daarna was hij weer in bed gaan liggen en opnieuw in slaap gevallen. Nu was hij net wakker geworden. Het was al een tijdje licht.

"Felisa", zei hij vanaf de drempel, "ik weet niet wat er met me gebeurd is … Ik kan me niets meer herinneren, het is alsof ik gek ben geworden. Ik geloof heus dat ik gek ben geworden. Ik kan me alleen herinneren dat ik een heel eind heb gelopen … Je had me niet moeten zeggen dat ik staatsvijand nummer één was."

Felisa García scheen niet naar hem te luisteren. Zittend op het bed had ze Andrés zijn pyjamajas uitgetrokken en nu inspecteerde ze zijn armen, die onder de blauwe plekken zaten. Ze liet de jongen zich omdraaien en ontdekte dat hij ook een enorme bloeduitstorting op zijn rug had.

"Blijf zo zitten", zei ze. "Ik ben zo weer terug."

Ze ging naar de overloop en hield stil voor haar man, die toen hij haar zag aankomen was teruggedeinsd naar de deur van hun slaapkamer.

"De jongen is niet in orde. Ik ga de kapitein vragen of hij de arts wil laten komen."

Ze liep weg, maar boven aan de trap bleef ze staan en draaide zich met een moedeloos gezicht om naar Paco.

"Ik heb gezegd dat er niets erger was dan de vijand in je huis te hebben. Dat heb ik gezegd, niet dat je staatsvijand nummer één was … Wie denk je wel dat je bent? Daar ben je veel te miezerig voor."

Ze ging de trap af naar de kantine en liep hinkend het plein over naar de commandopost. Ze had pijn aan haar heup. Kapitein Constantino Martínez, die in zijn kantoor de uren voorbij liet gaan, ontving haar in de overtuiging dat een bezoek van de kantinehoudster niets goeds kon brengen. En dat was ook zo. Felisa García wilde dat hij de arts vrijliet, zodat deze naar haar zoon kon kijken.

"Wat is er toch aan de hand?" riep hij getergd uit. "Ik hoef deze man maar te arresteren en ineens heeft de hele wereld hem nodig. Zijn jullie allemaal ineens op één lijn gaan zitten?"

Niettemin liet hij de dokter halen, die bewaakt door twee soldaten naar de kantine ging. De man leek niet te worden gehinderd door zijn situatie. Hij wist heel goed dat ze eigenlijk niets tegen hem hadden en dat de kapitein alleen maar de goede naam van het leger wilde veiligstellen voordat er zand over de kwestie zou worden gestrooid. Hij ging naar Andrés toe, die op een stoel in de bar was gezet, en onderzocht hem grondig.

"Ze hebben hem een geweldig pak slaag gegeven", concludeerde hij. "Moet u zien wat een blauwe plekken, ze hebben zich echt op hem uitgeleefd. Kijk, hij heeft zelfs de afdruk van een handpalm op zijn gezicht."

Achter zijn rug stond Felisa García ongemakkelijk te draaien en liet een kuchje horen. De dokter had zijn oor op de borst van de jongen gelegd. Hij bleef doodstil zitten, zo geconcentreerd op wat hij hoorde dat het leek alsof hij een radio zat af te stemmen. De soldaten, de ouders van Andrés en zelfs kapitein Constantino Martínez, die ook een kijkje was komen nemen, bewaarden een eerbiedig stilzwijgen en hielden hun adem in. Daarna betastte de arts langdurig de zijden van zijn patiënt, waarbij hij zijn vingers in het vlees liet wegzinken alsof hij deeg kneedde. Om de spanning te verhogen keek hij ook nog naar de pupillen.

"Hij heeft een paar gebroken ribben", luidde zijn diagnose toen hij zich eindelijk naar de kantinehoudster omdraaide, "maar het zijn zwevende ribben. Er kan niets aan worden gedaan. Ze zullen vanzelf weer aan elkaar groeien. Tot die tijd moeten jullie ervoor zorgen dat de jongen geen woeste bewegingen maakt."

Felisa García richtte zich woedend tot de kapitein.

"Mijn zoon is door dezelfde persoon aangevallen als die Camila heeft verkracht! Hij heeft vast en zeker geprobeerd haar te verdedigen! Die man is een monster, Constantino! U moet hem vinden!"

De militair had er genoeg van dat alles afhing van zijn optreden. Hij kon niet zeggen dat dat abnormaal was, omdat hij de baas was op het eiland. Maar hij had er genoeg van altijd alles te moeten doen zonder dat iemand hem ook maar een klein beetje hulp bood.

"En hij kan niet praten?" riep hij naar Andrés wijzend. "Hij moet gezien hebben wie het was! Is hij zo stom dat hij ons de naam van die vent niet kan vertellen? Kan hij zelfs niet voor één keer zijn mond opendoen?"

"Hoe kan hij nou praten als hij nog nooit van zijn leven een woord heeft gezegd?" mengde Markus Vogel zich in het gesprek.

Hij was de kantine net binnengekomen en keek de kapitein verontwaardigd aan.

"Daar zijn we dan mooi klaar mee", was de militair van mening. "Het meisje laat geen woord los en hij evenmin. Wat willen jullie verdomme dat ik doe? Ik heb mijn eigen zaken allemaal onder controle. Maar ik ben benieuwd wat jullie te vertellen hebben … Misschien zouden jullie eens in elkaars zakken moeten kijken."

Op dat moment kwam Benito Buroy binnen, even later gevolgd door Hermann Schmidt. De eerste liep de bar door zonder zijn blik van Markus Vogel af te wenden en ging aan zijn tafel achterin zitten. De Duitse vliegenier kwam echter niet verder dan twee stappen de kantine in. Hij bleef staan bij het zien van het groepje mensen rond die stumper die, sinds hij hem op het kerkhof betrapt had, wegvluchtte zodra hij hem zag.

Andrés, die daar nog steeds met ontbloot bovenlijf en zijn lippen vol speeksel zat, was zo versuft dat het even duurde voordat hij hem herkende. Maar toen hij besefte wie het was, rolden zijn ogen uit hun kassen. Hij dacht weer aan die dag op het kerkhof toen zijn maag zich had omgekeerd omdat hij betrapt was door die man die hem ging doodslaan; in zijn hoofd klonk weer de donderende stem die leek op de stem van een vloekende duivel, en hij voelde weer de angst waarmee hij op de eerste klap wachtte en de kracht van de laars in zijn zij toen hij hem over de grond liet rollen.

Toen liet Andrés een langgerekte keelklank horen, alsof een lang ingehouden angst eindelijk de opening tussen zijn lippen vond en naar buiten kon komen. Vervolgens wierp hij met veel lawaai de stoel waarop hij gezeten had omver en rende de trap op naar zijn slaapkamer.

De vliegenier trok zijn wenkbrauw op terwijl hij zwijgend de vluchtende jongen nakeek. Toen keek hij met afkeer naar de aanwezigen, schudde zijn hoofd om te kennen te geven dat hij geen zin had om het uit te leggen en het verder ook niet wist, en ging bij Lluent onder de wingerd zitten.

"Hebben jullie dat gezien?" riep Felisa García. "Hebben jullie dat gezien? Waarom is Andrés zo bang voor die man? Ik zou mijn leven erom verwedden dat hij degene is geweest die ongeluk over dit dorp heeft gebracht. Wie anders? Zeg dan, Constantino ... Wie anders?"

Lui achterover zittend op de galerij van de commandopost zag Benito Buroy de ochtend voorbijgaan en liet zich meeslepen door duistere gedachten. Naar aanleiding van de verkrachting van de dochter van Leonor Dot twee dagen eerder had Markus Vogel zijn afgelegen grot verlaten en zich in een huisje aan het plein geïnstalleerd, een verlaten bouwval waar al het salpeter van de zee op de muren was neergeslagen. Hij liep door het dorp als een slaapwandelaar, ogenschijnlijk onbekommerd om zijn lot maar wel stille uren en plekken mijdend. Zijn nabijheid was voor Benito Buroy net zo schadelijk als zijn afwezigheid. Zoals de zaken er nu voor stonden kon hij moeilijk de commandopost verlaten en de Duitser ten overstaan van iedereen neerschieten. Hij moest toegeven dat Markus Vogel niet alleen een dapper man was, maar ook wist wat hij deed. Als hij het er ondanks alles toch op zou wagen en hem daar ter plekke zou doodschieten, zou je verwachten dat de commissaris hem in die penibele situatie te hulp zou komen, maar Buroy had voldoende reden om te vermoeden dat de politieman geen poot voor hem zou uitsteken. En over één dag zou de boot uit Palma komen.

Dit waren zo zijn gedachten toen hij Andrés uit het rommelhok van zijn vader zag komen, een enorme kartonnen doos achter zich aan slepend. De jongen draaide zich op zijn schreden om en kwam even later naar buiten met een ladder, die hij tegen de eeuwenoude vijgenboom zette. Vervolgens haalde hij uit de doos een slinger van Spaanse vlaggetjes en hing die tussen de boom en de pergola. Met zijn kop naar de grond gericht, als een stier die gaat aanvallen, liep hij terug naar de doos om een volgende slinger te pakken, maakte die vast aan de vijgenboom en leidde hem vandaar naar het traliewerk voor het raam van de kapitein, en toen een naar het gammele balkon van Lluent, en een naar een steen die hij, na enig rekenwerk en met het ding heen en weer sjouwend, op het strand had laten vallen om de volmaakte symmetrie van deze vaderlandslievende luifel te bereiken. De feestversiering was al bijna klaar toen kapitein Constantino Martínez de boel kwam bederven. Hij kwam in de vrachtwagen van het kampement, sprong het voertuig uit en keek omhoog met dezelfde verwondering als waarmee hij de gevel van een Italiaans ministerie zou bekijken. Meteen daarop ging hij naar de kantine en verkondigde met donderende stem, zijn vinnige aard de vrije loop latend: "Wat is hier aan de hand? Gaat de Generalísimo soms komen en ben ik daarvan niet op de hoogte?"

Vanaf de galerij zag Benito Buroy hoe Felisa de kantine uit kwam, haar handen aan haar schort afdrogend, en hoe ze haar schouders plotseling droevig liet hangen, en hoe ze naar haar zoon holde, haar arm om hem heen sloeg en hem over zijn hoofd strijkend iets in zijn oor fluisterde. Wat verderop liepen Markus Vogel en Hermann Schmidt naast elkaar de kade op, zonder te praten. De kapitein glimlachte tevreden vanonder de pergola toen hij zag dat Felisa haar zoon bij zijn middel pakte en hem meenam naar de kantine.

"Denk jij dat we in de stemming zijn voor feestjes?" riep de militair naarmate Andrés dichterbij kwam. "Here … Here! Wat een geduld moet je hebben!"

Net toen zij de bar binnen waren gegaan, kwam Paco brommend naar buiten en begon aan de slingers te trekken. In plaats van de ladder te gebruiken die zijn zoon tegen de boom had laten staan, sprong hij op en neer alsof hij met zijn handen vogels wilde vangen en trok hard aan de draden, waardoor deze braken en het plein bezaaid raakte met losse stukken slinger die kronkelden in de wind.

"Wat een gebrek aan respect", mompelde de kapitein. En met stemverheffing liet hij erop volgen: "Raap dat op, man, dat is de nationale vlag!"

Verbazingwekkend onhandig greep Paco zich vast aan een sport van de ladder om hoger te kunnen springen naar de systematische knopen die zijn zoon om de takken van de vijgenboom had gelegd. Om hem te kunnen zien zonder op te hoeven staan leunde Benito Buroy voorover, met zijn onderarmen op zijn knieën en zijn handen ineengestrengeld, en zo keek hij tussen de spijlen van de balustrade door. Op dat moment klonken er stemmen die zijn aandacht naar de waterkant trokken. De twee Duitsers bevonden zich aan het eind van de kade en stonden als kemphanen tegenover elkaar. Kapitein Constantino Martínez schreeuwde dat Paco moest ophouden met springen en de ladder moest gebruiken, maar Benito Buroy was gaan staan en keek de andere kant op. Hij slaakte een kreet van verbazing.

Hermann Schmidt wilde zich op Markus Vogel storten, maar daar kwam het niet van. Er klonk een schot dat het plein vulde met echo's, en nog één, en toen viel de vliegenier voorover op de grond. Geschrokken door de knallen viel ook Paco, waarbij hij de ladder die hij zo hardnekkig niet had willen gebruiken in zijn val meesleepte.

Markus Vogel boog zich over de vliegenier om zijn pols te voelen. Nadat hij zich ervan verzekerd had dat hij dood was, keerde hij hem de rug toe en liep naar het plein. Gedreven door een duister voorgevoel holde Benito Buroy de trap van de commandopost af en rende naar buiten. De soldaten van de wacht waren hem voor. Dodelijk verschrikt richtten ze hun geweren alle kanten op, op zoek naar Engelse invasietroepen. Maar daar was alleen Paco, languit liggend op de grond, kapitein Constantino Martínez die er als een standbeeld bij stond, en de peinzende Duitser die doodkalm, alsof er niets gebeurd was, naar de hoogste autoriteit van het eiland wandelde. Toen hij voor de kapitein stond, hief deze zijn armen in een instinctief gebaar van overgave. Hij wilde al om genade smeken, maar Markus Vogel overhandigde hem het wapen. Benito Buroy, die naar hen toe was gelopen, herkende onmiddellijk de Astra die de commissaris hem drie weken eerder in Palma had toevertrouwd.

"Waar heb je die vandaan?" vroeg de militair verbijsterd, nadat hij het pistool had aangepakt.

"Hij is van Buroy", antwoordde Markus Vogel. "Ik heb hem van hem geleend om Camila recht te doen … Neem me niet kwalijk dat ik deze vrijheid heb genomen, maar Hermann Schmidt was een Duits staatsburger. Mijn land is in oorlog en de tribunalen werken niet naar behoren."

Kapitein Constantino Martínez keek met hernieuwde verbazing naar Benito Buroy, die met zijn armen langs zijn lichaam en een wezenloze blik was blijven staan. Na al die jaren tegen iedere prijs te hebben overleefd, er alles aan te hebben gedaan om zijn marteling te rekken, had hij eindelijk de definitieve ondergang bereikt.

Inktvissen houden van oude pannen. Lluent koopt ze bij een schroothandelaar in Colonia de Sant Jordi en 's nachts, als hij op een steen voor de deur van zijn huis zit, bindt hij ze met een lang touw aan elkaar tot hij een enorme ketting heeft. Dan gaat hij in zijn boot de zee op en laat de ketting op de bodem zakken, met een boei aan elk uiteinde. Een paar dagen later keert hij naar die plek terug en trekt aan het touw om de pannen weer uit het water te halen. Dan zit er in iedere pan een inktvis genesteld, heel tevreden op die totaal onmogelijke plek. Net als ze denken dat ze een plek hebben gevonden om te leven, gaan die arme inktvissen de ondergang tegemoet.

Ons overkomt hetzelfde als de inktvissen. Ik herinner me de ochtend waarop het papa lukte de deur van de flat in Barcelona open te krijgen, na op goed geluk verschillende sleutels die aan een touwtje vastzaten te hebben geprobeerd. Het was een flat die van een markies of zoiets was geweest, met heel grote kamers en balkons die uitkeken op een straat met platanen. Er stonden bijna geen meubels, maar aan de muren kon je zien waar ze hadden gestaan want hun silhouetten tekenden zich daar bleek op af, en je kon ook zien waar schilderijen hadden gehangen, bleke rechthoeken waarop ik me landschappen en fruitschalen voorstelde. Die flat leek op een plakboek waar nog geen plaatjes in waren geplakt.

Mama vond het niet prettig. Ze wandelde bedremmeld en ook een beetje bang door de lege zalen. Ze durfde niets aan te raken. Ze zei dat daar andere mensen hadden gewoond, en in haar stem meende ik net zo'n soort angst te horen die spoken ons bezorgen, alsof die andere mensen ons konden zien en helemaal niet blij waren dat wij in hun huis zaten.

"Houd op met dat gepreek", zei papa, terwijl hij haar omhelsde. "We zullen hier heel gelukkig worden."

Maar mama had gelijk. Die grote, lege flat was als een pan op de bodem van de zee. Een val vermomd als huis. Soms denk ik dat alle huizen niets anders zijn dan vallen, want je voelt je er veilig terwijl je dat in werkelijkheid niet bent. Want al heeft een huis zoveel sleutels dat je nooit weet welke je nodig hebt, het beschermt de bewoners namelijk niet. Dat in Barcelona heeft ons ook niet beschermd, al had papa wat meubels weten te regelen en ging ik naar een school daar op de hoek, en al was er een heel aardige man die ons melk bracht en al leek alles normaal. Na een paar weken werd onze buurvrouw namelijk gedood door een bom toen ze over straat liep en troffen we haar man huilend aan, liggend op de grond in de gang. En op een avond kwam papa niet thuis, en de dag daarop ook niet, en mama liep van de ene kamer naar de andere in die gigantische flat zonder iets te doen, als een slaapwandelaar, en op een goede dag kwamen ze me zeggen dat ze in het ziekenhuis lag en werd ik verzorgd door een paar nonnen die mij heel zielig vonden, want dat zeiden ze de hele tijd. Mama herstelde weer, maar ik heb papa nooit meer gezien en wij zijn niet meer teruggekeerd in die val waarvan hij had gezegd dat we er zo gelukkig zouden worden.

Soms gaan de dingen net zoals wanneer je verstoppertje speelt en iemand je echt pijn wil doen, maar dan ook echt pijn. Dat is ons overkomen en ik neem aan dat het me daarom, omdat er altijd wel iemand is die ons achtervolgt, zo aangreep wanneer ik als kind verstoppertje speelde. Op het moment dat ik gevonden werd, sloeg de schrik me om het hart en was het alsof er een periode van mijn leven werd afgesloten, een periode waarin ik me verborgen en veilig voelde terwijl ik dat absoluut niet was. Nu speel ik geen verstoppertje meer. Ik ben volwassen geworden en weet inmiddels dat je verbergen totaal geen zin heeft, dat ze je vroeg of laat toch vinden, omdat iedereen wil winnen en ze om te winnen jou uit je schuilplaats moeten halen.

Zo sterven de inktvissen, waar Felisa zo van houdt en die ze klaarmaakt zoals ze dat in Galicië doen, met paprikapoeder en grof zout. Daar houden we allemaal heel erg van en we eten het heel vaak, omdat de kust vol zit met inktvissen die een huis zoeken waarin ze zich veilig voor ons voelen.

Toen er schoten klonken, bevond Leonor Dot zich op de veranda van haar huis. De twee knallen wekten bij haar de herinnering aan andere schoten, verder terug in de tijd, die hen van buitenaf bedreigden en hen beletten naar de ramen van hun flat in Barcelona te gaan. Haar hart begon sneller te kloppen en haar handen omklemden krampachtig de spijlen van haar stoel. Even bleef ze doodstil zitten, gespitst op geschreeuw of nieuwe schoten, maar die kwamen niet. Ze stond op en keek naar het plein. De kruin van de vijgenboom belemmerde het uitzicht op de kade en daardoor zag ze geen vreemde bewegingen. Uit de schoorsteen van de kantine kringelde de rook van Felisa's fornuis. Desalniettemin wist Leonor Dot dat het geluid van een wapen de loop van het leven voorgoed verandert.

Angstig bracht ze haar hand naar haar keel. Ze dacht dat ze ondanks haar angst moest gaan kijken wat er aan de hand was, al was het alleen maar om Camila in veiligheid te brengen. Ze zou niet toelaten dat haar nog een keer kwaad zou worden gedaan. Ze stond klaar om haar in een deken te wikkelen en haar de bergen in te brengen, naar het dal van de stemmen of naar de afgelegen grot van Markus Vogel, naar elke willekeurige plek waar niemand haar kon zien of aanraken. Op dat moment riep haar dochter haar vanuit het huis.

In de kantine had Felisa García de schoten ook gehoord. Ze ging naar Andrés toe, die in zijn hoekje in de keuken zat, en reikte hem aan wat ze in haar handen had, een aardappel en een mes. "Ik ben zo weer terug", zei ze en ze liep de bar door en het plein op. Ze zag dat de Duitse kluizenaar de kapitein een pistool overhandigde en dat aan het eind van de kade het lichaam van de piloot lag. Ze dacht dat er recht was geschied zoals dat moest geschieden, tussen mannen van hetzelfde land en hetzelfde bloed. Markus Vogel had laten zien dat hij was wat ze altijd gedacht had, een man van eer, en als er nog echte rechters waren zouden ze hem vergeven dat hij dat verdorven mens had gedood. Maar dat was haar zaak niet meer, zij had haar handen al vol aan het overeind houden van haar eigen kleine wereldje. Ze ging naar de keuken terug, nam de aardappel en het mes die ze haar zoon had gegeven weer in de hand en begon de knol boven het aanrechtblad te schillen. Met zijn handen tussen zijn dijen en zijn kin op zijn borst koos Andrés juist dat moment om voor de eerste en laatste keer in zijn leven te praten.

"De *Margarita*", zei hij met een stem die zijn moeder in de oren klonk als de stem van een vreemde.

Felisa García bleef doodstil staan, met het lemmet van het mes dwars onder de schil van de aardappel gestoken. Ze had onmiddellijk door wat Andrés haar wilde zeggen. Toch keek ze haar zoon niet aan en ook vond ze het niet nodig haar blijdschap te tonen omdat hij eindelijk gepraat had. Ze dacht alleen maar dat de dingen waren zoals ze waren, smerig en ingewikkeld, en dat het haar verstandig leek ze te laten zoals ze waren, om niet nog meer mensen pijn te doen. Het kon soms heel hinderlijk zijn de waarheid te weten als de dingen zich vanzelf al langzaam maar zeker oplosten. Als die akelige geschiedenis was afgesloten met een logische oplossing en nu vergeten kon worden, was het goed. En als Andrés' geweten hem gedwongen had te spreken in naam van de waarheid, kwam die te laat om de dood van een man te voorkomen en dat was niet erg, want zij was daar alleen en zij wilde niet naar hem luisteren. Later zou ze wel een manier vinden om hem te laten merken dat ze heel trots was dat ze zijn stem, de stem van een vreemde, gehoord had.

Het zou de kantinehoudster niet baten de waarheid te verzwijgen om nieuw kwaad te voorkomen. Terwijl zij de dagelijkse bezigheid van het aardappelschillen weer oppakte, zat Leonor aan het bed van Camila en nam haar hand in de hare. Het meisje was minder bleek en haar ogen waren groter en glanzender dan ooit. Ze keek haar moeder ontstellend kalm aan.

"Het was mijn schuld, mama. Ik wilde dat Andrés me meenam naar een plek waar het water heel diep was … En hij doet altijd wat ik zeg."

Leonor wist dat die reactie van haar dochter normaal was na een verkrachting, maar ze wist niet wat ze moest doen om ertegen in te gaan.

"Jij kunt nergens iets aan doen, dat moest er nog bijkomen", antwoordde ze alleen maar.

Camila sloot langzaam haar ogen en deed ze pas na een tijdje weer open. Maar haar stem klonk kalm en duidelijk: "Het waren vissers en ze kwamen in een boot, dezelfde mannen die Lluent de bar uit heeft gegooid."

Leonor Dot herinnerde zich de haaienvissers die rotzooi hadden getrapt in de kantine, en de beklemmende abstractheid waardoor haar maag tot dan toe werd samengeknepen maakte plotseling plaats voor een bijtende zucht naar wraak. Ze wilde Camila niets laten merken, maar toen ze ging staan wankelde ze door een innerlijke agressie die ze niet kon bedwingen. Tot dat moment had ze de verkrachter van haar dochter niet gehaat, maar nu ze wist wie het waren, bij de herinnering aan de gezichten van de drie mannen, kon ze zich de gruwelijke scène die zich op het verlaten strand had afgespeeld voorstellen en wist ze dat ze alles wat ze had, het weinige dat haar nog restte, zou willen geven om hen dood te zien.

Ze probeerde tot bedaren te komen. Ze moest de kapitein onmiddellijk op de hoogte stellen, ervoor zorgen dat er in de hele archipel en desnoods langs de kust van het vasteland naar hen gezocht zou worden, dat ze voor hun misdaad veroordeeld zouden worden. Leonor Dot kon er niet meer tegen dat wrede, hun onbekende mensen straffeloos hun leven verwoestten. Ze was zo van streek dat ze naar de deur liep zonder iets tegen Camila te zeggen. Ze wilde al naar buiten gaan, toen ze achter zich de stem van haar dochter hoorde.

"Mammie, ik ben vandaag jarig."

Leonor bleef staan, verstijfd door het ondraaglijke gevoel dat ze de controle over haar leven en dat van haar dochter begon te verliezen, de controle over haar gevoelens, over haar verlangens, over alles wat van haarzelf afhing. Ze was niet eens meer in staat haar liefde te tonen. Ze was alleen maar bezig zich al krabbend te verdedigen, zich een weg te banen als een in het nauw gedreven dier. Ze was haar menselijkheid aan het verliezen.

Ze draaide zich om, terwijl ze probeerde te glimlachen.

"Dat weet ik wel, lieve schat. Ik heb niets gezegd, omdat ik je wilde verrassen. Ga goed onder de dekens liggen, ik ben zo terug."

Ze deed de deur zachtjes dicht. Eenmaal buiten het zicht van Camila hees ze haar rok op en rende naar de kantine.

Het liep tegen etenstijd. Aan de bar stonden Lluent, die 's middags zou uitvaren, en Benito Buroy. Ze dronken zwijgend een paar glazen wijn. Hoewel ze niet praatten, hielden ze elkaar gezelschap. Eén ding was zeker en dat was dat het aantal klanten van Felisa García drastisch was afgenomen ten gevolge van de laatste gebeurtenissen. Leonor Dot en haar dochter zaten al twee dagen opgesloten in hun huis, Hermann Schmidt sliep de eeuwige slaap in een lege kamer in de militaire commandopost en Markus Vogel zat in een andere kamer gevangen. Zelfs de legerarts, die daar ook weleens kwam, zat nog steeds vast in het kampement in afwachting tot de kapitein zich dat zou herinneren. Maar kapitein Constantino Martínez had zich opgesloten in zijn kantoor, waar hij zich bitter beklaagde over zijn tegenspoed. Op het plein galmden de verontwaardigde kreten nog na die hij had geslaakt toen het eenmaal tot hem was doorgedrongen dat de Duitsers op de kade op elkaar waren gaan schieten met een pistool dat als bij toverslag op Cabrera was opgedoken. "Nu ben ik de pineut, Buroy! Door uw schuld ben ik de pineut!"

De enige twee klanten maakten zich al op om een tafel te delen toen plotseling, helemaal buiten adem, Leonor Dot binnenkwam. Ze liep langs hen heen zonder hen te zien, deed de keukendeur open en sloeg die met een klap weer achter zich dicht. Maar dan nog konden ze haar stem horen. Ze legde Felisa García hijgend uit dat Camila jarig was en dat er heel dringend een taart moest komen. Lluent had de fles gepakt om de wijnglazen bij te vullen, maar de stem van Leonor Dot bleef door de gesloten deur heen hoorbaar. Ze zei dat het de haaienvissers waren geweest die het meisje hadden belaagd.

De fles glipte de visser uit de vingers en viel aan scherven op de vloer. Hij vestigde een krankzinnige blik op Benito Buroy, die nog steeds met zijn glas in de hand stond en niet eens met zijn ogen had geknipperd. Op dat moment ging het door Buroy heen dat van al die mensen die door zoveel jaren van oorlog en ellende gewend waren klappen te ontwijken, niemand erin geslaagd was het meisje te beschermen en zichzelf uit te sluiten van de verdenking die op hen allemaal was gevallen. Niemand had zichzelf weten te beschermen. En het leven, dat door een dwaas geschreven verhaal, had hen voor de zoveelste keer nergens gebracht. Ook hem niet, omdat hij Markus Vogel niet had kunnen doden. Zodra hij op Mallorca was, zou hij weer naar een gevangenis worden gestuurd of stenen moeten sjouwen voor het gigantische monument voor de oorlogsslachtoffers waar in de buurt van Madrid een aanvang mee was gemaakt. Als ze hem niet fusilleerden. Maar dat kon hem weinig schelen. Hij had alleen maar medelijden met Camila, en met die arme Otto, die ongetwijfeld in een diepe depressie zou raken en weer in allerlei slechte gewoonten zou vervallen. Maar wat deed het er ook toe. Na wat er op Cabrera gebeurd was wist hij dat alle mensen, ieder op zijn eigen manier, een zuiveringsdossier met zich mee torsten.

Ondertussen pijnigde Felisa García in de keuken haar hersens. Gezien de omstandigheden had ze niet gedacht dat er een taart moest komen. Wie had dat kunnen denken, terwijl zij alleen maar bezig was geweest met het afblazen van de voorbereidingen voor het feest, het had willen stilhouden uit respect voor de ellende die het meisje doormaakte? De kantinehoudster vervloekte zichzelf. Hoe kon ze nou niet beseft hebben dat Camila, juist zij, natuurlijk de eerste zou zijn om uit de as te herrijzen en het gewone leven weer te willen oppakken? Of wist Felisa soms niet dat er in dat lichaam dat zo broos was als de steel van een tulp, de kracht van een stier zat? Wat was zij dom geweest, oliedom. Maar er was nog tijd om een list te verzinnen.

Uit een la haalde ze een wit boerenbrood, sneed het doormidden en besmeerde de helften met een kluit boter die ze stiekem achterhield voor Andrés' ontbijt. Toen pakte ze een van haar andere schatten, een chocoladereep die in een van de dozen van haar zwager had gezeten en die ze voor de kerstdagen bewaarde. Ze smolt de chocola in een steelpan en toen die gesmolten was, goot ze hem over het brood. Terwijl ze er suiker overheen strooide, richtte ze zich met een zuur gezicht naar Andrés en Leonor, die zich niet hadden bewogen.

"Wat is er toch? Hebben jullie nog nooit iemand zo maar even een taart zien maken? Leonor, geef me de kaarsen, ze liggen op die plank! En jij, ga de slingers zoeken, ik denk dat je vader ze in de vuilnisbak heeft gegooid! Vooruit, schiet op!"

Dolenthousiast rende Andrés weg om in de vuilnisemmers te gaan wroeten. Leonor Dot vond het pakje waarin dertien kleine kaarsjes zaten en gaf het gauw aan de kantinehoudster.

"Terwijl jullie dit afmaken, ga ik met de kapitein praten", zei ze. "Het is belangrijk dat hij weet ..."

Felisa García draaide zich om alsof de ander haar een harde trap had gegeven.

"Waag het niet! Alles op zijn tijd! Zoals meneer Buroy zegt, rechtvaardigheid is wraak die koud wordt opgediend. Het belangrijkste is nu dat we Camila's verjaardag vieren."

Leonor keek haar verbaasd en enigszins verontwaardigd aan.

"Als ze niet gearresteerd worden, ontsnappen ze misschien wel", jammerde ze.

"Die kerels? Maar dat is toch een stelletje slappelingen! En nog stom ook! Ik verzeker je dat ze niet ver weg zijn, ze weten niet eens dat de wereld heel groot is en dat er duizenden plekken zijn om je te verbergen. Ze zitten natuurlijk in een kroeg in Palma of in Ciudadela. Misschien hebben ze Colonia de Sant Jordi niet eens verlaten, let op mijn woorden! ... Paco! Waar is die man verdomme gebleven?"

Toen de kantinehouder, die op dat moment op de wc zat, hun stemmen hoorde, haalde hij een stuk krantenpapier langs zijn achterwerk en verliet de wc, terwijl hij het gerommel van zijn maag probeerde te bedaren. Hij deed de keukendeur open en stak zijn hoofd om de hoek, waarbij hij goed oppaste geen voet in het domein van zijn vrouw te zetten.

"Dat werd tijd, Paco!" riep Felisa uit toen ze hem zag. "Ga de platenspeler halen. En jij, Andrés, ga de kapitein zijn eten brengen. Hup, snel, want we gaan Camila's verjaardag vieren!"

Ze pakte zelf de taart en liep ermee naar de bar. Toen ze de twee mannen zag die aan de bar stonden te wachten, trok ze geërgerd met haar mond en bleef niet staan.

"De zaak is gesloten", meldde ze in het voorbijgaan.

Lluent, die zijn eetlust had verloren, schoof met zijn voet de glasscherven van de fles weg en wilde achter de kantinehoudster aan gaan, maar Benito Buroy was niet van plan met lege maag te blijven. Zodra hij van Cabrera af was, wachtten hem vele maanden van honger.

"Gesloten?" riep hij uit. "Terwijl je hier nergens anders kunt eten!"

"Scheppen jullie zelf maar op, de pan staat op het vuur!"

Even later trok er een ongewone stoet over de weg. Felisa García voorop. Ze liep kaarsrecht en hield de taart omhoog, die naarmate de chocola meer stolde de verontrustende proporties van een meteoriet aannam. Achter haar liep Leonor Dot, met in haar armen een stapel grammofoonplaten, waaronder *Ojos Verdes*, *La Renegá* van Encarnita Iglesias en *Ya no te quiero* in de versie van Conchita Piquer. Na haar kwam Paco, sukkelend en snuivend alsof de grammofoon loodzwaar was. En helemaal achteraan liep Andrés, met een warboel van verkreukelde vlaggetjes en touwtjes die tussen zijn benen hingen.

Toen ze binnenkwamen, ging Camila rechtop in haar bed zitten en begon te lachen. En in plaats van te gaan schreeuwen en bevelen uit te delen, bleef Felisa García plotseling vertederd naar het meisje staan kijken. Terwijl Andrés, die op de grond was gaan zitten, de vlaggetjes uit de war probeerde te halen en Paco het apparaat installeerde en Leonor lucifers zocht om de kaarsjes aan te steken, dacht de kantinehoudster dat het leven, het goede leven, het leven waarnaar zij altijd had verlangd zonder te beseffen dat ze het eigenlijk al had, niets anders was dan wat er tussen de ene tegenslag en de andere in gebeurde.

Kapitein Constantino Martínez was al een hele tijd klaar met eten, maar het blad, waarop een sinaasappelschil op de resten van een bonenschotel lag, stond nog op de tafel in zijn kantoor. De militair vertrok zijn gezicht en bracht zijn hand naar zijn maag.

"Dat ellendige schroot wordt nog eens mijn dood", stamelde hij. "Ik moet ook geen sinaasappels eten, zure dingen breken me op als ik van slag ben … En wat is er met Felisa? Waarom komen ze het dienblad niet weghalen?"

"Ze zijn allemaal de verjaardag van het meisje gaan vieren", antwoordde Benito Buroy, die tegenover hem zat. "Lluent en ik hebben zelf in de keuken onze borden moeten opscheppen."

De kapitein gromde, terwijl hij zo ruw in zijn stoel ging verzitten dat deze niet alleen een gekraak liet horen maar ook een jammerklacht van versplinterend hout. Maar het oude, door houtworm aangevreten meubelstuk hield stand. Het helde alleen iets over naar één kant, alsof het een bocht wilde nemen. De militair moest een grenzeloos vertrouwen in de stoel hebben, want hij gebruikte zijn achterwerk om hem weer recht te buigen met dezelfde bruuskheid als waarmee hij hem uit model had gebracht. Toen stak hij een sigaret op en richtte een onheilspellende blik op de telefoon aan de wand.

"Wat deed u met een pistool, Buroy? En hoe moet ik dat rapporteren? Zeg maar, hoe leg ik uit dat er een held van de Luftwaffe is vermoord? Als hij dat meisje nou had verkracht … Maar nee, die arme man heeft niets gedaan!"

Zich voorover werpend om het branderige gevoel in zijn maag te bedwingen, nam de kapitein een lange trek van zijn sigaret. In die houding, alsof hij alleen ineengedoken de lange reis van het schroot door zijn inwendige holten kon verdragen, keek hij strak naar het gloeiende puntje dat vlak bij zijn neus walmde.

"Hierna zullen ze me nooit meer op het vasteland detacheren", zei hij klaaglijk. "Ik zal verkommeren op dit roteiland, als de Engelsen me er niet van afhalen."

"Het zou beter zijn als ze in Palma niet te weten kwamen wat er gebeurd is", suggereerde Benito Buroy.

"En hoe houd ik dat verborgen, hè? Ik zou de zaak graag in de doofpot stoppen, heel graag zelfs, maar dat kan ik niet doen! Morgen komt de boot om de piloot te halen. Wat wilt u verdomme dat ik tegen hen zeg?"

Benito Buroy haalde zijn schouders op. De kapitein had gelijk.

De volgende dag kwam het bevoorradingsschip en hij had Markus Vogel niet kunnen doden. Hij zou dus naar Mallorca terugkeren en weer in handen van de commissaris vallen.

"Verdorie", kreunde kapitein Constantino Martínez opnieuw.

Op dat moment deed de soldaat van de wacht de deur open om te melden dat de kantinehouder Benito Buroy zocht. Paco kwam ongelooflijk verfomfaaid binnen, zijn overhemd stond tot aan zijn navel open en zijn borsthaar was kletsnat van het zweet. De man hijgde, maar leek erg vrolijk. Het was alsof heel lichte elektrische schokken flauwe bewegingen in zijn armen en benen veroorzaakten. De kapitein en Buroy beseften dat hij zijn heupen bijna niet stil kon houden, omdat die blijkbaar reageerden op muziek binnen in hem.

"Bent u … aan het dansen?" vroeg de militair. "Of hebt u weer te veel gedronken?"

"Allebei, kapitein, maar met toestemming van mijn vrouw."

"En wat komt u doen?"

"Ik ben gestuurd om Buroy te zeggen dat mevrouw Leonor met hem wil praten. Of hij nu meteen naar haar huis kan komen, als u het niet erg vindt en hem toestemming wil geven."

Met zijn armen over zijn buik gekruist, zat kapitein Constantino Martínez te denken dat hij te midden van een stelletje idioten leefde. Er werd een man op de kade vermoord en even later waren ze allemaal aan het feesten. En alsof dat al niet erg genoeg was, nodigden ze hem niet uit maar vroegen wel om de aanwezigheid van de man die zijn militaire carrière had verwoest. Wat hem betreft konden ze echt allemaal opsodemieteren.

Benito Buroy was opgestaan en keek hem vragend aan. De kapitein maakte een hoofdgebaar waarmee hij hem te kennen wilde geven dat hij kon gaan, maar ook dat hijzelf geen enkele belangstelling had voor wat voor feestelijke viering dan ook en een grenzeloze verachting koesterde voor de gehele burgerstand. Te veel om allemaal in één blik uit te drukken. Buroy, die hem alleen had zien knikken, deed een stap naar voren en leunde met zijn vingertoppen op de tafel.

"Mag ik?" vroeg hij.

"Dat heb ik toch al gezegd! Ga dan!"

Benito Buroy vertrok in gezelschap van de kantinehouder en de kapitein bleef in zijn eentje in zijn kantoor achter. De twee mannen liepen in de richting van het huis van Leonor Dot. Het begon al donker te worden. Heen en weer geschud door de windvlagen verspreidde de vijgenboom de geur van zijn volle rijpheid in de lucht. En van zee kwam de sterke geur van algen en van zout. De nacht kondigde zich bitterzoet en bedwelmend aan.

Naarmate ze dichter bij het huis kwamen, hoorden ze de muziek steeds luider. Paco begon automatisch te dansen. Even later begon hij zelfs wervelende bewegingen met zijn voeten te maken en met opgetrokken ellebogen op zijn tenen te draaien. Na iedere explosie van ritme beheerste hij zich weer, ging met Benito Buroy in de pas lopen en keek hem aan alsof ze een geheim vermaak deelden. Deze wilde alleen maar zo snel mogelijk het huis bereiken.

Toen ze binnenkwamen, klonk net *La Parrala*. Neergeploft op een stoel blies Felisa García haar wangen op en waaierde zich met een stuk papier koelte toe. Andrés zat nog steeds op de grond naast de grammofoon, klaar om als dat nodig was weer een andere plaat op te zetten. Leonor Dot klopte eieren om een tortilla voor Camila te maken en het meisje, dat haar bed niet was uitgekomen, glimlachte een beetje moe. Benito Buroy dacht dat Paco niet lang meer van het dansen zou kunnen genieten.

"Andrés, stop die muziek!" schreeuwde Felisa, zijn gedachten lezend. "Zet dat ding af! Het is mooi geweest voor vandaag!"

Benito Buroy groette haar met een hoofdbeweging. Door de plotselinge stilte voelde hij zich minder op zijn gemak. Hij zou graag op zijn schreden zijn teruggekeerd, maar Leonor Dot pakte hem bij de arm en nam hem mee naar de veranda. Felisa García was opgestaan en maakte zich met een pan in de hand op om de tortilla te bakken. Paco was midden in de kamer blijven staan en wist niet wat hij moest doen.

"Ga naar huis", zei zijn vrouw. "En neem Andrés mee, dan ruimen we morgen wel op."

Benito Buroy liep achter Leonor Dot aan de veranda op. Hoewel hij weinig zin had om met haar alleen te zijn, zag hij om een hemzelf onverklaarbare reden toch uit naar het gesprek.

Buroy was zich ervan bewust dat hij haar niet had kunnen misleiden, maar juist daarom voelde hij zich prettig in haar gezelschap. Hij hoefde niets te verbergen, niet te doen alsof hij onkreukbaar was, maar ook niet alsof hij helemaal geen geweten had. Hij kon zich gedragen zoals hij werkelijk was en zeggen wat hij dacht, ook al was hij daar dan niet toe in staat.

Leonor Dot stond met haar rug naar hem toe, naar de zee gekeerd. Haar stem klonk merkwaardig vriendelijk.

"U bent hier gekomen om iemand te doden, nietwaar?"

Benito Buroy nam niet de moeite te antwoorden. Zolang hij bleef zwijgen had hij vrede met zichzelf, alsof hij zich op die eenvoudige manier niet langer verborg.

"Het is verschrikkelijk wat ze Camila hebben aangedaan", ging Leonor Dot verder. "Toen ik hoorde wie die mannen waren, zou ik er alles voor hebben gegeven om hen dood te zien. Maar wat zou het voor zin hebben gehad?"

Ze draaide zich om naar Benito Buroy. Hij hield haar blik vast, het kostte hem geen moeite. Leonor Dot scheen hem niets te verwijten.

"Mijn dochter is het enige wat ik heb. Meer verwacht ik niet van het leven, ik heb aan haar voldoende. En ik weet zeker dat ze het eens zou zijn met wat ik u nu ga zeggen."

Even later ging Benito Buroy opnieuw het huis binnen en even bleef hij aan het voeteneind van Camila's bed staan. Felisa García, die bij het meisje zat, keek hem met een zuinig gezicht aan.

"Ik ga", zei hij. "Gefeliciteerd."

Hij liep al naar beneden, naar het plein, toen een stem hem tegenhield. Leonor Dot kwam in het donker naar hem toe. Toen ze begon te praten, voelde Benito Buroy haar warme adem op zijn gezicht.

"We zullen tegen Camila zeggen dat de piloot vermomd als visser wilde vluchten. Ze zal ons niet geloven, maar het zal haar rustiger maker. We willen allemaal misleid worden."

Benito Buroy stemde zwijgend toe en wachtte totdat de vrouw haar huis was binnengegaan. Toen liep hij weer verder. Maar na een paar stappen, toen hij zag dat hij alleen was en niemand hem volgde, bleef hij staan en keek omhoog. De hemel was bezaaid met sterren. Hij huiverde in de geurige wind die ijskoud langs zijn rug streek, maar hij was blij met die kou. Daardoor werden zijn gedachten helder. Tot die avond had hij nooit kunnen vermoeden dat het kwaad in handen van een vrouw kon dienen om de wereld een klein beetje beter te maken.

Kapitein Constantino Martínez ontving Benito Buroy zacht mompelend. Hij had de schrijfmachine op de tafel gezet en zat moeizaam met zijn wijsvingers te tikken. Daarbij duwde hij zo hard op de toetsen dat de hamertjes met het geknal van een zweep op het papier sloegen. Door de klap en het haperende mechanisme bleven sommige vastzitten op het moment dat ze de letter drukten. Vloekend dwong de militair ze weer naar achteren, waardoor zijn vingertoppen onder de inkt kwamen te zitten.

Benito Buroy nam tegenover hem plaats, weer op dezelfde plek als voordat Paco was komen vragen of hij naar het feest wilde komen. Even dwaalde zijn blik weg. Achter de kapitein, aan de andere kant van het raam, zette de schemering de vijgenboom in een rode gloed.

"Hebt u met Palma gesproken?" vroeg Buroy, duimend van niet.

"Ik ben bezig! Ziet u dat niet?" riep de militair. "Ik moet een rapport opstellen en naar het hoofdkwartier versturen, en het is al laat. Ik zal morgenochtend vroeg bellen."

Benito Buroy slaakte een zucht van opluchting. Hij sloeg zijn benen over elkaar en stak een sigaret op. Hij moest niet overhaast te werk gaan. Het was nu zaak al zijn overredingskracht aan te wenden, maar hij was niet iemand die graag om de zaken heen draaide. Hij dacht dat de waarheid vertellen misschien doeltreffender was dan de fantasie de vrije loop laten. Het enige waar het om ging was de kapitein te overtuigen, het voorstel van Leonor Dot erdoor te krijgen. Op dat moment zou hij alles hebben gedaan – en niet alleen omdat dat in zijn eigen voordeel was – om ervoor te zorgen dat die vrouw haar zin kreeg.

Zich niet bewust van de lange stilte die zijn gast liet vallen, ging de militair ingespannen door met het systematisch maltraiteren van de schrijfmachine. Benito Buroy koos ervoor rechtstreeks in de aanval te gaan. Hij liet zijn hoofd even in zijn handen rusten, sloot zijn ogen en masseerde zijn slapen. Toen nam hij een ontspannen houding aan en zei op dezelfde toon als waarmee hij een opmerking over het weer zou hebben gemaakt: "Gooi dat rapport maar weg. U zult toch een nieuw moeten opstellen."

Kapitein Constantino Martínez sloeg zijn blik naar hem op. Hij was met zijn wijsvingers omhoog blijven zitten, alsof hij banderilla's in de nek van een stier ging steken.

"Wat zegt u?"

Benito Buroy moest alles op alles zetten. Hij slikte, maar reageerde meteen. Hij sloeg zijn arm om de rugleuning van zijn stoel om een nog meer ontspannen houding aan te nemen en glimlachte even als inleiding op zijn woorden.

"Wat ik u ga vertellen mag niet bekend worden. Ik weet echter dat u een goed militair en een man van eer bent ... Markus Vogel behoorde tot de Abwehr, de Duitse militaire geheime dienst. Een tijdlang heeft hij ook voor ons gewerkt, maar waarschijnlijk deed hij dat tevens voor de Engelsen. Dat vermoedt men althans. Zoals u zult begrijpen is het voor ons allemaal van groot belang de Straat van Gibraltar te controleren, en hij lijkt daar zijn voordeel mee te hebben gedaan. Ze hebben me hierheen gestuurd om hem te laten verdwijnen. Ik moest ervoor zorgen dat hij vrijgelaten zou worden en hem anders doden, al naargelang de omstandigheden."

Kapitein Constantino Martínez had zijn handen laten zakken tot ze weer op de tafel rustten en keek de ander met ogen als schoteltjes aan. Benito Buroy dacht dat het voorlopig nog de goede kant op ging.

"Dat ik nog steeds niet vertrokken ben", ging hij verder, "komt door de ijzeren controle die u over het eiland hebt. Ik moet toegeven, en dat is niet beledigend bedoeld, dat ik dat niet verwacht had ..."

De militair haalde met een bescheiden gebaar zijn schouder op en zocht naar zijn pakje sigaretten. Tegen die tijd hoefde Benito Buroy geen enkele moeite meer te doen om zich ontspannen te gedragen.

"Het zit namelijk zo. Toen het onmogelijk bleek die man hiervandaan te krijgen, besloot ik een eind aan zijn leven te maken. En net op dat moment viel die piloot in onze wateren en dat maakte de zaak zowel voor u als voor mij een stuk ingewikkelder. Toch geloof ik dat we ons geen zorgen hoeven te maken. Ik heb een oplossing waardoor we allebei niks te vrezen hebben ... Als u daar tenminste mee akkoord gaat, natuurlijk. Ik ben tot uw orders."

De kapitein wapperde ongeduldig met zijn hand.

"Ja, ja ... En wat is die oplossing dan wel?" vroeg hij. "Ik heb er geen kunnen bedenken."

Benito Buroy haalde diep adem, maar gaf meteen antwoord. Het grote moment was daar.

"U zet in uw rapport dat Markus Vogel door een onbekende is doodgeschoten. We laten deze spion onder de identiteit van de piloot van Cabrera gaan, en als hij eenmaal hier weg is zoeken zij, de Duitsers, het zelf maar uit. U en ik staan dan buiten de zaak."

Een diepe stilte maakte zich meester van het kantoor. Benito Buroy achtte het beter verder te zwijgen totdat de ander had nagedacht, iets wat kapitein Constantino Martínez zonder enige twijfel aan het doen was, want hij begon te grommen, stond op en liep een paar keer handenwringend de kamer op en neer.

"Maar als het allemaal uitkomt ..." zei hij weifelend, terwijl hij ten slotte bij de deur bleef staan.

Op dat moment wist Buroy dat hij zijn doel had bereikt.

"Niemand heeft er belang bij de waarheid te vertellen", zei hij om het af te ronden.

"Hier zal iedereen zijn mond dichthouden, voor hen is Markus Vogel een vriend. En wat hemzelf betreft, hij zal zich laten repatriëren en verdwijnen zodra hij voet op Duits grondgebied zet. Dat zouden u en ik in zijn geval ook doen, denkt u niet? En onze superieuren, die zullen tevreden zijn met onze verklaring. We hebben ze van een probleem afgeholpen en dat is wat ze van ons verwachten ... Gezien uw kloeke optreden is het zelfs niet onwaarschijnlijk dat ze binnenkort zullen overwegen u over te plaatsen."

De kapitein aarzelde nog even. Het reglement hamerde door zijn hoofd met de volharding van migraine. Maar uiteindelijk was hij ook maar een mens en ging het er hem natuurlijk om zijn eigen huid redden.

"Soldaat!" schreeuwde hij.

De deur ging open en het hoofd van de schildwacht verscheen om de hoek.

"Tot uw orders."

"Breng de Duitse gevangene hier … En stuur een boodschap naar het kampement dat de barbier moet komen … En kleed het lijk uit. Zijn uniform wordt in beslag genomen door de Spaanse autoriteiten. Ik wil het over vijf minuten op mijn bureau hebben."

Felisa García had het licht zien worden door het keukenraam. Op dat uur had ze alles al klaar om de kantine in gang te kunnen zetten en zat ze aan de keukentafel schrijfoefeningen te doen. Ze kopieerde een paar paragrafen uit een boek dat Leonor Dot haar een paar dagen eerder geleend had. Daarin ging het over een andere ochtend, die ergens ver weg, in de stad Parijs, aanbrak: *De winkels gingen open met het luidruchtige gegeeuw van metalen deuren*, schreef Felisa met het puntje van haar tong tussen haar tanden. *De melk werd naar de huizen gebracht en het verse brood verwarmde de ochtend. Het was het bloederigste uur in de slagerijen.* Bij die zin huiverde ze. Ze hief haar blik op naar de foto van paus Pius XII, maar wat ze zag waren de marmeren toonbanken waarop de gevilde stukken vee vielen, en de verkleumde handen die daarboven grote messen hieven, en aan de andere kant van de winkelruiten de straten die volstroomden met mensen, drommen slaapdronken personen die zich onder een fijn regentje voorthaastten. Felisa García werd er bijna duizelig van hoe groot en opzienbarend de wereld was, en bij die gedachte had ze het heel erg naar haar zin in dat hoekje waar ze geboren was en waar ze haar op een goede dag zouden vinden, vredig en zacht gestorven.

Ze wist dat het acht uur was, omdat ze de vrachtwagen vanuit het kampement hoorde komen met de aflossing van de wacht.

De soldaten die de nacht in de commandopost hadden doorge-bracht zouden zo verschijnen, stram en met kringen onder hun ogen, op zoek naar een kop warme cichorei. Felisa García sloeg het schrift dicht, legde het potlood op tafel en ging naar de bar. Ze nam de plek achter de bar in van Paco, die nog niet was opgestaan. Die ochtend zou ze hem niet dwingen zijn bed uit te komen. De vorige avond, toen ze hem uitgeput na het feest voor Camila had horen snurken, was de kantinehoudster tot de con-clusie gekomen dat haar man al met al geen slecht mens was, dat zijn enige probleem was dat hij het leven niet leuk vond en dat hij het daar al moeilijk genoeg mee had. Iemand kan het niet helpen als hij niet gelukkig is, had Felisa García gedacht in de duisternis van hun slaapkamer, ingesnoerd in haar nachtjapon die ze uit Palma had meegenomen, dankbaar dat het geluk haar in elk geval wel soms streelde als een zonnestraal die door de gordijnen dringt, even je nek verwarmt en dan weer verdwijnt.

Er kwamen twee soldaten binnen. Het waren twee heel jonge jongens, haast nog kinderen. Een van hen liep naar de deur terug en schopte een paar keer met zijn laars tegen de muur.

"Bah", zei hij, "ik ben in een vijg getrapt. Straks maak ik de hele boel smerig."

Felisa García's hart sloeg over. Ze had net beseft dat het half september was en dat de vijgenboom dus waarschijnlijk, zonder dat iemand erop gelet had, klaarstond met het geschenk waar-mee hij elk jaar de herfst verwelkomde. "Hoe heb ik dat kunnen vergeten", mompelde de kantinehoudster.

Ze zette de koppen met de door de cichorei gekleurde melk voor de soldaten op de bar en liep het plein op. Beschroomd ging ze op de boom af, alsof ze bang was dat hij haar iets zou verwijten. Geschrokken door haar nabijheid vloog een zwerm vogels alle kanten op. Felisa García, die een afkeer van veren had, sloot haar ogen en wapperde met haar handen. Maar ze liep door, en toen ze onder de kruin van de vijgenboom stond, slaakte ze een kreet van verbazing. De takken zaten vol paarse vruchten, zo gezwollen dat de schil purperen barsten vertoon-de, wonden waaruit de siroop van het vruchtvlees drupte. De zoete geur was zo sterk dat hij die van het zout van de zee overstemde en dat de lucht ervan doortrokken was. Geen enkele fruitboom op de hele wereld was zo zinnenstrelend als die oude vijgenboom met zijn broze takken.

Met een intens gevoel van dankbaarheid bedacht Felisa García dat ze snel potten moest verzamelen om de vijgen in te maken. En op dat moment verscheen kapitein Constantino Martínez in de deur van de commandopost en wenkte haar.

"Kom eens hier, alstublieft."

De kantinehoudster volgde hem naar zijn kantoor. Ze wilde de militair al gaan zeggen dat ze geen tijd had voor flauwekul, toen haar benen het bijna begaven. Midden in het vertrek stond Markus Vogel, gekleed in het uniform van de piloot, met kort haar en zijn lange kluizenaarsbaard afgeschoren. Zijn blik was troebel, zijn ogen waren rood. Hij leek niet blij met zijn lot. Benito Buroy, die naast hem zat, glimlachte daarentegen van oor tot oor.

"Wat vindt u ervan?" vroeg hij de kantinehoudster. "Toen Schmidt geraakt werd door die kogels, droeg hij zijn uniform-jasje gelukkig open. Het zit onze vriend Markus als gegoten … En het lijkt erop dat hij nu eindelijk naar Duitsland terug kan keren."

Felisa García had zich niet naar Buroy toe gekeerd om naar zijn woorden te luisteren, maar keek vorsend naar de man die zoveel maanden in zijn eentje aan de rotskust had doorge-bracht.

"Hoe voelt u zich?" vroeg ze.

Markus Vogel had een kartonnen koffer in zijn hand. Daar zaten de papieren van de piloot in waarmee hij naar Duitsland terug zou kunnen, maar ook twee foto's die hij aan de kantine-houdster gaf. Op een daarvan zag de vrouw een jongetje met een speelgoedvliegtuig in zijn hand. Op de andere een man en een vrouw die heel ernstig de camera in keken.

"Niet goed", antwoordde de Duitser. "Ik heb een onschuldig man gedood."

"Dat is mijn schuld. Ik ben degene die hem ervan heeft beschuldigd dat …"

"Schei uit", viel kapitein Constantino Martínez haar in de

rede. "De dingen zijn zoals ze zijn en daar valt niets meer aan te doen. Ik heb u geroepen om u mee te delen dat vanaf nu alles een beetje … anders dan anders zal zijn. Maar maakt u zich geen zorgen. Meneer Benito Buroy, die deel uitmaakt van de Spaanse inlichtingendienst, en ikzelf, hebben de situatie in de hand. Gaat u dus maar naar huis en praat er verder niet over. Vertrouw op ons."

Benito Buroy was overeind gekomen. Hij ging naast Felisa García staan en hield zijn mond bij haar oor.

"Dit mag uw zwager niet weten, dat begrijpt u wel", fluisterde hij.

De kantinehoudster had niet de tijd om iets terug te zeggen, want de schildwacht meldde vanaf de deur van de commandopost dat het bevoorradingsschip de baai binnenvoer. De kapitein wreef in zijn handen en keek de vrouw aan met de suggestieve glimlach van een goochelaar die op het punt staat zijn nummer te voltooien.

"Kom mee, dan gaan we hem verwelkomen", stelde hij voor. "Ik moet me wel heel erg vergissen als hij geen verrassing voor u bij zich heeft."

Het hart van Felisa García, die een heel drukke ochtend had, begon sneller te kloppen toen ze dat hoorde. Ze liep morrend achter de militair aan, met haar hand over haar heup wrijvend en mompelend dat ze met zijn allen nog eens haar dood zouden worden, maar ze had al een voorgevoel van wat haar wachtte. Toen de boot steeds dichterbij kwam, zag ze vanaf de kade wat ze zo gehoopt en gevreesd had. Zittend in een rolstoel die was vastgebonden als één van de vele pakken waar het dek mee vol stond, keerde haar oudste zoon eindelijk terug uit een strijd die al lang was afgelopen. Hoewel hij een dikke, uitgezakte man was geworden, met zijn blik hardnekkig op zijn schoot gericht en zijn gezicht zo pafferig dat ze het amper herkende, zei Felisa García: "Mijn kind is er weer." Zodra de trossen waren uitgeworpen, vroeg ze of iemand haar aan boord wilde helpen. Ze omhelsde hem zonder dat het haar kon schelen dat hij niets zei. Toen draaide ze zich om naar de kade, waar de kapitein in zijn eentje stond, een beetje ongemakkelijk door de onprettige aanblik van de invalide, en riep trots: "Dit is mijn zoon! Hij is een held uit onze oorlog!"

Een echo weerkaatste haar stem, en opgeschrikt door deze plechtige mededeling voelde kapitein Constantino Martínez zich gedwongen zijn gezag te doen gelden. "Nu hebben we een kolenbrander", verklaarde hij officieel. "Laten we hopen dat hij zijn werk weet te doen."

De rest van de ochtend was men druk in de weer met het uitladen van de voedselvoorraden. Een patrouille onder leiding van sergeant Ridruejo bracht het lijk van Hermann Schmidt naar het kerkhof om het te begraven. Op bevel van kapitein Constantino Martínez groeven ze een diepe kuil om te voorkomen dat stormen hem weer aan de oppervlakte zouden brengen. Er werd niets op het graf vermeld, en met de eerste regenbuien zou het door onkruid worden overwoekerd.

Die dag werd in de kantine het middageten vroeger dan normaal geserveerd, want de boot lag te wachten om weer terug te varen. Gewaarschuwd door Felisa García, die Paco eindelijk uit zijn bed had gehaald om hem als boodschapper erop uit te sturen, namen Leonor en Camila hun plek weer in aan de tafel bij het raam. Het meisje zag nog steeds erg bleek, maar haar ogen straalden en ze droeg de jurk in de kleur van de tafelkleden. Toen Felisa García haar daar zag zitten, met rechte rug en de maniertjes van een dametje, moest ze denken aan die dag langgeleden waarop ze haar voor het eerst had gezien en haar met haar bruuske ontvangst aan het huilen had gemaakt. De kantinehoudster dacht dat ze altijd alles verkeerd deed, maar dat het leven gelukkig lang was en haar de tijd gaf om zich te beteren. Die ochtend nam ze zich voor dat ze ook haar fouten tegenover Andrés zou herstellen, en tegenover haar oudste zoon, die gedwongen was geweest een beroep op de liefdadigheid te doen terwijl hij een moeder had, en dat ze Paco de ruimte zou geven de zijne te herstellen, want die maakte er net zoveel als zij of misschien nog wel meer.

Wat betreft Benito Buroy, die zou voor de laatste keer in eenzaamheid van zijn maaltijd genieten. Vanaf zijn tafel achterin zag hij Markus Vogel in zijn nieuwe uniform heel schuchter binnenkomen. De Duitser groette de aanwezigen met een lichte buiging van zijn bovenlichaam en ging bij Leonor en Camila zitten. Ze spraken bijna niet, alsof alles al gezegd of bekend was. Aan een andere tafel hielp Felisa García haar oudste zoon, die met een misprijzende trek om zijn mondhoeken zat te eten zonder haar aan te kijken. En aan de bar leek Paco eindelijk tevreden met zijn leven. Hij maakte grapjes met de legerarts, die inmiddels weer een vrij man was. Lluent stond bij hen maar zweeg.

Er werd niet nagetafeld. Sergeant Ridruejo kwam binnen om te melden dat het schip ging vertrekken en Markus Vogel stond op. Leonor Dot bleef zitten met haar blik strak op haar bord gericht, maar Camila sprong de Duitser om de hals. Deze sloeg zijn armen om haar heen en droeg moeiteloos haar lichte gewicht. Toen zette hij haar weer op haar stoel en nadat hij even naar de ingetrokken hals van Leonor Dot had gekeken, stak hij zijn hand uit en streelde haar over haar hoofd. Leonor hield haar ogen neergeslagen.

"Vergeet me niet", zei hij. "Ik kom je halen als dit allemaal voorbij is."

Pas toen Markus Vogel zich van de tafel verwijderde, durfde Felisa García naar hem toe te gaan en hem een klein pakje gewikkeld in krantenpapier te geven. "Hier, voor onderweg", zei ze. En tegen zijn gebruikelijke verlegenheid in omhelsde de Duitser haar. Felisa García voelde dat ze overal kippenvel kreeg.

"Vooruit, ga nu maar", zei ze. "Ik wens u het beste."

Benito Buroy en Markus Vogel verlieten de bar. Ze staken het plein over en liepen over de kade naar de boot. Daar stond kapitein Constantino Martínez op hen te wachten om toestemming te geven voor het vertrek.

"Maak voort", beval hij, "de zee begint woelig te worden en ik wil u beiden hier niet meer zien."

In de kantine bleef de legerarts, een beetje aangeschoten door de glaasjes die Paco hem had ingeschonken, ondertussen slissend herhalen dat Camila weer terug naar haar bed moest. Leonor besloot hem te gehoorzamen. Ze sloeg een sjaal om de schouders van haar dochter en samen begonnen ze aan de klim naar huis. Toen dronk Lluent in één teug zijn glas brandewijn leeg en richtte zich tot Felisa García.

"Ik kom vanavond niet eten", zei hij.

Hij liep naar de deur. Daar kwam hij kapitein Constantino Martínez tegen, die besloten had een slokje te nemen om te vieren dat al zijn problemen waren opgelost. Lluent reageerde niet op de groet van de militair, die de kantine binnenging, aan de bar ging staan en hem in de richting van de kade zag lopen. Hij zou de visser nooit meer zien. Een paar maanden later, misschien dankzij de gelukkige hand die hij had gehad in het bestrijden van spionage, werd kapitein Constantino Martínez overgeplaatst naar het regiment in Algeciras. Lluent, op zijn beurt, zat zes jaar in de gevangenis van Palma, omdat hij één man had gedood en twee andere had verwond in een kroeg in Colonia de Sant Jordi. Paco zorgde in de tussentijd zo goed en zo kwaad als het ging voor zijn boot.

En de Engelsen zijn Cabrera nooit binnengevallen.

Bibliotheek Geuzenveld
Albardakade 3
1067 DD Amsterdam
Tel.: 020 - 613.08.04